后宫·如懿传 贰

流潋紫·著

中国华侨出版社

图书在版编目（CIP）数据

后宫·如懿传. 2 / 流潋紫著.—北京：中国华侨
出版社，2012.6
ISBN 978-7-5113-2467-2

Ⅰ．①后… Ⅱ．①流… Ⅲ．①长篇小说－中国－当代
Ⅳ．①I247.5

中国版本图书馆CIP数据核字(2012)第110317号

后宫·如懿传.2

著　　者：流潋紫
出 版 人：方　鸣
责任编辑：韩　芳
封面设计：红果书装
排版制作：刘碧微
经　　销：新华书店
开　　本：700mm×980mm 1/16　印张：17　字数：259千字
印　　刷：北京慧美印刷有限公司
版　　次：2012年7月第1版　　2012年9月第3次印刷
书　　号：ISBN 978-7-5113-2467-2
定　　价：32.80元

中国华侨出版社　北京市朝阳区静安里26号通成达大厦3层 邮编：100028
法律顾问：陈鹰律师事务所
发 行 部：(010) 82068999 传真：(010) 82069000
网　　址：www.oveaschin.com
E－m a i l：oveaschin@sina.com

如发现印装质量问题，影响阅读，请与印刷厂联系调换。

后宫·如懿传 贰

目录

目录

第一章

延祸

四周静得有些骇人，偶尔穿过庭院的风声，像不知名的怪物隐匿在黑暗中发出的低沉的嘶鸣。所有的人都怔在了原地。心头的震撼如惊涛骇浪，冲得如懿微微踉跄一步，下意识地捂住了自己微张的嘴，将那几乎要喷涌而出的惊呼死死扼住。

襁褓中的孩子，四肢瘦小却腹大如斗，整个腹部泛着诡异的青蓝色。更为可怕的是，孩子的身上，竟长着一男一女两副特征。

皇帝吓得双手一颤，几乎是本能地把孩子推了出去。幸而王钦牢牢接住了，他也是一脸惧怕，双手哆嗦着不知该如何处理手中的孩子。皇后一时也看清了，惊得低呼一声，花容失色，大为惊惧，紧紧攥住了皇帝龙袍的袖子。如懿不知道自己的脸色是否亦如皇后一般难看，她只觉得自己的心突突地用力跳着，仿佛承受不住眼前所见似的。她与皇室羁绊多年，虽也知道后宫孕育子嗣往往艰难，孩子多有夭折，可是大清开国百年，从未有过这样的骇事！

那孩子，分明有一张与别的婴儿无异的面孔，小小的潮红的脸上，露出一丝满足的笑容。他的身体在襁褓里蠕动着，并未觉得自己与旁的孩子如此不同。可是他偏偏雌雄未辨，惊世骇俗。

里头隐约响起女人昏迷醒来后疲倦的声音："孩子，我孩子呢？"

皇帝的身体剧烈一震，像受了什么无法承受的力量似的，死灰般的面庞上唯有一双惊恐而哀伤的眸子，那双眸子里的哀伤因为触及孩子的面容而如遇见寒雪的青瓦间的冷霜，转瞬被覆盖不见，只余下刺骨寒冷的惊恐与嫌恶。

女人的声音在里头再度响起，带着期盼与希望："把孩子抱来我看看……"

一片静寂，没有人敢回答。

皇后迅疾反应过来，带着冷冽的决绝。她转首，发髻间一点银凤垂珠的流苏簪闪过一丝寒星般的光芒，划破深蓝至抹黑的天际，转瞬不见。她的语气没有任何柔软与迟疑，决绝道："皇上，这是孽障，是不祥的妖物，绝不能留！"

皇帝微微一怔，茫然地点点头，皇后旋即看着王钦，一字一字吐出："你去安排，告诉所有人，玫贵人生下的是个死胎，死胎不祥，立即埋了它！"她说到那个"它"字时，冷漠而不带任何感情，仿佛那个孩子，就是一个不值一顾的小小牲畜，随时可以将他鲜活的生命掐去。

如懿实在有些不忍，低声道："皇上，这孩子也没有别的问题，只是多了……不如请太医看看，看能不能除去其中多余的那个……"

皇帝看着孩子小脸粉红的憨态，一时也有些动摇。皇后立刻转过脸来，照着如懿的脸便是一耳光。那耳光来得太快，几乎叫人反应不过来，如懿硬生生受了这一巴掌，只觉得脸上热辣辣的，胜过了一切痛楚。皇后冷冷看着她，那双眼睛如养在清水寒冰里的一双黑鹅卵石，看着清透乌黑，却有让人浑身一凛的彻骨寒意："娴妃，你做错什么事说错什么话本宫都不会怪你。但是这一巴掌，你要好好记住，这个孩子是不祥的孽障妖胎。你若再容旁人知道，流传出去伤害圣誉与大清的祥瑞，本宫就是杀了你也不为过。"

脸上的伤痛一点一点逼到肌理深处，痛得久了，没有挨打的另一边脸孔反而有一种奇异的冰冷的触觉，仿佛是滴水檐下的冰柱一点一点化下水来滑在面颊上，冰得寒毛倒竖，凛冽刺骨。她明白那孩子是救不得了，也不敢捂着脸，只得屈膝欠身："臣妾失言，请皇后娘娘恕罪。"

皇后扬了扬脸示意她起来。皇帝定了定心神，仿佛找到了主心的一缕神魂，极力平静着问：“既然如此，皇后的意思是……”

皇后微微欠身，语气恭和而安稳：“玫贵人不幸，诞下死胎，无福为皇上绵延后嗣，还请皇上节哀。但愿玫贵人来日有福，还能为皇家开枝散叶，再续香火。”皇后瞟了一眼王钦怀中的孩子：“既然是个死胎，就好好处置了吧。王钦，这件事不许再有其他人知道。至于已经知道的人，除了本宫、皇上和嫺妃，就是你了。”

王钦悚然一凛，立即答应道：“是。奴才明白了。”

如懿看他转身离去，心下亦明白，这个孩子，断断是活不了了。

皇帝疲倦地摆摆手：“皇后，你和嫺妃去安慰一下玫贵人吧，朕累了。”

皇后知道皇帝此时并不愿与玫贵人相见，或许此后，皇帝都不会再想与她相见了，于是便温婉劝道：“皇上累了一晚上，一定也倦了。不如去臣妾宫里稍事休息，臣妾准备了一些五仁参芪汤，原是留着自己喝安神的，皇上赶紧去喝一碗定定神吧。”

皇帝的目光扫过如懿的面庞有些歉意：“那朕先去皇后宫中了。”

如懿亦知，今晚皇帝心里一定不好受，皇后万事稳如泰山，皇帝在她那儿亦是好事。于是她欠身相送：“皇上安心歇息，臣妾会与皇后娘娘好生安慰玫贵人的。”

皇帝点点头，转身离去。皇后看了如懿一眼，伸手轻轻抚上她的面颊，温言问：“痛不痛？”

如懿身体微微一缩，有些难以抑制的畏惧，忙道：“谢皇后娘娘关怀，方才是臣妾失言了。”

皇后叹口气道：“方才那种情况下，这个孩子是断断留不得了。万一皇上起了不舍之心，一时难以决断，往后日日看到那孽障，岂不更加烦心。且事情一旦传出去，这不男不女的妖孽，会让皇室蒙上何等羞辱？还是快刀斩乱麻的好。”

如懿心口堵得慌，像是被谁塞了一把火麻仁一般，喉头又酸又胀，语气却竭力维持着平和从容：“是，臣妾受教，是臣妾糊涂了。”

永和宫寝殿内的哭闹声越来越凄厉，是玫贵人，急着要看她的孩子却无人应对后的焦灼与不安。皇后叹口气：“走吧，如何劝住她，这便是咱们的事了。”

如懿跟着皇后推门进去，布置得精致秀雅的寝殿内颇有琴书静韵，仿佛在那份喧嚣的恩宠之下，蕊姬亦有着一份自己的清新雅致，赢得皇帝的垂眸。可是此时此刻，殿中沉积的百合香气味底下掺着浓郁不退的血腥气和潮腻的来自产妇头顶与这个季节格格不入的大汗淋漓的味道。

皇后与如懿甫一进殿，便见玫贵人惊慌失措地挣开宫人们的扶持，从床上跌爬下来，满面泪痕地扑倒在皇后脚下，泣道："皇后娘娘，他们不让臣妾见孩子！他们都拦着臣妾！"她的慌张与不安明白无误地铺写在她娟丽清秀的面孔上。"皇后娘娘，您告诉臣妾，孩子是不是不大好？"皇后短暂的沉默让她有些慌不择言，"长得难看些不要紧，只要是全的，全的。皇后娘娘，孩子不会缺了什么吧？"

怎么会缺？分明是多了些许不该有的东西。

皇后伸出双手扶住她，缓缓地道："玫贵人，你要节哀。"她瞥一眼如懿，如懿会意，只得道："孩子生下来就是个死胎。皇上吩咐，立刻送孩子……回去了。"

玫贵人浑身打了个激灵，像是有惊雷从她头顶毫不留情地碾过，惊得她浑身战栗不已。她瘫软在地，哭号不已："不会的，不会的！孩子生下来的时候，我还明明听到他的哭声，怎么会是个死胎呢？"

"玫贵人，你当真是听错了。孩子一生下来就是没了气息的，怎么会哭呢？"皇后怜悯地看着她，然后缓缓地目视宫中诸人，"你们当时都在玫贵人身边，告诉玫贵人，孩子是不是生下来就是没有声息的？"

皇后的目光和缓如往日，可是目光所及之处，无人敢不跪下，俯首低眉道："是，皇后娘娘说得是，还请贵人节哀。"

如懿低低道："你要是伤心，不如请宝华殿的师父来诵经祈福，也好送孩子早登极乐。"

玫贵人在泪眼蒙眬里醒过神来："请皇后娘娘好歹告诉臣妾一声，这孩子到底是男是女……"

皇后微微一怔，有些为难地看了如懿一眼，如懿犹豫着道："是个……"

皇后旋即道："是个小公主，所以你也别太伤心了。娴妃说得对，是要请宝华殿的师父好好来替小公主诵经超度。"皇后沉声吩咐众人："这些日子玫贵人要坐月子补养身体，不许她走动见风，只许宝华殿的大师进偏殿祈福诵经，其余任何人都不许来打扰玫贵人休养。"

如懿一听，便知皇后对玫贵人已是形同软禁。她无能为力地看着沉浸在悲痛之中的玫贵人，随着皇后的步伐一起离开。

寒冷的冬夜哈气成冰，如懿远远听着寝殿里传出撕心裂肺的哭声，心底的微凉如同被月光映照的茫茫雪野，凄寒而明亮的冷。她从大氅中伸出手来，接住从无尽的暗色夜空中落下的清冷雪花。这样冷清而小朵的雪花，落在灯火通明的庭院中，伴着玫贵人无助而悲切的哭声，冬夜的寒意，无声无息入骨侵来。

玫贵人骤然丧女，不只合宫惊讶，连太后亦颇为伤心。宫中人心浮动，慧贵妃亦在背后私语，玫贵人是骄奢享福太过，才折了孩子的阳寿。流言如沸，幸而如皇后所言，永和宫不许外人出入，玫贵人才免了惊扰，可以安心休养。但玫贵人伤心如斯，皇帝却也再未踏足永和宫一步探望安慰。太后几度欲问皇帝玫贵人死胎之事，皇帝也不过含糊了几句，便过去了。

这一日已是玫贵人丧女的半月之后，如懿陪皇帝在养心殿暖阁中闲话。皇帝的神色始终有些郁郁，对着窗外雨雪霏霏，兀自沉浸在默然的悲戚中，一遍一遍地抄写着《往生咒》。雨雪天气的黄昏也显得格外暗沉，如懿见皇帝身前的几案上犹搁着一壶残酒，一盏孤杯，数支白烛燃着几簇昏黄的冷焰，每一跳动，都溅起抽搐般的影光。皇帝穿着一身缂金云白狐皮龙袍，那龙袍原是银白的底色，簇了雪白的狐皮滚边，连缂金的绣龙图案亦显得清冷了不少。皇家一向讲究色调清雅富贵，皇帝亦少穿这样的素色。如今这般打扮，也不过是心情的缘故罢了。

空气里残留着冷酒的余香，如懿卷起衣袖，轻轻为皇帝研磨墨汁，轻声道："皇上要喝酒也先让人温一温，冷酒太伤胃。或者，与人对酌说说话也是好的。"

皇帝并不抬头，淡淡的语调中颇有伤感之意："自饮自酌，冷酒才有味道。何况殿中熏得那样暖，再喝热酒，就失了意趣。"

如懿静静磨完墨，闻着殿中的龙涎香有点淡了，便让李玉带着人捧了香炉下去，又用紫铜拨子拨开镂空鹤纹铜炉的一角，添入一把紫檀色的苏合香。

皇帝只低头专心抄写，问道："怎么不用龙涎香了？"

如懿道："苏合香能通窍辟秽，开郁豁痰，冬日里用最好。"

皇帝搁下笔叹了口气，苦笑道："通窍辟秽，开郁豁痰？朕知道你是好心，可是朕心气郁结，岂是一把苏合香能解的？"

如懿将皇帝所抄的《往生咒》一一理好，温然道："皇上抄了这么多《往生咒》供宝华殿诵经超度所用，臣妾就知道皇上心里还是在意那个孩子的。"她小心觑着皇帝的神色："皇上常到延禧宫看望臣妾，永和宫与延禧宫不过数步之遥，皇上何不去看看玫贵人，稍作安慰？"

皇帝眉心的悲色如同阴阴天色，凝聚不散："近乡情更怯，更不知该如何安慰彼此？反而是两下里伤心。"他静一静："幸好玫贵人还不知道那孩子的样子……"

如懿忙道："皇后娘娘吩咐过，一律不许走漏风声。那日为玫贵人接生的太医与嬷嬷，都已经打发出去了。但凡有可能见过小……公主身体的宫人，也都已经拨去了热河行宫，不许再在宫里伺候。"

皇帝微微颔首："皇后想得很周全。此事不祥，朕连太后也不敢告诉周详。"

如懿点头道："如今宫里见过那孩子的，只有皇上、皇后、臣妾与王钦。再无第五人了。"

皇帝静默地吁出一口气，正要提笔再写，只听外头两声叩门声响，却是王钦在外道："皇上，永和宫玫贵人送了东西来请圣上过目，皇上您要不要看一看？"

皇帝犹豫片刻，便搁下笔道："拿来朕瞧瞧吧。"

王钦答应着推门进来，却是在黄鹂鸣枝多子多福红漆托盘里搁着一叠婴儿衣裳。皇帝一时未解，便问："这是什么？"

王钦恭声道："玫贵人说，听闻皇上辛苦手抄《往生咒》化与小公主，所以想把之前亲手做的给小公主穿的衣裳一同焚化，即便小公主在人世间穿不上一遭，到了极乐世界也不会受冻凄寒。"

皇帝的神色间闪过一丝凄楚之色，如懿便道："皇上，玫贵人忆女心切，您还是成全了她吧。"

皇帝点点头："朕准了，你告诉她，便留在自己宫里焚化吧。"

王钦又道："玫贵人说，今晚亥时一刻是半个月前小公主出生的时辰，希望皇上能亲临永和宫，陪玫贵人一同焚化这些衣裳，以尽哀思。"他凑上前几步，翻起盘中的衣裳："这些衣裳都是玫贵人亲手做的，皇上看看这针线，一定是花了不少工夫的。玫贵人慈母之心，可钦可叹啊！"他随手翻起，直露出盘底上多子多福婴儿嬉戏图来。皇帝眼中一动，本已心软，可是目光触及盘底憨态可掬的婴儿图案，不觉闪过一层蒙眬泪意，那泪意似结了薄薄一层碎冰一般，凝住了层层寒气。

皇帝问："这个托盘是哪里来的？"

王钦赔笑道："还能哪儿来的？是永和宫连着衣裳一同送来的。皇上要不信，送衣裳的小贵子还在殿外候着呢。"

皇帝眸中微冷，再也不看那些衣裳："去告诉玫贵人，她还在月中，朕不宜探望，这些事她这个做额娘的一力完成就是了。"

王钦立时退下。如懿见皇帝面色不善，忙含笑问道："伺候玫贵人的宫人真是不当心，玫贵人不能平安诞育皇嗣，他们还用这样婴儿嬉戏的图案，玫贵人看见了岂不刺心？"

皇帝颓然坐倒在椅上，长叹道："朕一看见那些健全的孩子，便会想到玫贵人所生的孩儿，如此畸形可怖，诚如皇后所言，是孽种妖胎。偏偏玫贵人自己懵然不知，她无心所选，却让朕不得不想起那个可怕的孩子。"他握住如懿的手，神色如一个凄惶而无助的孩子："如懿，你告诉朕，是不是朕无福失德，才会与玫贵人生下这样的孩子？是不是？"

如懿心头一搐，忙安慰道："怎么会？皇上初登大宝，乃天命所佑。这个孩子，纯属意外而已。"

皇帝的脸贴在如懿温热的手心之上："就是因为朕初登大宝，所以才更不安。玫贵人的孩子，是朕登基之后的第一个孩子……"

皇帝话音未落，却听有风声伴着殿门悠长的吱呀之声一同扑入。如懿抬首，却见皇后独自站在殿门内，衣袂翩然，颇有正大仙容之姿。

她端然迈进，一步一个沉稳，定定道："皇上安心。这个孩子的意外，完全是因为玫贵人德行浅薄，不堪承受皇上圣恩。"她行至皇帝身边，俯身将皇帝的手合在自己掌心，语气沉稳而不容置疑："皇上已经有好几位皇子皇女，个个都聪明康健，唯有玫贵人所生与旁人有异，便可证明万恶之源在于玫贵人而非皇上。皇上大可不必挂怀。"

皇帝神色稍稍弛缓："皇后所言，不是宽慰朕吧？"

皇后唇边的笑意让人望之心安："是否是宽慰之词，皇上只要去阿哥所看看各位阿哥与公主，不就知道了。"

如懿知道皇后要借几位年幼的阿哥与公主开解皇上的失落，安慰他丧女之痛外，更不能述之于口的惊骇，或许眼下，这也是让皇上尽早走出颓丧之情的最好良方吧。她默然行礼，缓步退了出去。容色和缓而沉静的皇后身边，连皇帝也露出一丝难得的欣慰之色。她掩上殿门，亦掩上自己此刻的失落与怅惘。

或许，皇后终究是皇后，他可以对着自己倾吐心事，最终却是在皇后那里得到安慰。如懿看着外头寒雨纷纷，夹杂着碎雪纷乱，雨雪寒潮之中的紫禁城，亦如同自己一般失了颜色。

坐在暖轿之中良久，如懿的心事仍是翻覆如潮，不得安定，只觉得暖轿转了一重又一重，仿佛自己一颗不定的心一般，山重水复，千回百转。正苦闷间，忽而听得隐隐约约有哭泣之声传来，如懿掀起帘子，唤道："惢心，去看看是谁在哭？"

惢心答应着转过甬道过去瞧了瞧，很快过来回禀道："回小主的话，是永和宫的小贵子躲在角门下哭呢。"

如懿点点头，示意惢心打起伞来，吩咐道："阿箸，你带着他们先回宫，我自己走回去便是。"

阿箸忙道："那让他们回去，奴婢留下伺候小主吧。"

如懿道："不必了。你去替我将案上抄写的经文收好，等下送去永和宫一并焚化，就当是我对玫贵人和孩子的一点心意。"

阿箸转身去了。如懿扶着惢心的手缓步转过甬道，果然见一所偏僻的宫殿外，小贵子正躲在角门边抱着刚才那包婴儿衣裳在抹眼泪。

如懿道："你家小主还在坐月子，你便这样哭，若她知道了，岂不是让她伤心么？"

小贵子见是如懿，忙磕了个头请安道："娴妃娘娘万安，奴才不是有心的。"

如懿微微点头道："你也算个有心的了。要是在自己宫里哭，那真是让玫贵人伤心了。"

小贵子擦着眼泪呜咽道："我们小主没了孩子半个月了，可是皇上一次也没来探望过。人人都说，皇上是嫌弃小主生了一个死胎，所以再不会宠幸她了。"

如懿心下哀悯："即便如此，玫贵人也不会坐以待毙的，是不是？"

小贵子忙道："小主就是怕皇上再也不来了，所以今日特地命奴才送了这些婴儿衣裳来，希望皇上可以惦念昔日之情。"

如懿翻了翻那些衣裳，摇头道："玫贵人的心思是不错，可是这个装衣裳的托盘，是玫贵人自己选的么？"

小贵子奇道："不是啊。奴才捧着这包衣裳来，王公公说空手拿着不像样子，所以给了奴才这个托盘装着，还说是有婴儿嬉戏图的，皇上看了也会念及玫贵人。"

"王钦？"如懿旋即明白过来，正色道，"既然这次不成，那便算了。你赶紧回去，记得以后再替你们小主送东西给皇上，再不许有这样的图样花纹了。"

小贵子尚未明白过来，但见如懿语气郑重，也知道是要紧的嘱咐，忙谢了恩赶紧去了。

蕊心替如懿打着伞遮蔽雨雪相侵，低声问道："王钦这般费尽心思，是要绝了玫贵人的宠爱啊！他一个阉人，居然有这样狠毒的心思。"

如懿扶着蕊心的手缓步向前："诚如你所说，他一个阉人，有什么好替自己这般狠毒的？不过是替他人效力而已。"

蕊心悄悄望了望四周，低声道："小主是说……"

如懿缓缓摇头："这一厢一直腾不出手来，看来王钦，是断断不能留了。"

蕊心低低应了声"是"，牢牢扶住如懿的手臂："雪天路滑，小主当心脚下。"

如懿沉下心气，缓声道："我自然会当心脚下。否则如今是看旁人摔倒，以后便是自己爬不起来了。"

第二章

喜忧

　　玫贵人的失宠，似乎已成定局。因为生下的是如此不祥的"死胎"，产前的荣宠在她生育之后几乎是消弭殆尽。没有任何安慰，没有一次探视，一向花团锦簇的永和宫就此沉寂，再无一人踏足，连最为贤惠的皇后也退避三舍，不再前往。

　　为着怕见面伤情，皇后还是不许玫贵人离开永和宫半步，出月之后，连在偏殿祈福的法师也退回了宝华殿，唯有寂寞的风雪回声，相伴同样寂寞而悲伤的玫贵人。

　　连着好几日是难得的晴好天气，又逢旬日，宫嫔们便也随着帝后一同前往慈宁宫请安。太后见莺莺燕燕坐了满殿，也稍许有了些笑容，支颐含笑道："前些日子一直雨雪不断，便免了你们往来请安。今日皇帝和皇后有心，带你们一起过来了。"

　　众人道："能向太后请安，是臣妾们的荣幸。"

　　太后含笑道："昨日福珈陪哀家去御花园走了走，说是欣赏晴日红梅。其实红梅盛开，哪里比得上你们百花齐放，不止哀家，皇帝看了也赏心悦目。皇帝，你说是么？"

皇帝赔笑道："皇额娘说得是。"

太后理了理衣襟上的垂珠流苏，缓缓道："百花齐放，乍眼看去似乎缺了哪一朵都不明显。可是熟知百花的人便知道，缺了哪一朵都不算是胜春胜景。皇帝，就当哀家人老多言，玫贵人已经出月，怎么还不见她出门向哀家请安？"

皇帝眉目间微有黯然之色，皇后忙含了恭谨的笑意道："玫贵人伤心失意，是儿臣的意思，要她多多休养的。"

"过于伤心，那便是玫贵人的不是了。"太后叹了口气，随即敛容正色道，"对于嫔妃而言，孩子固然重要，但侍奉君上更为重要。这也是祖宗规矩为何要将你们生下的孩子交给阿哥所或是位高的嫔妃抚养的道理。就是怕你们只一心在孩子身上，疏忽了皇帝。"她瞥了皇帝一眼，好生关切道："玫贵人无福为皇帝你诞育皇嗣，皇帝你也不要太过伤心。你还年轻，你的后妃们也还年轻，即便是玫贵人，也有再生养的机会，千万不要一时伤心过度，伤了龙体。"

皇帝连忙起身："儿子多谢皇额娘关怀。"

太后叹口气道："皇额娘关怀也是嘴上说说的，还是要你自己开解心怀。哀家看你这些日子都清瘦了不少，眼窝底下都是黑的。你这般郁郁寡欢，哀家看着也是焦心。"太后的口吻微有不满："皇后，听闻这些日子多是你陪伴皇帝，怎么未有好好开解、宽慰圣心？你是六宫之主，宫中琐事固然要紧，但皇帝的一切更是要紧。你可千万不要轻重不分啊！"

这句话说得颇重，皇后微有惶然之色："皇额娘恕罪，儿臣无能，不能使皇上开怀，所以这些日子也安排各宫嫔妃随侍。娴妃与慧贵妃也多有伴驾，皇额娘若不信，大可命内务府送上记档来查。"

如懿与晞月忙起身道："恭请皇太后万安，臣妾们的确有奉皇后之命，侍奉皇上左右。"

太后抚着手边一把紫玉如意叹道："皇帝登基之后虽然立了几个新人，但最得圣心的只有玫贵人。其实生了个死胎又如何，养好了身体很快又会有孩子，皇帝也可安心了。"

皇帝与皇后对视一眼，又看了如懿一眼，便也低下头去。皇后仰面，施施然笑道："其实儿臣一直安排几位嫔妃随侍皇上，也是这样打算的。"她福下身含笑向太后与皇帝："恭喜太后，恭喜皇上，继玫贵人之后，怡贵人也已经有孕一个多月了。"

皇帝一惊，旋即大喜，握住皇后的手扶起她道："皇后所言可是当真？"

皇后的笑意温煦如春风："孩子千真万确就在怡贵人腹中，臣妾岂敢妄言。而且臣妾查过敬事房的记档，的确是一个多月前承宠受孕的。上天如此安排，必是知道失之桑榆收之东隅，所以特让怡贵人怀上龙胎。"

怡贵人满面红晕，亦起身道："臣妾深受皇上与皇后福泽，皇后娘娘为怕出错，特意请了三四位太医诊脉，臣妾的确是已经身怀龙裔了。"

如懿只觉得腔子里至喉舌底下，都酸楚极了。可是那种酸楚却全然不顾她的感受，自顾自强行而肆意地蔓延开来，爬入她的五脏六腑。如懿下意识地按着自己的小腹，那里是那样平坦，她还是那样没有福气，没有自己的孩子。或者说，是从未有过。而更难受的，或许是幽闭永和宫中的玫贵人吧，自己的丧女之痛切肤至深，却要眼睁睁看着怡贵人享受有孕之喜，将她曾经的盼望与喜悦一一经历。

皇帝喜不自禁，看向太后道："皇额娘，皇额娘……"

太后的笑意仍是淡淡的，如月朦胧鸟朦胧顶上一片薄而软的烟云，总有模糊的阴翳，让人探不清那笑容背后真正的意味："这当然是好事。而且怡贵人从前是侍奉皇后的人，知根知底，没有比这个更好的了。"太后扶着福姑姑的手站起身："说了一早上的话，哀家也累了，先进去歇息。你们坐一坐，便各自散了吧。"

众人目送太后进了寝殿。

皇后看着怡贵人的肚子，喜悦万分："后宫顶了天的要紧事，就是为皇家开枝散叶，福泽万年。咱们的千秋万代，不在别的地方，都在你们的肚子上。若都能像怡贵人一样，本宫便是做梦也能笑醒了。"她笑吟吟地转头吩咐："素心，莲心，今晚收拾下东西，本宫要去宝华殿进香祝祷，答谢神恩。"

皇帝欣慰地拍拍皇后的手，温和道："有劳皇后了。"

"皇上怎么这样说？"皇后笑嗔，"嫔妃们诞育子嗣，她们固然是孩子的生母，臣妾是孩子们的嫡母，也一样是做母亲的。这份高兴，既是为了她们，也是为了臣妾自己。"

皇帝颇为感慨，眼底闪过一丝润泽："皇后贤惠。"

皇后环视座下："臣妾有一事一直想回禀皇上。其实嫔妃之中，慧贵妃与娴妃的位次最高，侍奉皇上也久……"

如懿听见提到自己，不自觉地一凛，看向皇后。她抬头时正撞上慧贵妃的目光，两下里相触一闪，旋即转头，各自露出无比得体的笑容。

皇后含笑望着她们俩，眼中尽是温煦的关切之情："其实不仅贵妃和娴妃，海贵人和嘉贵人也未生养过。臣妾想，不如请太医院开些催孕坐胎的方子，让各宫嫔妃都喝下，也好早有身孕，宫中也热闹些。"

皇帝欣慰道："如此，便是皇后有心了。"

如是闲话几句，各人也便散了。皇帝对怡贵人的身孕格外重视，便让皇后亲自送了她回景阳宫，自己回了养心殿。

如懿与晞月蹀出慈宁宫外，晞月自嘲地笑笑，难得地没有敌意，寥落道："怡贵人恩宠一向不多，皇上一个月也不过只去她那里一次，居然也有了身孕。而本宫和娴妃你，居然沦落到要请皇后配制坐胎药才能求子的地步。"

如懿也颇伤怀，小指上的银鎏金嵌米珠护甲硌在掌心是冰冷且不留余地的坚硬。她勉强笑道："一股子运气不来，皇上来得再多也是我们没有福气。"

晞月黯然一笑："从前在潜邸的时候，你家世比本宫好，恩宠比本宫多。如今到了宫里，这情景掉了个个儿。本宫哪怕有多不喜欢你，可有一点不得不承认，在子嗣上，本宫和你一样艰难，膝下孤凉。"她话锋一转，忽然道："本宫和你膝下无子也就罢了，可是玫贵人怀着身孕的时候人人都说她身体康健，即便有点小病小痛，也不过是嘴上溃疡之类的小事罢了。太医也说怀着的是个男胎，怎么生下来成了公主不说，还成了个死胎。死胎便死胎吧，偏偏皇上还存了芥蒂，整整一个月都没去看过她一次！"

如懿淡淡笑着道："皇上圣意，岂是姐姐与我能揣测的。"

晞月含了一丝隐秘的笑容，挥手示意身后跟着的宫人退下，低低在如懿耳边道："听说玫贵人的孩子，不只是死胎那么简单。当夜你也在永和宫，难道没发觉什么异样？"

如懿心口微寒，唇角却含了一缕恰如其分的笑意："能有什么异样，不过是皇上亲眼见过那个孩子，所以伤心罢了。"

"再伤心，时间过去也能冲淡一切，再加上旧情，皇上不至于对玫贵人芥蒂至此。中间一定还有什么别的缘故，是不是？"

晴暖的阳光卷起碎金似的微尘，一丝丝落在身上，亦沾染了那种明亮的光晕，可是如懿分毫也不觉得温暖，那种从身体深处蔓生的凉意，丝丝缕缕，无处不在。她徐徐道："还能有什么别的缘故，旧爱伤怀，怡贵人又有了身孕，皇上移情之后，玫贵人只会更受冷落了。"

如懿所言非虚。她的延禧宫就在永和宫正前，每每经过，看着门庭冷落，几可罗雀，她便可以想见，里头一寸一寸寂寞孤独的时光，是如何难挨了。

这样的日子，她也并非没有挨过。君恩如水向东流，得宠忧移失宠愁。宫中的女子，这一日复一日，何尝不是这样挨过的。

晞月更走近一步，语不传六耳："可是本宫怎么听说，皇上命宝华殿的大师在永和宫诵经一月超度祈福，是因为玫贵人生下的孩子，是个妖孽！"

如懿连忙示意噤声，神色平淡而波澜不惊："贵妃娘娘，宫内不比别处，这样的话可是说不得也传不得的。"

晞月收敛笑容，冷冷一嗤："这样的话，何止是本宫，满宫里都在传着呢！如今只怕是玫贵人足不出户，迟早也要知道了。"

如懿心头一凛："满宫里都在传？"

晞月冷笑道："可不是？以为谁瞒得住谁呢，你若不信，自己去听听便知。"晞月说罢，唤过宫女一同离去了。

宫里的闲言碎语一向就比在阴暗角落里窜来窜去的蛇虫鼠蚁都要多。藏匿在宫苑红墙碧瓦之下的犄角旮旯里，嘈嘈窃窃，鬼鬼祟祟，交头接耳，蠢蠢欲动。像灶房里老鼠的窸窸窣窣，像墙头草左摇右摆，一只耳朵咬了另一只耳朵，好话赖话，一律咬着牙舔着舌头咀嚼着吐进吐出。只有添油加醋，没有短字少句。

这便是后宫的闲话了，没有一日断绝，倒像是无边无际的春草，漫无边际地滋生着。往这闲话的波澜起伏里投下一块惊涛巨石的，是玫贵人的自缢。

永和宫闭绝一个多月的大门再度开启。如懿得知消息的时候，已是午睡醒来饮茶用点心的时分。阿箬来禀告时，如懿惊得险将手中的一盏清茶皆泼了出去，忙忙扶了阿箬和惢心的手往永和宫去。

　　如懿赶到的时候皇帝和皇后都已经在了。她请了安便在旁边的椅子上坐下。玫贵人被皇后贴身的素心和莲心按住了坐在床上，兀自呜呜哭泣。皇帝气恼之余不免有些心疼，口吻却是十分严厉："宫中妃嫔自戕是大罪，你有什么想不开的，居然敢在紫禁城内自缢，也不怕添了宫里的晦气！"

　　玫贵人只穿了一身素白色缀绣银丝折枝迎春的衬衣，外头披着一件石青刻丝灰鼠大氅，那青青翠翠的素白底色，愈显得那脸没有血色，唯有雪白的脖颈上留着深紫一道勒痕，楚楚可怜地昭告天下，她是刚从鬼门关上被人拽了回来。

　　玫贵人呜呜咽咽地哭着："臣妾本来就是个晦气的人，还有什么可说的。皇上恶了臣妾，由得臣妾去死便罢了。"

　　皇帝气得别过头去，皇后亦不免含了怒气："即便你没有家人需要顾及，也不怕连坐。可是皇上有什么不疼你的，你便这样自轻自贱，轻易毁损自己的性命，岂不是辜负了皇上对你素来的心意？"

　　玫贵人哭得愈加幽凄："只有臣妾自己对不住皇上的。臣妾无话可说，也无颜再侍奉皇上！"

　　皇后看着满地跪着的宫人道："你们也是，不好好伺候着玫贵人，由得她这样伤心这样闹，本宫要狠狠处置你们才是。"

　　那些宫人们吓得拼命磕头道："皇后娘娘恕罪！皇后娘娘恕罪！奴才们也不知是出了什么事，贵人的情绪会这样激动！"其中一个领头的宫女哭着道："这几日贵人小主一直心绪不定，晚上也惊梦连连，睡得并不好！今儿午后小主本是要午睡的，可是小主并不让奴婢们伺候，全打发了出去。奴婢在外头听着不太放心，又听见凳子落地的声音，怕出了什么事，结果闯进去一看，贵人小主竟把自己挂在梁上了！"

　　如懿忙问道："那么你家小主到底是为了什么想不开？可是为了孩子的事？"

　　那宫女怯怯地摇摇头，又俯首下去。

　　皇帝气得狠了，连连问："你有什么想不通的，尽可跟朕和皇后说，再不然，娴妃和你这样近，你也可以告诉她。"

　　玫贵人哭着道："皇上不就怕臣妾和别人说话知道些什么吗？所以皇后娘娘也将臣妾关在这永和宫里不许见人。臣妾知道自己人微言轻又命薄如纸，除了把

喜忧

自己吊到梁上，还能有什么办法？"

皇帝将手中的茶盏重重一砸："荒唐！"

如懿忙接过茶盏吹了吹道："茶盏太烫，皇上仔细手疼。"

皇帝微微颔首，正要说话，却见寝殿门口杏子红的衣衫翠罗一闪，却是慧贵妃娉娉婷婷立了那里。她由着宫女伺候脱下斗篷，声音冰冷冷的："臣妾要是玫贵人，听说了那些闲话，也是要想不开的了。好好的孩子，死了也罢了，还要被人传成是一体双生的妖孽，雌雄不辨。这世上有几个做母亲的能受得了。"

皇帝神色大变，蹙眉道："你从哪里听来这些无稽之谈，还跑到这里来说？"

慧贵妃倒也不惧，盈盈施了一礼道："臣妾还用从哪里去听说，满宫里私底下谁不是这样在传呢。"

玫贵人凄厉地尖叫着哭了一声，从床上挣扎着起来，膝行至皇帝跟前，抱着他龙袍一角道："皇上，请求您告诉臣妾一句实话，臣妾的孩子是不是一个妖孽，是不是连是阿哥还是公主都分不清？所以皇上会厌弃臣妾至此，整整一个多月都不愿来看臣妾一眼！"

皇帝勉强挤了一丝笑容道："外头的闲话，你别去乱听！朕不来看你，也是为了你安心养好身体！"

玫贵人哀泣道："臣妾哪里还能养好身体？即便臣妾幽居在永和宫里，也能听见宫墙外头的议论。难怪皇上连那孩子也不让臣妾看一眼便送走了，原来臣妾生的真是个妖孽！"

皇帝有些烦躁，喝道："王钦！"

王钦紧赶着从外头进来道："皇上，奴才在。"

皇帝冷冷道："你去宫中彻查，到底是哪些人在散布谣言，说玫贵人生下的是个妖孽。一旦查到，无论是哪个宫里的，立即送进慎刑司，终身不得出来。"皇帝这话口气虽冷，但目光更是锐利，只逡巡在王钦面孔上，逼得他渗出了一脸冷汗，忙磕了头道："皇上放心，奴才身边断不会有这样散布谣言的人，更不会有听过这种谣言的人，奴才会即刻去查。"

皇帝轻轻"嗯"一声，道："玫贵人，旁人有这样的揣测谣言都不要紧，但你是孩子的生身母亲，你若存了这样的疑心，还要为此赴死，岂不是连你自己也在这样揣测自己的孩子了。朕没有别的话，只告诉你，你便再要寻短见，谁也救不了你，更换不回那个孩子！"

皇帝再无二话，起身离去，才走到庭院中，却见慧贵妃紧紧跟了来道："皇上，臣妾有一言，不知当讲不当讲？"

皇帝道："有话便说吧。"

慧贵妃施了一礼，便道："臣妾想着一事，不管玫贵人生下的孩子是什么，即便是个死胎，也是不吉利的。且玫贵人又这样寻死觅活的，怕是冲撞了什么。如今怡贵人有了身孕，又住在永和宫后头，要是受了这不吉利的人与事影响，再涉及腹中胎儿，那便不好了。"

皇帝道："那你的意思是如何？"

慧贵妃道："皇上多有子嗣，人人无事，唯有玫贵人的孩子有事，那便是玫贵人的不祥了。与其留这样一个不祥人在宫中，还不如请玫贵人移居宫外别苑，再不要住在紫禁城中了。"

皇帝淡淡"哦"了一声："只有这样的法子么？朕的本意，是想请几位法师超度之后便可以解了玫贵人的幽禁了。"

慧贵妃摇头，正色道："臣妾别的不敢多言，不管玫贵人所生的是死胎也好妖孽也好，子嗣为上，若是沾染了她的晦气，宫中再有一个那样的孩子，可如何是好？大清百年国祚祥瑞，难不成就要断送在她手里？"

如懿正跟着皇后出来，听到这句，不觉便上前了一步。皇后按住她的手，缓缓地摇了摇头。如懿心下担忧不已，回头望去，玫贵人还在寝殿深处郁郁哀哭不止。

皇帝依旧是不动声色："话不要说半截，都吐出来吧。"

"玫贵人不祥，上承天恩居然还会生出那样的孩子，这样阴鸷的祸水，是断断留不得了。臣妾想着，反正玫贵人也是想不开了要自缢，不如成全她，让她陪着那个孩子去了，也算是积了阴德。"慧贵妃扶住皇帝的手臂，小心觑着皇帝的神色，意味深长道，"左右那个孩子是什么样子，皇上是亲眼见过的。这样的孩子，宫中是绝不能有第二个了。"

皇帝的身体轻微一震，像是被她的话语深深触动，旋即陷入更深的沉默之中。

第三章
流言

皇帝静了片刻，只是看着庭中幽幽红梅，吐着暗红色的花蕊，像是溅开了无数血腥的红点子一般。如懿悄悄看着皇帝的脸色，只觉得什么也瞧不出来，皇帝的神色平静极了，如同秋日里澄净如镜的湖面，犹有暖日的金色余光洒落面上，平添了一分暖调。

皇后按了按如懿的手，悄然上前，柔声道："慧贵妃的话是急了些，但臣妾心想，这满宫里无论是谁，无论什么事，都比不上大清的国祚要紧。"

如懿一想到"自缢"二字，只觉得浑身发冷，忍不住道："皇上，玫贵人的孩子纯属意外，既然孩子一生下来就已经死了，那更不会干系旁人，更不会影响大清的国祚。"

慧贵妃笑道："娴妃这话便是说得太轻巧了。皇上正当盛年，以后多的是孩子。孩子是阿哥还是公主都不要紧，要紧的是聪明齐全，成为对大清有用的人。娴妃如今都未有生育，试想若是受了贱人的祸害，也生下了这样的死胎，娴妃你身为人母，能否接受？到时候便悔之晚矣。"

如懿一听她拿自己做例子，其心恶毒，心底愈加难耐："天命庇佑，我是不怕的。慧贵妃若要担心，便担心自己的孩子吧。"

慧贵妃眼波一剜，清冷道："本宫要念及的不仅是自己来日的孩子，还有眼下怡贵人的孩子和日后旁人的孩子。娴妃你为玫贵人求情，是不是敢担保，以后宫中再不会有这样的祸事，还是有了这样的祸事，到时你与玫贵人便一起殉了那孩子，以报大清？"

皇帝呵斥道："好了。站在这儿便这样争执不休，成什么样子？"

如懿与慧贵妃对视一眼，只得屈膝道："臣妾冒昧了。"

皇后低声道："皇上，那您的意思是……"

皇帝皱了皱眉，扶住皇后的手道："怡贵人的孩子就请皇后多多看顾。至于玫贵人，就先挪出永和宫，住到宝华殿前头的雨花阁去，让她邻近佛音，好好清净清净心思。"

慧贵妃犹有不服，道："皇上，可是她生下了那样的孩子……"

"孩子？"皇帝轻轻一嗤，"是否恩准玫贵人自缢且容后计较。朕倒想知道，宫中到底有哪些胆大妄为的人，敢擅自散布流言，混乱人心。朕断断容不得！"

皇帝这话说得沉肃，众人闻言皆是一凛。皇帝道："慧贵妃，这里没有你的事情，先跪安吧。"

待到慧贵妃出去，皇帝负手立在庭中，身边再无旁人伺候。如懿见他如此神色，又兼之方才那番话，心下便有些沉郁。皇帝的声音极轻："那夜在这里，见过那个孩子的，只有朕、皇后、娴妃还有王钦吧。"

皇后婉声道："是。其余见过孩子的人，当夜都打发出去了，应该来不及在宫里说些什么。"

皇帝长叹一声："你们都是朕近身的人啊。"

如懿会意，旋即道："臣妾谨遵皇上吩咐，不敢有一言半语泄露。"

皇帝点点头，又问："皇后，那日王钦把孩子送去处置，路上不会有人瞧见吧？"

皇后的声音极低，仅仅足以让身边的人听清楚："出了永和宫的门就扼死了，一路就是个死胎送进小棺椁封好焚化。这件事，臣妾身边的莲心跟着一块儿去办的，绝不会有差错。"

如懿虽知那孩子是必死无疑，却不想是王钦活生生扼死的。不知怎的，她便觉得心口哆嗦着窒闷难言，几乎想要呕吐出来。

皇帝轻轻"嗯"了一声，慢慢踱出庭院。如懿听着满庭风声萧索，肆意而狂暴地穿过枝丫，自己仿佛也成了其中枯靡的一枝，任由逆风侵袭，不得摆脱。

如懿回到殿中，便有些不耐烦。她描了几笔花样子，便烦恼地将笔一搁。冬日所用的杏子红团福撒金锦帘是喜气洋洋、花团锦簇的颜色，落在她眼里却只觉得那金茫茫的颜色格外刺眼。蕊心打了帘子捧着茶水进来道："小主，永和宫的玫贵人是要搬出去了呢。"

如懿点了点头，接过茶水道："她也可怜见儿的，孩子成了那个样子，挪去雨花阁静静心也是好的。"她抿了一口茶水，问道："怎么换了茉莉花茶？"

蕊心笑道："茉莉清心宁神，小主一回来就沉着脸，所以奴婢换了这个。"

如懿便道："阿箬呢？怎么都没有看见阿箬？"

蕊心道："说是去内务府皮库挑些好皮子来做两件冬衣，一去去了这么久，大概是挑皮子耽搁了。小主不是不知道，阿箬选东西算是精细的。"

如懿笑道："也是，她是见过好东西的，挑东西也严苛。我看她如今的性子安静了好些，不比从前那样浮躁，也放心些。"

蕊心道："可不是呢？上回的事阿箬姐姐算是得了教训了，也亏得小主的调教。"

如懿轻舒了口气道："她自己知道便好了。"

蕊心看着如懿，小心翼翼地问："那小主为什么又不高兴呢？"

如懿伸出纤细的手指在几案上轻轻划着，理了理自己烦乱的心绪："宫中流言如沸，不胜其扰。"

"宫中从来都不缺流言，小主何须烦扰？"

云鬓上垂落的红瑛流苏沙沙地打着鬓边，每一拂动，便是一层秋雨落叶似的微凉。"如果皇上最忌讳的流言，出处只可能在我、皇后和王钦这三处，你觉得皇上会如何想？"

蕊心神色遽变，如蒙了一层白蒙蒙的寒霜一般："这件事若不查清，只怕皇上会对小主存了极大的疑心。皇上的疑心若是不除，那小主往后的日子便难过了。"

如懿烦心道："我何尝不知道这个？只是这件事皇上已经在查，但愿很快能水落石出。"

夜来的雨花阁格外幽深寂静。雨花阁本是前明遗留的建筑，一共三层。除了第一层供奉佛像经书外，上面两层均可住人。只是规制陈旧简朴，与东西六宫不可同日而语。玫贵人新移居此地，连侍奉的侍女也少了大半，连着三五日听着后头宝华殿梵音悠长不断，心下更觉凄凉。

可是此身孤苦，一世的荣华与美梦，都随着那个苦命的孩子去了。她也生生被困在了这里，不知何年何月才能得个解脱？

玫贵人伏倒在佛像前，听着窗外风声呜咽如泣如诉，亦不觉落下清泪。只觉此生茫茫，再无可渡之处了。

太后进来之时她尚浑然不觉。倒是福姑姑先唤了一声："玫贵人，太后往宝华殿参拜，经过雨花阁，还请贵人奉上茶水以侍太后。"

夜来参拜，太后身边只带了福珈，几个随侍的宫人都留在雨花阁外。太后穿着一身简素而不失清贵的宝蓝缎平金绣整枝芭蕉福鹿纹长袍，头上用着一色的寿字如意金饰，不过寥寥数枚，却清简大气。

玫贵人一时未反应过来，忙起身拜见，屏退了众人方郑重其事地三叩首，热泪盈眶道："不意太后深夜移驾雨花阁，臣妾未能远迎，实在是失礼了。"

太后缓缓地拨着手中的翡翠佛珠，那一汪绿色水莹莹的，在烛光底下如一湖澄净凝翠的碧波，一看便知是上好的贡品。

太后缓声道："你要还是在永和宫，要来看你也不方便。如今雨花阁住得还惯么？"

玫贵人一时语塞，终究还是摇了摇头。太后温和笑道："也是。住惯了东西六宫的繁华，哪里受得了雨花阁的孤苦？只是皇帝的意思也对，你总是那样伤心，住在雨花阁听听佛音梵经，也是好的。"

玫贵人闻言，不觉清泪滂然，如止不住的寒雨凄切："太后，宫中所有人都在传，传臣妾所生的不是死胎，而是个孽障妖胎。臣妾……臣妾怎么会生出那样的孩子？"

太后长叹一声："你的孩子一生下来就被封进棺椁焚化了，是死胎也好孽障也罢，连哀家都无法确证，何况是你。你若多想多思，便是为难了你自己了。"

玫贵人不甘地泣道："可是，那是臣妾的孩子啊！臣妾十月怀胎含辛茹苦生下的孩子，怎么会是孽障呢？"

太后注视着她，双目沉静如能照透人心："是不是孽障很要紧么？连皇上都不愿意再多提起，更不愿宫中有任何相关的流言四起，你又何必苦苦执著？毕竟，那已经是死了的孩子了。而你，若再执意如此，虽还活着，却也离死不远了。"

玫贵人浑身剧烈一震，仿佛不可置信一般，瘫软在地："太后……"

太后慢慢地捻着佛珠，缓缓道："哀家听闻，慧贵妃已经向皇帝进言，准许你自缢去陪着你的孩子，以免后宫再生下这样不吉的婴孩。皇帝一时心软，未曾答应，若是哪天枕头风吹得更厉害些，他听进去了也未可知。到时候，也不必你寻死上吊，皇帝就成全你了。"

玫贵人吓得花容失色，连连摇头，膝行至太后跟前，匍匐着道："太后娘娘，太后娘娘，臣妾不是存心要自缢寻死的，只不过臣妾生产之后皇上一直不来看臣妾，臣妾才只好出此下策，引皇上过来。连那些宫女都是臣妾安排好的，臣妾不想死，臣妾不想死！"

太后闭着眼睛，淡淡道："哀家当然知道你不想死。当日把你从南府捞出来的时候，就发现你是个有心性的，又出身乌拉那拉府邸，一放进后宫准能让皇后等人费尽心神。皇后专心于后宫纷争，哀家的话在后宫才会有人听、才有用。你要是这么轻易就死了，可就白费了哀家的一片苦心了。"

玫贵人俯首帖耳，再三叩首："臣妾一入后宫，慧贵妃便极力排挤，视臣妾为娴妃一党，如今还要殉了臣妾。臣妾愚钝，还请太后怜惜，指点迷津。"

太后淡淡一笑："指点迷津的只有满天神佛，能自渡迷津的就只有自己了。哀家知道你心痛孩子的死，但孩子死了，只要你活着，总还会有机会。你且放心，哀家会告诉钦天监，流年不利，宫中断不能再有白事。但如何走出雨花阁，如何不负哀家所托，就看你自己的了。"

玫贵人俯身拜倒，悲痛的神情中多了一分郑重："臣妾谨受太后教诲。"

太后扶过福姑姑的手，漫步踱出，她的语气缓而沉："有件事，哀家一直想不明白，你的胎一直都说不错，孩子也壮健。怎么生出来的会是那个样子，真是可怜了。"

玫贵人伏倒在地，平滑如镜的澄砖地冷而硬地硌在额上，那股冷意直逼进脑仁里去。她抬起头，殿中只余下太后长年所焚的檀香余味，气息幽沉，弥漫一室。

如懿被宣召至养心殿，是在午膳时分。她才用完午膳，由阿箬伺候着浣手洁净，皇帝身边的李玉便急匆匆赶来了："娴妃娘娘，皇上有旨，请您立即前往养心殿暖阁一趟，闲人勿带。"

如懿听得最后一句，心下便微微一沉，生了几分不豫之情，脸上却还笑着："皇上这样的旨意，可是出了什么事？"

李玉的神色不似往常，只道："辇轿已在外头备下，娘娘请吧。"

如懿急急更衣，连阿箬和惢心也未带，便扶着李玉的手出去。直到到了仪门外快要上轿的一瞬，她才听得李玉用极低的声音道："王钦在皇上面前诉说了一通，奴才也不知是什么事，只知皇后娘娘也到了。"

如懿听得"王钦"与"皇后"，心下更是阴沉难言，只得道："那就快些去吧，别让皇上等着。"

如懿甫一进殿，便觉得殿中气氛不似往日。皇帝神色沉郁，眼底隐隐含了一分怒气。皇后亦是半坐在榻前的紫檀椅上，并不敢与皇帝同坐在榻上。而王钦垂头丧气地跪在地上，一声也不敢言语。

如懿忙福了福道："皇上万福金安，皇后娘娘万安。"

皇帝草草抬了抬下巴，示意她起身。如懿忙垂手站在一边，皇帝也不叫"坐下"，只向王钦道："你把方才跟朕说的，再与皇后和娴妃说一遍。"

王钦忙磕了个头道："奴才奉皇上之命彻查六宫流言之事，发现宫中的确传言纷纷，论及玫贵人所生的婴孩一体双生，是个妖孽。种种关于婴孩的细节，如同亲见，再加上奴才们嘴贱，添油加醋，便成了说那婴孩如妖物一般。"

皇帝不耐烦道："说这些做什么！只说你查到的那些！"

王钦吓得一怔，忙道："奴才查问下来，发现此种流言散布，东六宫远甚于西六宫。"

皇后显然是松了一口气，神色舒缓了不少，拨着珐琅掐丝手炉上的银镏子道："阿弥陀佛，臣妾居住在长春宫，幸好西六宫流言不多，臣妾也算分明了。"

王钦拿袖子擦了擦汗道："是。据奴才所知，流言所在，主要盘集在永和宫、延禧宫、景阳宫和钟粹宫一带。"

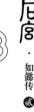

皇后看王钦说得满头大汗，忙温言道："东六宫中只有这四宫有嫔妃居住，永和宫又是事发所在，难免流言纷扰。你且说，这些话是哪里传出来的？"

王钦脸色发白，那汗水滴答下来，被殿中的苏合香一熏，气味实在难闻。如懿屏息敛气，只听他说下去。

皇后沉声道："皇上面前，你还有什么不敢说的么？"

王钦磕了个头，拿眼睛瞟着如懿，道："宫人们都说，最早有流言传出的，便是延禧宫。"

如懿仿佛被一桶冰水直浇而下，冷得天灵盖阵阵发寒，忙跪下道："皇上明鉴，当夜永和宫所见所闻，臣妾未曾有一字半句传出。延禧宫中更无人得知，如何能在宫中散布流言！"

王钦急急忙忙道："奴才不敢妄言，所以特意带了一些散布流言的宫人回来，请皇上细察。"

皇帝冷冷道："既然查了，那就传吧。"

王钦击掌两下，只听外头窸窸窣窣有人进来，地上的锦毯极厚，几乎是踏步无声，唯有衣袍与地毯相触的摩擦声刮着耳膜一阵阵逼近。大约是四五个宫人，跪在了离皇帝一丈之地，叩头问安，缭乱了一阵。

王钦在宫人们面前便恢复了素日的趾高气扬，冷着脸道："我问你们什么话，你们据实以答就是了。在皇上面前，都老老实实的，不许有一句妄说胡说。"

众人怯怯答了"是"，王钦又道："你们几个，在宫里嚼舌根是最厉害的，得了空就在那儿胡说八道，飞短流长。眼下我就问你们，最早的时候，你们是在哪儿听来关于玫贵人的那些不干不净的话的？"

那几个宫人怯怯互视了几眼，又见如懿也在侧，便越发生了胆怯之情，其中一个怯生生道："时日长久，奴才、奴才们都忘记了。"

如懿见几个宫人看一眼她，便不敢多言，一颗心越发往下沉了沉。她跪在地上，见满地铺着寸许厚的百花戏春图的猩红滚金线织锦云毯，密密匝匝地绣着牡丹含芳、蔷薇凝露、莲花清馨、秋菊迎霜、腊梅傲雪，百鹊千蝶嬉戏其间。那样热闹鲜活的图案，原是一整个春日的欢好，此时看来，却似密密匝匝逼得人透不过气来一般。

"忘记了？"王钦冷笑一声，"方才都还记得，如今便全忘记了。我就知道，不长记性的奴才，除了用刑，再没别的办法。"

皇帝口气亦是森冷："到了朕跟前还要推诿？王钦，用刑！先夹断了几根手指，便知道要说实话了。"

皇帝话音刚落，其中两个胆小的便没命价地磕着头道："皇上饶命，皇上饶命！奴才都说了，都说了，奴才最早是经过延禧宫的时候听说的。"

皇后追问道："最早？最早是什么时候？"

那宫人脸色煞白："就是玫贵人生产的那一夜。"

皇后神色微变，似是自言自语："也就是说，皇上刚交代完臣妾和娴妃离开，宫中就流言四起了？"

另几个宫人也忙跟着道："不错不错。皇上，奴才再不敢胡说八道了，就是在延禧宫一带最早传出来的。"

苏合香的气味原是清宁宜人，此刻嗅在鼻中，只觉得热辣辣的，几乎要熏落了眼泪。如懿深深叩首，凛然道："皇上明鉴，臣妾的确不曾泄露一字一句。"

皇后有些为难之色："皇上，以娴妃的为人，想来是不会对外人随意乱说的。只是……"她看着如懿，温婉的眉目间多了几分揣测之色："娴妃，你是不是那夜受了惊吓，又疲倦过度，一时对谁说过，自己也不记得了？"

鎏金错银福寿无疆的大鼎中，若有若无的苏合香薄烟，丝丝缕缕交错密织，无边无际地扩散开来，仿佛织了一张无形的网，遮天兜地地笼罩下来，让人无处可逃。

如懿只觉内心沉闷凝滞不已，仰面直视着皇帝道："皇上若肯信臣妾一句，臣妾敢以性命担保，不曾向任何人说过只言片语。"

王钦啧啧道："这便奇了，人人都说是娴妃的延禧宫传出流言，偏偏娴妃娘娘说只字未漏，难道这些奴才都疯魔了，连哪宫哪苑都分不清楚，信口胡说？或者真如皇后娘娘所言，娴妃娘娘无知无觉中自己说了出去，或是梦话，或是气话，也未可知！"

如懿心中恼怒，盯着王钦道："你口口声声咬住本宫不放，到底本宫有何居心，一定要害了玫贵人还要损她声誉？更不惜连累皇上与皇室的名声？"

王钦忙摇头道："娴妃娘娘千万别恼怒，奴才也不过一说罢了。只是娴妃娘娘一直未有生育，出于嫉妒迁怒于玫贵人，一时口快说了出去，恐怕也是有的。"

皇帝默不做声，只是重重一掌击在紫檀几案上，皇后急得捧过皇帝的手仔细察看道："皇上再生气，也要注意龙体，万勿伤了身子。"

皇帝道："朕的面前，也不好好说话，只一个个咬住了不放，成什么样子！"

皇后忙起身跪下道："皇上息怒，哪怕种种证据确凿，人人都指证娴妃，臣妾也不相信是娴妃有意所为。"

皇帝思忖片刻，慢慢道："朕也相信娴妃，但流言所指，朕不能不查个彻底。"

皇后连忙道："皇上说得是。只是娴妃侍奉皇上多年，没有功劳也有苦劳。但请皇上先勿责罚。臣妾想，既然此事要彻查，娴妃卷入其中也不适宜，不如请皇上先让娴妃不要出入延禧宫，等到查清，再给娴妃一个清白。"

皇帝沉吟着，殿中苏合香的香烟袅袅飘散荡开，连皇帝的面孔也遮了一层薄薄的雾翳。如懿跪在地下，殿中分明是和暖如春，那空气似乎被春日里的蜂胶凝住，滞塞不堪，闷得她透不过气来。良久，皇帝的声音有如金器冷石般锐利地穿透了一缕缕薄烟，凌空破来："那么，朕就如皇后所言。"

如懿脚下一软，几乎是失却了起身的力气，只失望而凄切地看着皇帝。皇帝并不闪避她的目光，沉声道："朕会禁足你一段日子，以求真相。你便先放心住在延禧宫中吧。"他不容如懿再说，唤过殿外的李玉："李玉，扶娴妃出去。"

如懿只觉得脚下绵软无力，一颗心往下坠了又坠，回望去，皇帝的眼中含了一点锐利的坚定之意，她只得安下心来，缓步出去。待到人少处，她就着李玉的手，仿佛是不动声色，只目视着前方，极偶然的，一个眼波划过李玉的面颊，含了深深的决绝和冷厉。李玉会意地点点头，重又垂下双眸，保持着一如往常的温驯和恭顺。

第四章

春情

　　如懿禁足的日子，便是从这一个阳光灿烂的晴明午后开始的。朱红色的阔大宫门"吱呀"一声从身后紧紧合上，便是锁链重重锁住的声音。连她自己也不知道，再打开会是什么时候。延禧宫的宫人们慌得眼泪都下来了，忙不迭地跪了一地，却不知该对着谁去跪。海兰在后殿亦被惊动了，惊慌失措地奔过来道："姐姐，到底出了什么事？为什么要把延禧宫的大门锁起来？"

　　如懿站在庭院中，缓步拾上台阶，阳光透过落尽了翠叶的光洁树枝斑驳地筛了满地。那样清冷的日光从天空倾泻而下，抬头望时，能看到九重宫阙的琉璃碧瓦在日色下闪耀起冰雪洁白一样的光芒。

　　那样的光芒，离她真是遥远。

　　如懿轻声说："不要怕，我只是被禁足而已。延禧宫的角门还能出入，是为你留的。"

　　海兰眼底含了稀薄的泪花，不安道："姐姐，才安静了这些时候，咱们的日子就这么难过么？"

如懿望着远处宫阙重重，琉璃瓦上浮光万丈，神色平静得如阳光照耀下的冰雪："有时候日子安静并不等于难过。你安心就是。"

禁足的时光幽寂而难耐，隔绝了出入，每日所能见的，不过是一方四四方方的小小蓝天。如懿用来打发时光的，不过是让蕊心和阿箬把库房里的各色丝线都选出来一一整理。

这是十分费工夫的一件事，每种丝线分门别类，浸在拧了各色鲜花汁子的滚水里煮过。玫瑰汁子配玫瑰红，杜鹃花汁配杜鹃红，芙蓉花汁配芙蓉粉，飞燕花汁煮久了是淡淡的明蓝，栀子花汁配了淡淡杏黄的白色，香蜂花兑了薄荷配蓝紫色，一一都是费尽了心思的。连黄色的要绣作花蕊的丝线，也一一用柠草汁子和番红花汁一起煮过，带了清新之气。而绿色呢，更是麻烦，配着藿香、杜衡、薜荔、菌桂、迷迭香、百里香、山桃草等香草，煮成芬芳的秾翠明艳。

海兰来看她时不免长吁短叹："姐姐还有心思做这些事，妹妹这些天出去，整日里见王钦在追查那些散布流言的奴才，一个一个都吐了口儿，说是从延禧宫这里听来的。再这样下去，恐怕皇上不只是禁足，而是要对延禧宫上下一一用刑审问了。"

如懿笑吟吟递了一把松石绿的丝线给她："你细闻闻这个，我放了芳芷、木根、兰茝这三种香草，是不是别有一种草木清香，好像春天已经来了？"

海兰无奈接过，却并不如如懿所言去轻嗅其味，愁容满面道："姐姐是盼着春天来，妹妹却看着好像这冬天过也过不完似的。"她忧心忡忡："一旦坐实了流言为姐姐所传播，损害皇室声誉，该如何是好？"

如懿这才抬首道："王钦找了多少人了？"

"总有十来个了吧。"

如懿轻轻一笑若淡淡的云影："十来个人，要置我于死地也够了。可是你猜猜，若要置王钦于死地，几个人才够？"

海兰眼底浮起深深的疑惑："姐姐的意思是……"

如懿看了看窗外浓墨般的天色："我能有什么意思？对了，这些日子都是谁陪着皇上？"海兰道："宫中流言纷扰，皇上也很少召见皇后，多半是嘉贵人和慧贵妃伴驾吧。如今怡贵人有孕，宫中妃嫔倒也常去探望怡贵人，听说慧贵妃也去得很勤快呢。"

如懿道："宫中的嬷嬷们每常说，坐胎药喝下去，也得多沾沾有孕之身的孕气才好呢。慧贵妃盼子心切，一定会去的。"

海兰看着眼前缠绕一团的丝线，烦忧道："这也罢了，慧贵妃每每特意从景阳宫经过咱们延禧宫，都要伫立良久，感慨姐姐境遇凄寒。于我看来，她不过是幸灾乐祸罢了。"

如懿微微一笑，丝毫不以为意："她若喜欢，便由着她去吧。左不过她在外面感慨，而我在里头也听不见，就算听见了，只当风吹过就是了。"

海兰见她如此，也只能默然。二人寂静里相对，听着窗外风声簌簌，远远有笑语声传来，海兰叹道："延禧宫被禁足，永和宫人去楼空，只有景阳宫恩宠不断。风送宫嫔笑语和，大约只有咱们这里这样静，才能听得清楚吧。"

如懿淡淡一笑，手中千丝万缕穿梭不断，只慢条斯理交代惢心道："这些丝线都是煮过了染上了香气的，你明儿拿到太阳底下去晒过，务必要翻晒多次，等太阳落山后再拿进来煮，得煮好多次，我才能绣出带着香气的《百花春意图》呢。"

惢心答应着，又上来添了几支蜡烛，正静静相对，忽然外头喧哗声大起，夹杂着女人尖叫的声音、宫人的呵斥声和太监含混的话语。

海兰立时警觉起来："姐姐，你听什么声音？"

惢心侧耳细听片刻，忽而一笑："仿佛是慧贵妃的声音。"

海兰怔了怔，立时站起身来，却又不知该不该去看看。

如懿淡淡笑道："我被禁足了，你却没有。海兰，你去外头看看，若是慧贵妃在咱们宫门前出了什么事，可就不好了。"

海兰连忙出去，吩咐守门的侍卫开了大门。如懿披上惢心送来的素色缠枝花灰鼠大氅，紧随在后。守在门前的侍卫看她出来，忙挡住了道："娴妃娘娘，皇上有旨，您不能出延禧宫的大门。"

如懿淡淡道："放心！本宫不会教你们为难。本宫只在这儿看着，绝不跨出这扇宫门半步。"

那些侍卫显然是松了口气，躬身站到一旁。外头纷乱异常，有宫人侍卫的脚步声匆匆过来，显然是被方才的声响惊动了。数十盏宫灯将夜来的延禧宫门前照得煌煌如白日，慧贵妃被宫女们簇拥着围在中间，一张莲瓣似的娇美面孔惊怒交

春情

029

加，失了往日的姣好颜色，显是受到了极大的惊吓。

太监侍卫们七手八脚地押着一个服制鲜艳的太监，将他整个脸按在了尘土之中。

慧贵妃鬓发凌乱，云髻松散，几支白玉南红如意珠钗斜斜地坠在耳边，一副将堕未堕的样子。她的厉声呵斥底下有着难掩的震怒与惊恐，喝道："将这个不知死活的东西立刻拖到皇上跟前去，给本宫交代个清楚！"

如懿悄声问守门的侍卫道："这样乱糟糟的，究竟出了什么事？"

侍卫道："回娴妃娘娘的话，那人是皇上跟前副总管太监王钦公公，也不知是喝醉了酒还是怎么，方才慧贵妃带着宫人经过，他便发了狂似的冲上来，言行莽撞，惊扰了贵妃娘娘。"

海兰奇道："王钦又不是不认识慧贵妃，怎会冒犯贵妃呢？"

侍卫道："奴才们奉命看守延禧宫，不能走开一步，所以只能干看着。不过王公公的的确确跟疯魔了似的，看见贵妃娘娘就没头没脑地扑了上去。"

如懿见慧贵妃稍稍缓过神，便朗声道："延禧宫娴妃参见贵妃娘娘，愿贵妃娘娘万福金安。"

海兰见如懿行礼，忙也跟着行礼如仪。

慧贵妃一手护住胸口，一壁恨恨道："是你？你怎么出来了？"

如懿含笑道："妹妹没有出来，只是听得外头喧哗，不意是贵妃娘娘在此，所以特意过来一看，娘娘没事吧？"

慧贵妃恼恨道："本宫有事无事，不必你来关心。"

如懿含着谦恭的笑意，柔声道："妹妹也不想过多关心，只是此事出在妹妹宫门前，妹妹想不多看一眼也不行了。"

慧贵妃气得发怔，露出森森笑意："好！好！居然来看本宫这个热闹！本宫也很想知道，王钦突然在延禧宫外冒犯本宫，是不是有人存心指使！"

二人正僵持着，却见不远处明黄一色御辇迤逦而来，双喜忙请了安上前道："回禀贵妃，皇上正在景阳宫中，奴才已经请了皇上过来了。"

御辇尚未停稳，慧贵妃已满面是泪扑了上去，伏倒在地道："皇上，皇上，您要为臣妾做主。臣妾自侍奉皇上左右，从未受过这样的羞辱。皇上！"

皇帝的御辇堪堪停稳，见她这个样子，又是怜惜又是着急，便道："李玉，还不快扶慧贵妃起来。"

慧贵妃犹自啼哭不已，如梨花一枝春带雨，皇帝微微蹙眉道："好了。那么多人在，你哭哭啼啼成什么样子。有话好好说便是。"

如懿领着海兰向皇帝请了个双安，便道："皇上，贵妃娘娘伤怀，王钦现在还满嘴嘟嘟囔囔地说着胡话。依臣妾看，不管何事都不宜外扬，不如先拿水泼醒了王钦，再好好问话吧。"

皇帝有几日未见如懿了，此时见她披了一件素色大氅，盈盈站在风中，仿佛不盈一握的样子，口中倒是纹丝不错，句句入理，这几日的芥蒂也稍稍释怀，便道："长街的风大，你别站在风口上。"

如懿盈盈道："臣妾多谢皇上关怀。只是此事突然，又出在延禧宫门外。未免张扬，皇上和贵妃若想问什么，不如先移驾延禧宫中。臣妾屏退众人，皇上与贵妃慢慢处置便是。"

皇帝见王钦被人按在地上，满脸通红，似有醉意，也不便再拖去别的地方，便道："那朕就借你的延禧宫一用。"

如懿答了"是"，侧身让了皇帝与慧贵妃进内，蕊心与阿箬、三宝忙不迭地收拾干净了，又奉上茶水。

皇帝在正殿坐了，轻嗅几下道："如今还在冬月里，怎么你殿中有一股子花草清馨，闻着倒很舒坦。"

如懿淡淡笑道："臣妾闲来无事，所以配了些花草汁子，让皇上见笑了。"

皇帝颇为意外，扬了扬眉道："朕禁足了你，你心思倒还闲雅。"

如懿笑意清浅："臣妾被禁足，是因为皇上要还臣妾一个清白，臣妾只需安心等候便是，心思自然不能不闲雅。"

皇帝的目光清澈如许，深深看了她一眼道："也罢。你就坐在朕身边，一同听一听吧。"

如懿含笑谢过，吩咐三宝道："看王钦的样子像是喝醉了，你拿冰水泼醒了他，立刻带进来回话吧。"

因事出突然，贵妃又被惊扰，皇帝也不欲多留人在殿中，只许贵妃随身的侍女茱心、自己的贴身太监李玉在内伺候着。

贵妃一见人少，便忍不住泪如雨下，呜呜咽咽地不肯再多说一个字。皇帝便

春情

道："你一见朕便说受了天大的羞辱，如今又不肯说到底是什么委屈，你叫朕怎么帮你？"

见慧贵妃只是垂泪不已，茉心忍不住膝行上前道："方才贵妃娘娘从景阳宫看了怡贵人过来，想着娴妃娘娘禁足，心下不忍，所以过来看看，也当尽了姐妹之情。今日贵妃娘娘刚从昭华门过来入了延禧宫前的甬道，谁知王钦从后头苍震门赶了过来，没头没脑地就往贵妃娘娘身上扑，嘴里还说着不干不净的话。"

贵妃伸出衣袖泣道："王钦简直如疯魔了一般，一上来就撕扯臣妾的衣裳。皇上看臣妾袖口，都被他拉扯破了。"

如懿诧异道："王钦今日不当值么？怎么从苍震门过来？"

李玉忙躬身道："是。今夜不是王公公当值，所以他一早便回去歇息了。"

正说着，三宝和小福子拖了半醒半醉的王钦进来。王钦身上全湿透了，显然是被泼了一身冰水，看着比刚才清醒了许多，一张脸却是涨成了猪肝色。

如懿掩鼻道："王钦并非不认识慧贵妃，素来也礼敬有加，这中间是不是有什么误会？"

皇帝厌弃地看了一眼道："看他这个样子，像是灌饱了黄汤发酒疯了！"

李玉忙凑上前闻了闻道："皇上，这气味不像是酒味儿，倒是甜甜的，蜜汁似的味道！"

王钦挣扎着起身，刚向皇帝磕了个头，转脸看见茉心跪在自己身边不远处，嘴角不由得淌下一丝晶亮的涎水，歪着身子向茉心扑去，伸手就要摸她的脸。

茉心大惊失色，也顾不得规矩，一下缩到了慧贵妃身后，拼命尖叫道："小主救奴婢，小主救救奴婢！"

皇帝忍无可忍，怒喝道："王钦，你发什么疯！"

皇帝此言一出，李玉一把扯住了王钦，奈何王钦力气颇大，满嘴里哼哼着极力挣扎，看着茉心的眼睛像冒着红色的火焰，贪婪地一寸也不肯挪开。

如懿情急道："三宝，小福子，快把他拖到廊下按住，不许进来。"

贵妃又惊又羞，悲从中来："皇上，方才王钦那个狗奴才就是这样看着臣妾扑过来，他……他……"

贵妃哽咽着说不下去。皇帝的眼中尽是阴郁的怒火，灼灼即可燎原。李玉忙道："皇上，王钦这个样子怕是什么都问不出来了。他今日既不当值，便是在自己屋子里，奴才记得他的对食莲心也不当值，估计传莲心来问一问，便知道王钦究竟是发了什么疯了。"

皇帝鼻翼微张，额上的青筋急促地跳动着，极力压抑着怒气道："你去传莲心，再让人传太医来，看看那个狗奴才到底发了什么癔症才这般胆大妄为！"

李玉躬身退下。如懿见慧贵妃的绢子哭湿了，便将自己的解下递与她跟前，道："贵妃姐姐别恼，莲心和李玉所住的庑房就在附近，一会儿便到了。姐姐先擦擦眼泪吧。"

皇帝便在眼前，慧贵妃见如懿一脸的似笑非笑，亦不好发作，只得恨恨接过了绢子撂在一边。

沉默等待的须臾，如懿示意阿箬送上茶水，贵妃喝了一口，便皱眉道："凉丝丝的，什么怪味儿？"

如懿的笑意温婉而柔和："回贵妃娘娘的话，是薄荷蜂蜜茶，我宫里正好煮了些薄荷汁，兑了蜂蜜拿绿茶泡了，喝下去宁神静气，舒缓郁结，是最适合不过的。"

阿箬的茶正好递到皇帝手边，一时犹豫道："皇上要不要尝一尝，若是不喜欢，奴婢再换别的来。"

皇帝正气郁难解，随手接过道："不必麻烦了，娴妃的一番心意，朕喝这个就好。"他的手无意拂过阿箬的手背，阿箬面上一红，忙屈膝告退了。如懿正看着慧贵妃，一时倒未察觉。茶过半盏，只听推门声近，李玉已带了莲心过来了。

莲心一进来便慌慌张张的，心慌意乱地跪下了道："皇上，贵妃娘娘，娴妃娘娘，王钦是不是发了疯冲撞了人了？但请皇上和各位小主别见怪，饶了他这遭吧。"

慧贵妃秀眉紧蹙："你这样问，便是知道王钦为何如此癫狂，是不是？"

莲心脸上红一阵白一阵，只是羞愧难当，低下头哭个不止。李玉便道："皇上，太医也已经来了，在给王钦查看，奴才立即请他进来。"

皇帝微一颔首，李玉已开门召了太医进来，太医亦是大惊失色，磕了头道："皇上，微臣已经给王公公搭过脉，他不是酒醉，而是服食了过多的阿肌苏丸所致啊！"

慧贵妃微蹙着淡淡烟眉，疑道："阿肌苏丸是什么？"

太医满面惊惶，不知该不该答，却看皇帝与慧贵妃皆是一脸疑惑，只得硬着头皮道："此物是外头坊间的秘药，以蛇床子、川芎、淫羊藿所成……"

皇帝立时明白过来，不觉满面铁青，切齿道："大胆！"

慧贵妃虽不如皇帝醒转得快，却也渐渐明白过来，不觉羞得满面通红，起身便踹了莲心一脚，恨恨道："王钦吃这种不要脸的东西，必然你们俩是一伙的了。皇后好心赐你们对食，你竟敢如此不知廉耻，淫乱后宫！"

莲心又羞又气，只是不敢言语。如懿忙抬了抬眼示意太医和茉心出去，温言道："这里已经没有旁人了，你有话就说吧。"

莲心看了看李玉，窘得眼泪直落，还是不肯开口。皇帝道："留在这儿的李玉是个没嘴没耳朵的，离开了延禧宫的正殿，他便从没听过这件事，也不会对任何人说。你放心说你的就是。"

莲心这才放心，整个人软在地上，呜呜咽咽道："皇上，皇后娘娘本是好心，希望奴婢终身有靠，所以将奴婢指婚给了王钦做对食。奴婢也是嫁了才知道，原来王钦人模狗样，居然连畜生都不如。他本是个太监阉人，却一心想要做个男人，在奴婢身上作威作福，肆意打骂不说，还偷偷弄来了这些奇淫技巧，——施加在奴婢身上，害得奴婢生不如死！"

皇帝轻轻咳嗽一声，李玉即刻会意："奴才立刻带人去王钦的庑房搜查。"说着便匆匆去了。

贵妃一脸嫌恶，拿绢子挡着脸道："王钦这样不知好歹，你怎么不去告诉皇后，求皇后为你做主？"

莲心哀哀哭道："奴婢虽然是宫人，但也要脸面。这样的事，怎有脸对外人说去，更不敢辜负了皇后娘娘的恩典，污了娘娘的清听。而且王钦还说，只要奴婢敢吐露半个字，他必定要让奴婢生不如死。"她说着便褪下衣衫，侧身露出肩膀与背心，只见上面满布牙印与指甲的掐痕，直至肌理深处，如被野兽挠抓，伤痕累累，惨不忍睹。

如懿忙取下自己的大氅替她披上，莲心哭得难以自抑："奴婢白日在皇后娘娘处当差，晚上还要受他如此折磨。光是这样打骂也罢了，后来王钦不知道从哪里搜罗来一些脏药，坚信服食长久之后便会有些男人的效力，每每他自己服食后便要无休无止地折磨奴婢。"莲心动了伤心，索性将嫁与王钦后的苦楚

——诉来。

众人越听越是惊骇，一壁叹息不已。过了一炷香时分，李玉便领了小太监进来。李玉垂手候在一旁，小太监则手捧一个黄杨木盒子站在李玉身侧。

皇帝越听越怒，眉心隐隐有暗火跳簌，道："那么今日，又是为何？"

莲心哭得差点哽住："今日王钦不当值，一回到庑房就开始喝这个东西。奴婢正要回房，在窗外看见他这样，便吓坏了。奴婢一时也不敢回去，又不用回长春宫当值，只好在附近徘徊。王钦服食了那些脏东西后四处找不到奴婢，大约是药性发作，发了狂似的跑了出来，奴婢这才敢偷偷回庑房。"

慧贵妃气得满面紫涨，跪倒在皇帝膝下，忍不住泪如雨下："皇上，皇上，您一定要为臣妾做主。王钦敢在宫内服食这种淫乱之物，冲撞臣妾，简直应该碎尸万段！"

李玉听到此节，方才指着小太监手里的黄杨木盒子道："皇上，奴才奉旨去王钦房中搜查，一搜便搜到这一大盒污秽东西，奴才实在是闻所未闻，见所未见。奴才不敢擅专，立刻捧来请皇上过目。"说罢，他亲自捧过盒子走到皇帝身边，只对着皇帝一人打开。

皇帝只看了一眼，脸上的肌肉不自觉地搐起，和太阳穴突起的青筋一般，昭示着他发自心底的愤怒。李玉立刻盖上盒子，适时地添上一句："自从王钦被赐对食之后，总在奴才们面前吹嘘自己有男儿雄风。原来就是凭这些污秽东西！"

皇帝唇齿间吐出的话语如尖锐的冰凌："召集满宫的内监入慎刑司，看着王钦挑断手筋脚筋，再'贴加官'，看哪个不知死活的东西，还敢秽乱后宫！"

所谓"贴加官"，便是由司刑之人将桑皮纸揭起一张，盖在受刑之人脸上，然后嘴里含着一口烧刀子，使劲喷出一阵细雾，桑皮纸受潮发软贴服在脸上，紧接着又盖第二张，如法炮制。直到七张叠完，受刑之人便活活窒息而死。那七张纸叠在一起一揭而下，凹凸分明，犹如戏台上"跳加官"的面具，保留着受刑之人临死的可怖形状。

如懿保持着矜持沉静的容色，略含了一分厌弃与嫌恶，只是在视线与莲心对上时，露出了一分不动声色的笑容。

第五章
三雕

　　皇帝看着慧贵妃，有几分漠然的疏远："好了。朕已经处置了王钦，你也不必哭了。先回宫去吧。"

　　慧贵妃满腹委屈，想要再说什么，皇帝只是那样淡漠而疏离的口吻，挥挥手道："朕会再去看你的，你回去吧。"

　　慧贵妃只得依依告退。如懿看着神色悲戚的莲心道："皇上，此事王钦有大罪，莲心却只是无辜受害。无论是谁被赐婚给王钦为对食，都逃脱不了这样的命数。还请皇上看在莲心伺候皇后娘娘多年的份上，不要再责罚莲心。"

　　皇帝微微颔首："朕知道，朕不会责怪莲心。"他的目光里有浅浅的哀悯，"朕便解了你与王钦的对食，你还是在皇后身边伺候吧。"

　　如懿悲悯地摇摇头："皇后娘娘当年也是好心，想让宫中的宦官宫女彼此有个依靠。王钦本也不是个十恶不赦的坏人，只是为何别的宦官从未有这样的事，偏王钦就有呢？想来是他对食之后有了妻室，又感自身残缺，才平白生了这贪色污秽之心。依臣妾看来，王钦固然罪不可赦，对食之风亦不可长。免得宫中再有这样可怖之事。”

皇帝端过茶水慢慢啜了一口："你的话也有道理，朕回去会再思虑。"他起身道："天色不早，朕还要去嘉贵人处。你早些歇息吧。"

如懿送皇帝到了廊下，屈膝道："臣妾身陷流言之祸，乃禁足之身，不宜相送太远。在此恭送皇上了。"

莲心本跟在皇帝身后出去，听得这句，忍不住回头道："娴妃娘娘所言，是关于玫贵人生子的流言么？"

如懿淡薄的笑意如绽在风里的颤颤梨花："流言纷扰，本宫亦只能静待水落石出而已。"

莲心"扑通"一声跪下，伏下身爬到如懿脚边，忍不住痛哭道："娴妃娘娘，请万万宽宥奴婢……奴婢的隐瞒之罪。"

如懿一脸疑惑："你可曾向本宫隐瞒了什么？"

"奴婢……奴婢知道玫贵人生子的流言的的确确不是您传出，而是王钦那日做完了差事喝了几口黄汤，自己喝醉了胡说出来的。只是……只是奴婢从前深受王钦之苦，所以一直不敢说出来。请娘娘恕罪……"莲心说完便像捣米似的不停地磕头。

皇帝立时停住脚步，转身道："是王钦？那为何宫人们都说最早是在延禧宫一带传出？"

莲心一脸诚挚："延禧宫是王钦回庑房的必经之路，他那日喝醉了躺在延禧宫外的甬道边满嘴胡说，奴婢找到他时他还烂醉如泥呢。怕正是如此，所以旁人经过听见，还以为是延禧宫传出的流言呢。"

皇帝似是相信了，问道："此话当真？"

莲心忙磕了头道："奴婢不敢妄言。皇上圣裁，这件事知道的人不多，皇上皇后自然不会告知奴婢，奴婢与延禧宫也素无往来，若不是王钦胡说让奴婢知道，还有谁会说与奴婢听见？"

皇帝立刻伸手止住李玉："不必传辇轿，朕今晚留在延禧宫，不去嘉贵人宫中了。"

莲心与李玉知趣，立刻退下。

皇帝目中的愧疚泛起于眼底的清澄之中，握住如懿的手："如懿，是朕误会

三雕

037

你了。"

如懿嫣然一笑，明眸中水波盈动，已微微含了几分清亮的泪意："那臣妾是不是该唱一曲《六月雪》，以显得自己比窦娥还冤？"

皇帝执着她的手："朕不怀疑自己，也没有疑心皇后，甚至来不及疑心王钦，他就带了人言之凿凿地过来，让朕只能疑心你。所以朕只能禁足你。"

委屈又如何？怨又如何？如懿再清楚不过，在君恩重临之时，她过多的委屈与哀怨都是春风里的一片枯叶，不合时宜的。

如懿将心底的委屈按捺到底，露出几分浅如初蕾的笑意，那笑意薄薄的，好像春神东君的衣袖轻轻一拂，也能将它轻易吹落："皇上曾经对臣妾说过，要臣妾放心。哪怕这一次的事皇上没有说，臣妾也会认定皇上会让臣妾放心。所以臣妾也知道，禁足这些日子，臣妾的供应一概不缺。事情的水落石出只是早晚而已。臣妾相信，哪怕真到了所有人所有事都指着臣妾的那一日，皇上也会保护臣妾周全的。"

皇帝轻轻拥住她："你说的，便是朕想的。若真有那一日，朕也会护着你的周全。"

夜色如同幽暗海洋，一望无尽。浮云散去后，一轮新月愈发明亮起来，满天繁星更似一穹随手散开的碎钻，天上的星月光辉与琼楼玉苑内的灯光交织相映，仿佛是彼此的倒影。璀璨夺目，迷乱人眼。月华洒在皇帝的赭褐色织锦龙袍上，慢慢生出一圈朦胧的光晕来。

如懿伏在皇帝胸前，看着廊下风声萧瑟，吹动枝影委地，她无心去想前因后果，也知道自己不该去想。便索性，露出了一丝如愿以偿的微笑来。

如懿的禁足解了之后，渐渐有了一枝独秀的势头。王钦冒犯慧贵妃被处死后，皇帝不止少去咸福宫，连皇后宫中也甚少踏足了。

这一日如懿正坐在窗下，看着日色晴明如金，不觉笑道："春天来得真快，这么快桃枝上都有花骨朵儿了。"

惢心捧着晒好的丝线进来，笑得娇俏："可不是？人人都说春色只在延禧宫呢。若要放宽了说，景阳宫也是。所以人人都指望着东六宫的恩宠呢。"

如懿笑着道："什么东六宫的恩宠，皇上不过多来咱们这儿几次罢了。你告诉底下人，不许骄矜。"

惢心将晒好的一大把丝线堆到紫檀几案上慢慢理着，抿嘴笑道："这个奴婢自然知道。只是从前慧贵妃最得宠，如今皇上也不去她那儿了。"

"这次是把香味都染进去了，终于可以用了。"如懿伸手拨了拨丝线，轻轻嗅着指尖的气味，徐徐道，"慧贵妃是聪明反被聪明误。她若真是聪慧，那日被王钦冒犯后就该一言不发，一滴泪也别掉，静候皇上处置。"

惢心托着腮好奇道："小主为何这样说？但凡女子受辱，可不都要哭闹？"

"是啊。她越是当着皇上的面委屈落泪，皇上听莲心说起王钦如何肆虐之时，便会想起慧贵妃的眼泪，想起她那日差点受了王钦的冒犯。作为一个男人，如何能忍受？"

惢心抿着嘴，藏不住笑意似的："所以那日小主是选准了贵妃会经过咱们宫门前奚落，才特选了那样的时机。本来奴婢还想着，是皇后娘娘赐婚对食的，这样的事落在皇后身上，叫她身受惊吓，才算痛快呢。"

如懿笑着摇摇头："皇后不比慧贵妃那样沉不住气，而且这事只有落在慧贵妃身上，才会让皇上迁怒皇后，觉得种种是非都是由皇后赐婚对食而起，皇上才会连着长春宫一起冷落。"

惢心会意一笑，低低道："只有这样，才能拉下贵妃与皇后，又惩治了王钦，解救了小主自己，一箭三雕。"

如懿冷冷道："我的初衷从来不只是为了搭把手救莲心，顺带着除了王钦这个隐患，而是要绝了宫中的对食之事。当初流言之祸，皇后表面要救我，请求皇上只是将我禁足，实际上是将我置身于不能自救之地。既然如此，我小惩以戒，既是保全自己，也不能让人将延禧宫践踏到底。"

惢心暗暗点头："也只有搅清了这趟浑水，皇上才会相信娘娘与流言无干，才算真正安心了。"

如懿慢慢挑拣着丝线比对着颜色，笑道："你看这一把丝线，光一个红色便有数十上百种色调，若一把抓起来，哪里分得清哪个是胭脂红哪个是珊瑚红。非得放在了雪白的生绢上，才能一目了然。"

惢心会意微笑："所以小主得留出空当来，让皇上分清了颜色，才好决断。"

如懿微微一笑，缤纷多彩的丝线自指尖如流水蜿蜒滑过，轻巧地挽成一把，悬在紫檀架子上，任它如细泉潺潺垂落。"禁足也好，幽闭也好。外头既然流言纷乱，直指于我，那我便顺水推舟，稍稍回避自然是上上之策。"

"可是小主真的从不担心么？小主被禁足，外头自然就由得他们了，万一小主受了他们的安排算计，坐实了玫贵人诞下妖孽这一流言滋扰宫闱的源头，即便皇上要保全您，也是保不住的。"

如懿纤细的手指微微一挑，拨出一缕鲜艳红色挽在雪白的指间："他们要安排布置这样的事，光是一两日是不成的。我只要乖乖待在延禧宫中，那么即便他们有事，也不干我的事了。你细想想，我出事必然是他们所害，他们有事却一定与我无关，这样的好事，换了你，你愿不愿意赌一赌？"

蕊心抿唇一笑，替如懿捧过一把绿色的丝线慢慢拣选："奴婢不敢赌，奴婢只安心跟着娘娘就是了。"

如懿描得细细的黛眉飞扬如舒展的翅："也亏得莲心乖觉，不仅告发了王钦淫乱宫闱，冒犯慧贵妃。还说他总酒后胡言，胡乱吹嘘，流言之事出自他口。何况不论是与不是，皇上心里已经厌弃了这个人，便会认定是他做的。"

蕊心微微蹙眉："玫贵人这件事，知道的人除了皇上、皇后，便是小主和王钦。难道小主从未怀疑过是皇后……"

如懿冷冷一笑，将丝线在手指上细细一勒，森然道："我何尝没有怀疑过？只是皇后不是我能动得了的人。不管利用流言来害我的人是不是她，我都只能先断其臂膀！"

"但是莲心……"

"莲心一心只想除去王钦，她是皇后的家生丫环，又是陪嫁，有父母族人在，一时间她是不敢背叛皇后的。也好，只要人不犯我，我必不犯人，便先留着她，当做一道防范吧。"

这一日皇帝与皇后携了六宫嫔妃往太后处请安。太后着意安慰了怡贵人一番，便命福珈从里头端了一个垫着大红绣绒的红木漆盘来，上面安放着一枚麒麟送子金锁，捧到怡贵人身前道："《诗经》有云：麟之趾，振振公子[1]。哀家就

---

[1] 选自《国风·周南·麟之趾》，全文为："麟之趾，振振公子，于嗟麟兮。麟之定，振振公姓，于嗟麟兮。麟之角，振振公族，于嗟麟兮！"这是一首赞美诸侯公子的诗。

送一枚麒麟金锁给你，希望你早日为皇上添一位阿哥才是。"

怡贵人喜不自禁，忙起身谢过。

皇帝亦颇喜悦，道："麒麟，含信怀义，步中规矩，彬彬然动则有容仪，更是送子的神兽。皇额娘的礼物，实在是心意独到。"

慧贵妃笑着抚了抚领口的翠玉流苏佩："太后的心意怡贵人必然是心领了。其实阿哥公主又何妨，只要母子平安，不要像玫贵人一般福薄就是了。"

太后伸手拨着手边几案上新开的簇簇迎春，金英翠萼，枝条舒曼，已带早春暖凉的气息。太后唇边的微笑亦是这般乍暖还凉："皇后一向不喜奢华，哀家看这些嫔妃们所用的首饰也是银器鎏金为多。哀家赐怡贵人赤金的麒麟锁，皇后不会嫌哀家老糊涂了吧。"

皇后忙起身恭谨道："皇额娘一片心意，儿臣怎敢这样想呢。何况怡贵人有孕，皇额娘爱护怡贵人，等同是爱护臣妾。"

太后微微一笑："宫中祥和平安，乃是皇后的德行所致。听说皇后为使后宫嫔妃多有子嗣，让太医院多多熬制了坐胎药每日送到各宫，也是有心了。"她转首向皇帝道："前几日是二月初二龙抬头的日子，哀家命人夜观天象，祈求祥瑞。不知钦天监可将结果对皇帝说了？"

皇帝扬起几分欢悦之色，道："钦天监说天象祥和，尤其指北天女宿星尾带小星，连续数月格外明亮，乃是指后宫女子怀有大贵之胎。儿子心里也十分安慰。"

太后笑吟吟道："女宿星本来形如蝙蝠，主福兆、多吉。而后宫女子怀有身孕的，只有怡贵人而已。看来这一胎也的确是大福之相。"

这样说来，怡贵人更是喜不自胜，慧贵妃不屑地撇了撇嘴，冷着脸不言不语。皇后倒是一脸欣慰道："如此，臣妾就要向太后和皇上求个恩典了。怡贵人伺候皇上多年，她的位分……"

皇帝爽朗笑道："等怡贵人生育之后，无论男女，朕一定会给她嫔位，居景阳宫主位，如何？"

太后含笑道："如此甚好。哀家也希望后宫嫔妃能多有生养，为皇家开枝散叶才好。"

如此寒暄几句，太后又格外叮嘱了怡贵人保胎事宜，便也散了。

三雕

才出慈宁宫仪门，皇帝便低低向如懿道："昨儿江南进贡了些好茶来，朕都赐予你了。趁现在得闲，不如你烹茶给朕品尝，如何？"

如懿低眉浅笑："臣妾倒不怕皇上不来品茶，只是您已经好些日子没去长春宫了。前几日是二月初一，您本该在皇后宫中过夜的，却也只是去略坐了坐就回了。"

皇帝正要说话，只听皇后疾步上来，请了安道："皇上万福。"

皇帝笑容一敛，淡淡道："春寒料峭，皇后还不回自己宫中么？"

皇后颇有为难之色，踌躇片刻，还是道："皇上，您已经多日没有去臣妾宫中了。臣妾愚昧，不知皇上是不是因为莲心受王钦凌虐之事怪责臣妾？"

莲心跟在皇后身边，忙跪下道："皇上圣明，奴婢受这些苦楚只是奴婢自己命薄罢了，而且奴婢也不敢告诉皇后怕她担心。王钦出事之后皇后娘娘才知道奴婢吃的苦，十分怜惜自责，还亲自为奴婢上药，奴婢感激不尽。所以王钦的事实属奴婢自己命苦，不干皇后娘娘的事啊！"

皇帝看向皇后的神色多了一丝温意，他和缓道："皇后你一开始也不过是好心，怜悯宫人孤苦，但却未能知人善察。莲心在你身边多年，你一时失察，不仅连累莲心吃尽苦头，而且宫中歪风也由此而起。朕不能不想到，这是皇后之失。"

皇后站在风口，穿道而过的冷风拂乱了她梳得一丝不乱的精致华髻，几绺墨色青丝拂上她没有血色的面庞，仿若一朵凋零在初秋的冷荷。

皇后躬身福了一福，将眼中微冷的泪光转成自持的冷静："的确是臣妾失察，臣妾会面壁思过，再三自省。"她屈膝下去："那么，臣妾恭送皇上了。"

皇帝在如懿处品茗过后，便回了养心殿处理政务。如懿闲来无事，便取过染上香气的丝线一针一针地绣起繁天春色。

阿箬捧着刚燃好的一炉香进来道："小主失宠的时候也刺绣，如今得宠了忙着陪伴皇上还不够呢，怎么又开始刺绣了？"

如懿微微一笑，取了针线拈好道："失宠的时候要让自己学会平心静气，得宠的时候亦要告诫自己，不能心浮气躁。刺绣便是如此，一个眼错，便是全局皆毁；一枚针斜，恐怕扎伤的就是自己。所以动心忍性，一步都不可错。"

阿箬若有所思地笑笑，取过一枚烘制好的莲花香饼放进炉中，又覆上云母隔片隔开香饼炭火，滴入一两滴凝露状的蜂蜜："如今入春了，时气干燥，焚香时滴入蜂蜜，可以清热润燥，小主觉得好不好？"

"如今你的心思越发安静了，做事也更妥帖，自然没有不好的。"如懿浅笑，想了想又道，"怡贵人有孕后喜爱焚檀香，今早说起檀香虽好，但焚香后总觉得气燥体热，她又是个贪吃甜食的。我记得小厨房有去岁备下的槐花蜜，清热凉血是最好不过的。等下你便随我送一瓮去给她吧。"

阿箬笑道："别的也罢了。那槐花蜜是去岁的时候特意着人去京郊找了一大片槐花林，取雪白洁净的盛开花朵剔干净了，加上适量的嫩桑叶蒸出来的槐花露。奴婢记得槐花最娇气，成百上千棵树上摘下的花儿也经不起那几蒸，最后只得了两小瓮槐花露，再用长白山产的野蜂巢里的蜂蜜炼了，只为小主从前有血热的症候，才这么不怕费事地制了。统共就那么点子，小主还要拿去送人。"

如懿嗔道："如今怡贵人是皇上的心头肉，连太后都格外高看她些。我也想着，若是怡贵人这一胎安好，皇上也解了上回玫贵人产子的心结，这便是好的。"

阿箬笑道："旁人怀孕有什么好的。从前怡贵人一点也不得宠，如今有孕皇上便这么抬举了。要是小主也趁着眼下圣眷正隆，赶紧怀上一胎，那才是真正让皇上高兴的呢。还不知道皇上要怎么当眼珠子似的捧着爱也来不及了。"

如懿笑着嗔她一眼："越发爱胡说了。"

正说着，小宫女绿痕端着汤药进来道："刚熬好的药，小主快喝了吧。"

如懿轻轻一嗅，蹙眉道："一闻味道就知道了，就是坐胎药的气味。"

阿箬取过几样酸甜蜜饯放在如懿手边，好声好气道："这坐胎药是催孕的，再苦咱们也得喝啊。您看，奴婢连雕花金橘和糖渍乳梨都预备下了，小主赶紧喝了吧。"

如懿端过碗仰脸喝下，又用清水漱了口，连忙取过蜜饯含在嘴里缓了一阵，方道："这坐胎药一碗碗喝下去，连舌头底下都发苦了，真不知道什么时候才会有孕？"

阿箬笑道："只要皇上常来，那股子运气迟早都会到。小主喝了药，咱们就去景阳宫沾沾孕气吧。听说慧贵妃虽然不满天象说怡贵人是大贵之胎，但为了沾

三雕

043

上孕气，也常常去景阳宫呢。"

如懿扶过阿箬的手笑道："既然如此，你便带上那瓮槐花蜜，陪我去景阳宫看看吧。"

景阳宫便在延禧宫与永和宫之后，如懿看着天色极好，便带了宫人步行过去。因着怡贵人有孕，景阳宫也格外地布置一新，才走到宫墙外，便见朱红宫墙耸立，连琉璃瓦也显得一碧如洗。

如懿仔细看了两眼道："好喜庆的颜色，这墙是新粉了颜色吧，好似特别鲜艳些。"

迎上来的小太监笑得灿烂："可不是，皇后嘱咐了，颜色要喜庆，这才吉祥呢。"如懿扶着阿箬的手入了重重朱门，只见雕栏华彩，描赤敷金，鲜华异常。

如懿暗暗点头道："果然怡贵人有孕，景阳宫也不同往日了。"她转首问小太监："这个时候，怡贵人在做什么呢？"

小太监道："贵人身上疲倦，此刻正在暖阁歇着呢。娴妃娘娘请。"

如懿正要迈入正殿，忽听得里头一声惊惧的尖叫，竟是怡贵人的声音。

第六章

惊蛰

　　众人面面相觑，一时间尚不知发生了何事。如懿醒转得快，立刻道："是怡贵人的声音，还不快进去看看！"

　　如懿一时情急，即刻带了人先赶进去，才进暖阁，却见怡贵人吓得缩在暖阁的紫花梨卷草纹杨妃榻上，身上的锦被蜷成一团，她才唤了一声"怡贵人"，却见怡贵人大惊失色，整张脸白中泛着青灰，指着地上的绣毯呼道："救我！娴妃娘娘快救我！"

　　如懿的目光触及地下，吓得几乎倒退几步，宫人们也止不住惊呼起来。原来绣毯之上，一条灰花斑斓的蛇盘绕其上，咝咝地吐着猩红的芯子，在地上摇摆不定。

　　一个小太监惊呼道："呀，这是蝮蛇，是有毒的！有毒的呀！"

　　众人吓得退开十数步远，怡贵人眼看那蛇越游越近，吓得几乎要晕厥过去。如懿心中慌乱不已，眼看那蛇一分分向怡贵人靠近，更是害怕。万一伤及怡贵人腹中的胎儿，皇帝才稍稍平伏的心情又不知要低落成何种模样。

她心下一横，吩咐身边的小太监道："你们宫里有没有雄黄粉？"

那小太监忙不迭道："有有有！这是宫里常备着的。"

如懿忙吩咐了他拿了雄黄粉来，照准那条蛇便泼了过去。那条蛇乍然受了雄黄的气味，一时行动有些滞缓，如懿忙伸手取过碧纱橱边一根宫人扫尘灰的掸子，挑起那蛇的身体一摞，照着门口泼了出去，即刻道："快找人拿大石砸它的七寸，务必砸死为准。"

太监们原本吓得神魂未定，听如懿这样吩咐，忙抱过雄黄粉撒的撒，寻石头砸的砸，不过片刻便将那条蛇处置了。

怡贵人呆呆地看着如懿，片刻才放声大哭，扑入如懿怀中，神色败坏："娴妃娘娘，娴妃娘娘，多谢您救了嫔妾！"

如懿忙拿锦被裹住了她扶进寝殿躺下，方问道："到底出了什么事？怎么会忽然有条毒蛇在你暖阁里？"

怡贵人神色恍惚道："嫔妾本觉得困乏，在暖阁里歇息，并没让人伺候在侧。不承想梁上忽然掉下一条蛇来，嫔妾当下便吓得叫起来。"

如懿替她抚着心口，自己也是惊魂初定："那条蝮蛇是有毒的，若是被它咬伤一口，不只是你，便是你腹中的孩子，后果也是不堪设想。只是好端端的，宫中怎会有毒蛇？"

阿箬替怡贵人端了茶水来道："贵人喝盏茶压压惊。今儿是惊蛰，想来什么蛇虫鼠蚁都出来了。贵人有孕怕冷，宫中还供着地龙，格外暖和，怕是因为这个招来了蛇也是有的。"

怡贵人接过茶才喝了一口，不由得手中一松，整盏茶都泼在了如懿身上。如懿还顾不得擦，却见怡贵人蜷成了一团，一手死死抓住她手，一手按住了肚子痛呼道："好痛！我的肚子好痛！"

皇帝与皇后赶来时，太医已经为怡贵人开了安胎的方子。景阳宫中人心惶惶，如懿一时也走不脱，一壁嘱咐了宫人们延医请药，一壁又吩咐太监们在墙根角落里遍撒雄黄与石灰驱蛇。

皇帝步履匆匆地进来，足下之风几乎惊起了静尘，如懿正守在怡贵人床头，见皇帝心急火燎进来，忙起身道："皇上万福，皇后万福。"

皇帝忙扶了她起身，关切道："怡贵人如何了？"皇后亦心急不已："太医已经来过了么？怎会又是遇蛇，又是腹痛，本宫从阿哥所过来，一路上都心悸不已。"

如懿忙道："俗话说，惊蛰到，蛇出洞。今儿景阳宫里竟不知从何处冒出条毒蛇来，怡贵人骤然受惊牵动胎气，太医开了安胎药服下，怡贵人已小睡片刻，现下应无大碍了。"

皇帝见怡贵人睡中仍有惊惧之色，不免怜惜道："怡贵人初初有孕，身体百般不适，今日又遇见这样的事，实在是要吓坏她了。"

皇后看了看周遭，担忧道："皇上，怡贵人身怀贵胎，此番受了这样大的惊吓，实在可怜。臣妾听闻蛇乃至阴至毒之物，突然间侵扰景阳宫，怕是有什么不利。"

皇帝迟疑道："皇后的意思是？"

皇后满面关切："皇上，景阳宫靠近玄穹门，地气潮湿，若是往后再招来蛇虫鼠蚁惊扰了龙胎，该如何是好，依臣妾所见，不如让怡贵人迁居别宫居住。"

皇帝诧异道："迁居别宫？一时间要打扫宫苑出来，想来怡贵人也未必能住得惯。"

皇后道："东西六宫中有些宫殿一直未有人居住，临时理出来也不便。本来怡贵人也可迁居前头的永和宫，但永和宫大为不吉，自然是住不得的。怡贵人初初有孕，最好是能有人照拂。"她的目光往如懿脸上轻轻一扫："今日怡贵人之事，幸有娴妃在，才能一切无恙。不如就让怡贵人迁居延禧宫中暂住，等景阳宫肃清一切邪物，再请怡贵人搬回就是了。"

皇帝微微踟蹰，看着如懿道："延禧宫中已有娴妃和海贵人住着，又有大阿哥，再住进去会不会太挤了？"

正迟疑间，只听怡贵人微微呻吟了一声，悠悠醒转过来，见皇帝在侧，不觉落泪道："皇上来了，臣妾今日受了这番惊吓，实在是怕见不到皇上了。"

皇帝忙安慰道："不要胡说。朕还盼你为朕诞下一位阿哥呢。"他沉吟片刻又道："怡贵人本是皇后房中的人，长春宫也宽敞，不如还是让怡贵人移居皇后宫中吧，有皇后照顾，朕也能安心。"

皇后转脸拭了拭眼角，不觉含了两分悲色："本来照顾怡贵人是臣妾分内之事。只是臣妾方才从阿哥所来，还未来得及禀报皇上，臣妾的二阿哥着了风寒，身子一直不好。臣妾正想亲自照顾，只怕分身无术，不能照顾好怡贵人，反而有负皇上所托。"

皇帝惊诧地站起身："永琏病了，要不要紧？"

皇后一提起亲儿，不觉满面悲灼，道："都怪臣妾疏于照顾，还请皇上允许臣妾将永琏从阿哥所接回，便于臣妾亲自照顾。等永琏痊愈之后，臣妾再送他回阿哥所。至于怡贵人，本来臣妾可以将她托付给慧贵妃。但是皇上也知道，慧贵妃虽然年长，但不比娴妃沉稳有决断，就譬如今日之事，若非有娴妃在，怡贵人的胎恐怕也不能万全了。"

怡贵人牵住皇帝衣袖，感泣道："回禀皇上，今日幸得娴妃娘娘万事沉着，帮臣妾驱赶毒蛇。可是这个地方……"她环视雕栏画栋的景阳宫，脸上闪过惊恐之色："臣妾是断断不敢再住了。"

皇帝微一沉吟："那么……如懿，朕只得让怡贵人去你的延禧宫暂住了。"

如懿知道推托不得，便道："臣妾回去便把正殿的两间东暖阁打扫出来供怡贵人居住，但请怡贵人不要嫌弃简陋才好。"

怡贵人脸露喜色："怎么会呢，往后可要叨扰娴妃娘娘了。"

皇后亦含笑："如今宫中皇上最关心的便是娴妃与怡贵人，她们住在一起，皇上去看望倒也更方便了。"

如懿回到宫中便觉得闷闷的，一壁吩咐了宫人收拾出正殿的两间屋子，一壁往海兰殿中去。

海兰闲来无事，只穿着一件家常的月白缂丝凤香菊纹一斗珠长衣，拥着一个小小掐丝珐琅暖炉，正在窗下缝制香包。

如懿挥了挥手示意叶心不必提醒，转过珠帘落帐，笑盈盈道："天气暖和起来了，怎么还抱着个暖炉，这么怕冷么？"

海兰抬头笑道："姐姐来了。"她将暖炉递到如懿怀中："我自己哪里用暖炉呢，是怕姐姐在景阳宫看到了什么心寒惊怕之事，所以特意备下了给姐姐的。"

如懿微微惊愕，替她正一正发髻间一枚将要垂落的攒心嵌珠绢花："你倒灵通！"

海兰抿嘴一笑："如今宫里的眼睛都看着景阳宫呢，有什么风吹草动是不知道的。"

如懿微微叹口气："那么以后，所有的眼睛都要盯到延禧宫来了。"

"一个景阳宫就足以引来毒蛇环伺，那怡贵人移居之后，延禧宫岂不也成了蛇虫鼠蚁纷至沓来之地。"她拉过如懿细看桌上罗列的晒干的香草叶子，"这是薄荷叶、艾叶、半枝莲、薰衣草、天竺葵叶，都有驱虫辟邪之效，妹妹做了这些，希望可以悬挂在延禧宫中，驱邪避灾。"

如懿挥手示意侍奉的宫人们都退下，海兰亲自奉了一盏菊花茶递到如懿手中，如懿无心去饮，只得放下道："你也觉得怡贵人突然遇蛇，十分蹊跷？"

海兰淡淡一笑，伸手拨了拨桌上的艾叶："今日虽然是惊蛰，但宫中是什么地方，何况是怡贵人有孕，人人重视，怎会突然有蛇出现？又那么巧落在怡贵人休息之处？万一今日不是姐姐沉稳，那么怡贵人一尸两命，便是意料之中了。"

如懿从袖中取出绢子，上面染了一点油彩颜料，递与海兰道："你看看这油彩有什么奇怪？"

"妹妹出身贫家，所以依稀闻过这种味道，似乎有些蛇莓汁液的气味。"海兰轻轻一嗅，旋即一惊，"民间传闻，蛇虫喜吃蛇莓，故而有蛇莓处常有蛇虫出现一说。"

如懿的叹息轻得恍如云烟："今日我命景阳宫中遍撒雄黄石灰，谁知至我离去短短两个时辰内，已见十数条毒蛇遁走四窜。此事并非偶然。我虽不知是哪里出了缘故，但想起景阳宫内因怡贵人有孕而特意装饰华彩以表喜庆。这虽然是内务府的惯例，但不知是谁从中做过手脚，才会引来这些脏东西。"

海兰沉吟着道："我记得景阳宫是怡贵人初初有孕时装饰的，至今已快两个月，等到油彩气味散尽，这种蛇莓汁液的气味才会明显，正好是惊蛰前后百虫出动。想来谋划这件事的人心机极深，才能事先安排丝丝入扣，让人不得怀疑。"

如懿道："怡贵人要来延禧宫，既是她自己的意思，也是皇后属意。在怡贵人平安生产之前，延禧宫只怕有的小心。妹妹心细如尘，便要依靠你了。"

海兰紧紧握住如懿的手："姐姐怎样保全妹妹的，妹妹必定一样相待。"如懿心中说不出的感动，只觉得宫苑重重如深海悬冰，有海兰在，亦多了一丝可以依靠的温暖。

二人正相对间，却见叶心叩门而入，端了一盏汤药进来道："小主，到喝坐胎药的时候了。"

海兰便道："搁下，你且出去吧。"

如懿摇头苦笑道："这坐胎药的气味，我一闻到便害怕了。可又不能不喝，只盼望自己也有个孩子。"

海兰轻轻一笑："我也不喜欢这个气味。好端端的，皇后发一次善心，咱们就要多这桩苦差事。"她说罢，随手将汤药倒进殿中的一盆宝珠山茶内，仿佛毫不在意似的。

如懿惊道："妹妹这是做什么？"

海兰不以为意："我又不盼望生子得女，喝这个劳什子做什么，省得苦了舌头。"

如懿颇为惊诧，尽量还是平缓了语气道："妹妹也不算无宠，何不趁着年轻得个一子半女，也算终身有靠。"

海兰淡然一笑，仿佛真的是不在意："有孩子未必就是好事了。姐姐且看怡贵人和玟贵人就知道了。玟贵人产子而遭弥天大祸，怡贵人怀着身孕还不知道是被谁所害。妹妹没有这样百计防身的好本事，还是活得安乐些就好。"

"可是……"

海兰笑着用白若葱根似的食指抵住她的唇："没有可是，我有姐姐可以依靠，便什么都不怕。"

怡贵人移居来之前，如懿和海兰已将延禧宫清扫一新，并在怡贵人所要居住的东暖阁多悬香包驱虫。因为只留了两间房出来给怡贵人居住，如懿心下也颇不安。幸而怡贵人性子平和，也不算是骄矜之人，又见如懿自己住西暖阁，倒把东边让给了她，心下更是感激，只嘱咐把一些贴身东西搬来延禧宫，其余器具，只留在景阳宫中，随时去拿便可。为着让怡贵人静心养胎，如懿特意叮嘱了永璜每日读书只许小声，不许喧哗吵闹。怡贵人倒是很喜欢永璜的样子，每每见到永璜便说，若是有他这么一个懂事孝顺的孩子，便也满足了。如此一来，延禧宫中虽然拥挤些，倒也十分热闹，连皇帝也是每日必来看望一次的。

如此十数日，不觉连慧贵妃亦叹息，她被皇帝冷落了许多时日，虽然每常相见，但却未再让她侍寝，她亦不免感慨，请求将怡贵人挪去她的咸福宫居住，也好得见天颜。皇帝却只是一笑，问她："那么如果晞月你见到毒蛇，会是吓得惊叫一声自己先跑呢，还是会救怡贵人为先？"

如懿与海兰对怡贵人的胎悉心照顾，一饮一食都细细查看，连太医开的安胎药方，也另请人看过药渣，道是无妨才继续喝下去。这样检验药渣的事，惢心倒是很乐意去做。如懿便笑她："你去找的太医，可靠么？"

惢心连连点头，眼里有微亮的光芒："是。他是奴婢家乡的旧识，奴婢进宫后才知道他已经在太医院当了一个小小太医。虽然官职卑微，但奴婢是相信他的医术的。"

如懿笑道："你是相信他的医术呢，还是相信他这个人？"

惢心红了面庞，只低头不语。如懿已然明白："看来不必我替你找个婆家，你自己已然有了心上人了。"

惢心又羞又急："奴婢不敢。"

如懿含笑道："让他好好在太医院争气，有朝一日，我一定会成全你们。"

惢心感激地望着如懿："那奴婢先去准备晚膳，皇上已经传过口谕，说要过来与小主一同用膳呢。"

然而这一夜，如懿等到烛火凉透，也不见皇帝前来，出去打探的三宝缩在门边一直不敢进来回话。

如懿慢慢夹了一筷子冷透了的蜜丝山药吃了，那山药本是酥滑软糯，入口即化，又兼浇了蜜丝，格外清甜润舌，可是此刻吃在口中，却只觉得那冷而滑的触感让人捉摸不定，连蜜丝也透出一缕清苦之味。她搁下筷子，只听得银筷头上的细链子玲玲作响，便道："皇上是不会来了，是什么缘故，你直说便是。"

三宝怯怯道："皇上从养心殿出来，正要往咱们延禧宫来，谁知看到皇后娘娘跪在螽斯门前祈福，祈求二阿哥身子早点康健，皇上才知道，原来二阿哥的风寒是越来越重了。皇上着急，当下就陪着皇后娘娘去了长春宫，然后……"

"然后就一直在那里，没有再出来。"

三宝点头答了是，如懿舀了口汤慢慢喝了道："螽斯门是从养心殿到延禧宫

的必经之路。皇后娘娘有心求神佛保佑，为何不去宝华殿而去螽斯门这么舍近求远？皇上当然是不会离开长春宫的了。"

三宝眼珠子一转："舍近求远自然有舍近求远的好处，一箭双雕嘛。"

如懿淡淡一笑，对蕊心道："去把饭菜热一热，我也不必饿着肚子等候了。"

蕊心小心翼翼道："小主……"

如懿微笑："皇后贵为六宫之首，皇上陪她，是情理之中的事。"

次日清晨，皇帝过来时眼圈下已经一圈墨黑。如懿正在用早膳，见皇帝前来，忙起身道："没想到皇上会一早过来，并没有准备下精致膳食，还请皇上见谅。"

皇帝笑道："无妨。你吃什么，朕便也吃什么罢了。"

如懿亲自捧了一碗配了紫姜的清粥过来，又奉上鲜奶子茶和麻酱烧饼，配了几样清爽酱菜，道："皇上似乎昨夜没睡好，还是吃得清淡提神些才好。"

皇帝的眉宇间隐然有忧色："永琏病了这些日子，一直不见好，朕看他那个样子，真是心疼。"他握住如懿的手："如懿，你没有看见永琏的样子，一张小脸瘦得都脱了形。朕看着他都直想掉眼泪。"

如懿甚少见皇帝如此忧虑，心下微微一抽，便道："皇上放心，二阿哥有皇后娘娘悉心照顾，必然会很快好转。"

皇帝颔首道："皇后说，若永琏再不见好，便要长跪宝华殿中祈福。"皇帝顿了顿，郑重其事了神色，如懿会意，立刻示意众人退下。

皇帝正色道："朕已经决意，只要永琏的病好起来，朕就要立他为太子，继承国祚。"

第七章
伏变

　　殿中沉水香的气味沉沉入鼻，如懿微微一怔，心里有什么念头还来不及起来，便已把它们死死地按了下去："永琏是正宫嫡出，皇上立他为太子也是情理之中。"

　　皇帝饮了一口粥，不觉慨然："朕自幼便知道自己不是嫡出，庶出的孩子身份到底不同，哪怕如今朕当了皇帝，坐拥天下，午夜梦回的时候仍是觉得心惊委屈。我朝自开国以来，从顺治爷、康熙爷、先帝到朕，都是庶出的儿子。朕真的很想朕的儿子是名正言顺的嫡出之子，身份贵重，无可挑剔。就当是替朕自己，完成一个幼年的愿望。"

　　如懿听他感慨万千，自能分辨出皇帝言下的失落与怅惘。皇帝是那样敏感的人，生性多思，幼年生涯的种种心酸缺失，即便是如今富有四海也无法弥补的。所以他才那样在意，那样执著，要去完成自己当年的小小心愿。

　　那么，她又怎肯去拂逆他的心思。她俯下身，伏在皇帝膝头，轻声道："皇上想做的，那就一定要做到。那是对二阿哥好，也是抚平皇上自己的心意。"

　　皇帝抚着她新梳起的青丝，缓声道："如懿，朕知道你疼大阿哥，大阿哥也争气，但他到底不是你亲生。哲妃的位次也不能与皇后相提并论。三阿哥虽然也可爱，但总笨笨的，被养得太过娇气，以后也只能做个富贵闲散宗室了。怡贵人这一胎是公主也好阿哥也好，朕都不想了，只希望他们母子平安就是。"

如懿低低答了声"是"，只是静静伏在他膝头，听着他呼吸声悠然绵长，感触他纷叠的心事如潮。

皇帝低低在她耳边道："朕知道这样很不公平，朕和你还没有孩子。但朕真的不知道该如何去说，说出朕这么多年的心愿，让你明白。"

如懿翻过皇帝的手，将它贴在面颊上，轻声道："皇上，臣妾都明白。以后臣妾有了和您的孩子，也只盼他一生富贵平安便是了。"

皇帝眼中有伏波似的动容与感切，仿佛是划过深蓝天际的流星，有那样璀璨的光影："如懿，谢谢你这样懂得朕。朕也知道，这是在委屈你，可是有时候名分所在，朕也不得不委屈了。"

如懿颔首道："那皇上要立太子之事，会告诉皇后么？若是皇后知道，一定会非常高兴。"

皇帝摇头道："康熙爷在时，就是因为过早公布了储君，才让诸子起了夺嫡之心。朕会和先帝一样，将太子的名字藏于正大光明的牌匾之后，等朕百年之后，群臣自然会依照这个立定储君。这样也防止太子骄矜，母家专权。所以，朕不打算告诉皇后，如懿，你也不要再和任何人提起。"

如懿望着皇帝的眼睛，颔首道："皇上说的，臣妾都记着。倒是有一事，臣妾不能不问问皇上。王钦已死，如今伺候皇上的人可还得心应手么？要不要再从内务府选些好的来伺候？"

皇帝夹了一点小菜喝了口粥道："李玉事事仔细，人也谦和不骄矜，朕打算再看他两个月，就将副总管太监的位子给他。"

如懿柔声道："李玉人是机灵，也忠心，但他年轻，皇上得好好历练了才能放手重用啊。"

皇帝"嗯"了一声，听见外头人声响起，便道："外头是什么人？"

如懿探首看了看道："是御膳房给怡贵人送的新鲜鱼虾，都是一早送来交由小厨房亲手烹制的。"

皇帝道："太医是说过，有孕之后要多食鱼虾，朕记得那时候玫贵人也很喜欢吃。朕昨日去看怡贵人，发现她这几天总说头昏头痛，夜不安枕，也不知是怎么回事，朕心里十分担忧。"

如懿道："太医已经来看过，说初初有孕之人的确会如此。而且因为怡贵人夜不安枕，嘴上还发了溃疡，幸而太医已经开了清凉下火的汤药了。臣妾会叮嘱小厨房多用菊花茶和绿豆汤，希望怡贵人服下之后会舒适些许。"

皇帝蹙眉道："玫贵人有孕之时也是心火旺盛口角溃疡，朕如今看见怡贵人，实在是心有余悸。如今皇后无暇分身，如懿，一切就需你多多照顾了。"

如懿含笑道："皇上既放心，怡贵人住在延禧宫，便是放心臣妾了的。"

皇帝悠然长嗅："朕当然放心。就像每每闻着你殿中才有的沉水香，朕便觉得心思宁静分明。"

如懿微微一笑："那也是皇上恩准，只许臣妾所用罢了。"

饭毕，皇帝便起身往养心殿去。如懿想着太子一事，又念着怡贵人的身体，实在是百感交集。正想着，却见海兰急匆匆过来道："姐姐，我刚从怡贵人那里过来，像是不大好呢，你快过去看看。"

如懿赶忙起身，一迭声吩咐了去请太医，立刻跟了海兰往东暖阁去。因着怡贵人有身子一直畏寒，虽然入了三月里，她殿中仍供着炭盆暖炉。如懿携了海兰一进去，便觉得那暖意兜头兜脸扑来，不觉生了蒙蒙一层汗意。

怡贵人裹着一条暗紫织花云锦被，整个人乏力地歪在床上，似乎呼吸有些艰难，一张脸也憋成了暗紫色，与那锦被一般无二。殿内焚着檀香，连炭盆里也扔着一把佛手，被暖气一烘，种种香气织在一起，香是香，却让人闻着有些浑浊气闷。

如懿忙吩咐道："里头的香气太重了，快开了窗给贵人透透气。"

怡贵人紧紧拥着被子，往床里缩道："娴妃娘娘，别开窗，有人要害我！"

如懿忙笑道："好妹妹，这是在延禧宫，没人敢害你！"她伸手摸了摸怡贵人的脸，她身上脸上都热热的，出了好大一身汗，她忙取过绢子替怡贵人轻轻擦拭了，温声道："你别怕，告诉本宫，刚才是不是做噩梦了？"

怡贵人畏惧地缩在床角，惊惶地指着地下道："好多蛇，好多好多蛇要咬我！"

海兰忙摘下银帐钩上悬着的一个香包，笑道："你别怕，延禧宫里挂了好多驱蛇的香包，蛇一闻到气味就跑了，你安心住着就是。"

海兰看了看怡贵人，有些担心道："怡贵人似乎有些发热呢，你们去取些热水来给贵人服下。"她看着怡贵人嘴角的溃疡，似乎又比昨天大了一些，便道：

"太医开的清热去火的药都给贵人喝了么？怎么贵人嘴上的口子长得更厉害了。"

伺候怡贵人的环心道："回海贵人的话，小主昨夜的晚膳贪吃了些鱼虾，那东西是发的，估计因为如此，嘴上的东西才长得大了些。奴婢也劝过，但小主说多食鱼虾可以让腹中的孩子聪明，所以宁可发些溃疡。"

海兰无奈道："那便罢了。你们还是听我的嘱咐，平日给怡贵人服用的茶水都换成胎菊茶才好。"

正说话间，许太医便到了，如懿忙让了许太医为怡贵人看脉。许太医一径只是摇头："小主连日来梦魇颇深，是不是？"

怡贵人乏力地点头："自从上次惊蛰日遇蛇之后，午夜梦回，常自不安。"

许太医会意："一旦醒来便浑身发热，虚弱无力，心悸难安，更兼因噩梦而浑身颤抖，腹中隐然作痛，可有这样的症状么？"

怡贵人眼中闪过一丝光亮："太医说的全中了。虽然每日夜来清晨都如此不安，但白日里倒还好些。敢问太医，我为何会如此？"

许太医捋着胡须慢条斯理道："小主初次有孕，又在怀胎三月之时受惊，导致心悸烦乱，白日有人陪着开解还好，夜来入梦难免会想起。因着多日如此，睡梦不安，小主才会内火上升，嘴角溃烂。微臣可以开些安神的汤药和外敷治疗溃疡的药物，小主只要按时服用应可无虞。"

海兰尚有些不放心："可是怡贵人有腹痛之状？"

许太医摆手道："初初有孕之时，的确会有隐隐腹痛，那是腹中孩子在慢慢长大，牵扯到母体的缘故，不打紧的。"

如懿忙问道："怡贵人身上总一阵阵发热，不要紧么？"

许太医含笑道："孕中体热，乃是常事。小主不信可以随时在怡贵人身上搭一把，任何时候都一定比各位身上都烫。所以有些女子刚有孕身之时，常以为自己风寒发热，误服汤药，以致没了孩子。其实只要看过大夫，都会无事的。"

如懿不免失笑，亦带了一分感慨："是啊，要本宫和海兰这样两个未有生育之身来照顾怡贵人，难免有不周到之处，还得多谢许太医提点。"

怡贵人忙道："有娴妃娘娘在，嫔妾心里已经安稳许多了。若还是留在景阳宫，那才真是后怕呢。"

海兰拍拍她的手道："前几日我经过景阳宫，看里头已经在重新粉饰了。大约是怕有蛇虫待过，你住着害怕。等一切都装饰好了，你也平安生下了孩子，便可以安心住回景阳宫中做你的主位了。"

怡贵人微微一怔，抚着小腹含笑道："我哪里敢奢望真能做一宫主位呢。从前在潜邸时我不过是皇后娘娘身边的小小侍女，能有幸侍奉皇上已经是老天爷格外厚待了。现在我只盼着能好好安稳入睡，来日孩子平平安安生下来就好了。"

许太医在旁开好了方子，道："启禀怡贵人，因贵人有孕在身，微臣不敢开太烈的药，以免损伤胎儿。所以安神汤药也好，外敷治嘴角溃烂的药也好，药性都极为温和，以保贵人和胎儿安好为上，见效会比较慢一些，但请贵人切勿焦急。"

怡贵人的笑意温婉得若三春枝头一朵粉灿灿的樱花："太医能以我和腹中胎儿为重，我又怎会怪责太医呢。"

如此，如懿和海兰便陪着怡贵人闲聊直至午膳时分。怡贵人甚是热情，索性便拉了如懿和海兰一同用膳。二人推却不得，便也一同坐下了。

因着怡贵人有孕，所有的菜品都是御膳房送了新鲜食料来，然后在延禧宫小厨房由怡贵人自己的厨娘烹制，不可谓不小心。这一日送来的午膳有瓜烧里脊、琵琶大虾、绣球干贝、炒珍珠鸭、奶汁鱼片、桂花鱼条、八宝鸡丁、香油膳糊、红烧鱼骨、鲜蘑菜心、玉笋蕨菜、砂锅煨鹿筋、罗汉酿虾丁、金腿烧鱼圆山鸡汤。

如懿看着琳琅满目一桌菜色，不觉笑道："难怪妹妹你口角的溃疡好得这样慢，每顿吃那么多鱼虾，饱了口腹之欲，便伤了自己的嘴了。"

怡贵人不好意思道："娴妃娘娘有所不知，嫔妾原也不喜欢鱼虾腥气，但皇后娘娘有孕的时候一直大量进食，顿顿不离，所以二阿哥如此聪明伶俐。而纯嫔娘娘怀孕的时候总嫌味腥吃得少些，以致三阿哥……"

怡贵人没再说下去，但论起来，这也实在是纯嫔的一桩心病。三阿哥娇生惯养，学走路比旁的孩子慢，学话也是，虽然长得圆头圆脑，十分可爱，但的确是不如大阿哥和二阿哥聪明了。为着这个缘故，皇帝连纯嫔也冷落了不少，一直少去她的钟粹宫，连累了婉答应也更不受宠。而据说本与怡贵人同住景阳宫的秀答应，因为移居到了钟粹宫，也几乎见不到皇帝了。

若是生下这样的孩子，不仅不能母凭子贵，只怕也是一生的拖累吧。

这样想着，彼此也沉闷了不少。倒是怡贵人胃口甚好，一连吃了许多，倒也开怀。

一连安静了几日，皇帝因为挂心永琏的病情，也常逗留在长春宫中，对延禧宫难免有所忽略。如懿既已知皇帝的心事，只管安心照顾好怡贵人，也不再做他想。

这一晚永璜下了学，便留在如懿房中一同用了晚膳。如懿本就雅好笔墨，见永璜的字大有进益，心下也甚欣慰，便亲自看着他习字诵读。

永璜将今日所学都背与如懿听了，忽然生了几分颓丧之意："母亲，儿子每天都在尚书房用心习读，只盼皇阿玛来查问的时候能讨皇阿玛欢喜。可是，可是，皇阿玛已经多日不来问儿子的功课了。"

如懿笑着抚了抚他的额头道："那么你就不好好学了么？"

永璜摇头道："那也不是。不管皇阿玛问不问，儿子都会好好读书的。"

如懿慈爱笑道："那就是了。不管别人问与不问，你只管做好自己的事便是了。因为你是为自己活着，为自己争气的，不只是为了旁人。"

永璜似乎有些明白，用力地点点头："儿子知道了。"

如懿微微一笑，牵过他的手道："不过，自己用心之余，还能讨别人喜欢，自然是更好的。母亲记得前些日子皇阿玛问你在读《史记》了没有？你说已经读了是么？"

永璜道："是啊，都已学了大半了。"

"那便好。母亲教你一首你皇阿玛的御诗。你好好记下熟读成诵，等到哪一日见到了你皇阿玛背给他听，他一定很欢喜。"

永璜立刻笑道："那母亲快些教儿子吧。"

如懿握住他的手取过笔，把着他的手一起写下："鹿走荒郊壮士追，蛙声紫色总男儿。拔山扛鼎兴何暴，齿剑辞雅志不移。天下不闻歌楚些，帐中唯见叹虞兮。故乡三户终何在？千载乌江不洗悲。[1]"

永璜好奇道："母亲，这是写谁的诗？"

如懿不觉带了一抹甜蜜笑色："是你皇阿玛读《项羽纪》后写下的诗，你皇阿玛感叹项羽英雄末路，自刎乌江，所以写下这首诗。你读了《史记》再能熟读你皇阿玛的御诗，他一定会很高兴的。"

永璜郑重地点点头，自己又临了一遍，末了，道："母亲，儿子跟随你多

---

[1] 出自乾隆御诗《七律读项羽纪》。

日，如今才知道原来母亲会写字。儿子的额娘，便是字也不识的。"

如懿轻轻嘘了一声，取过一块湖蓝暗色如意云纹的宁绸料子缝制起来："有什么本事，别一下子都拿出来。旁人不知道的，或许到了哪一天就是你的傍身之技了。若什么都拿出来让人知道了去，岂不也就让人看穿了。"

永璂的眼珠子机灵一转："儿子明白了。"他看着如懿手中的料子，问道："天都黑了，母亲还缝衣裳做什么，仔细看伤了眼睛。"

如懿笑道："好孩子，你且去背你的诗吧。天气暖起来了，母亲想替你缝制一件薄些的衣裳，那些奴才们手脚太粗，针脚都留在衣裳的背面，怕磨得你不舒服。母亲自己来做，会格外留意，把针脚都塞到夹层里去，让你穿着舒服。"

永璂满脸感激，眼中含了薄薄的泪光："母亲待儿子这样好……"

如懿的笑容温和而慈爱："母亲就是该待儿子好的，不是么？乖，快去读你的书吧。"

永璂坐在一旁默默诵读，如懿取过针线慢慢缝制起来，烛光摇曳，纱窗上映着桃花窈窕的枝叶，隐隐闻得见那灼灼其华、其叶蓁蓁的芬芳。

母子二人正温馨相对，忽然间外头喧哗声大作，怡贵人身边的环心面无血色地冲进来，哭着道："娴妃娘娘，不好了，不好了！我们贵人见大红了！"

如懿陡然一凛，一颗心直直地坠落下去，像是坠进了无底的黑渊里。她听得自己的声音都变了："怎么会这样？"

环心浑身都在发抖，像筛糠似的，得靠着墙根才能站稳："奴婢也不知道。用了晚膳之后小主便开始腹痛，因为小主怀孕才四个月，每常也有腹痛之像，还以为不要紧。谁知今晚腹痛来得太急，才发作起来就立刻见了大红。"

"那么太医呢？去请了么？"

环心带着哭音道："已经去请了，娘娘快去看看吧。"

如懿本能地撂下手中的东西，向外奔了几步，回头才想起永璂还在，忙道："永璂，不管出了什么事，听见什么动静，你都不许往怡贵人那儿去，明白了么？"

她奔进怡贵人房中时，房内已尽是血腥气。怡贵人整个人蜷缩在床内，已然晕了过去。如懿才要抱起她的身体唤她，一出手褥子上温热一片，她心底瞬即凉透了，仿佛被硬生生塞进了一大块寒冰，冷得她也忍不住发起抖来。她犹疑了片刻，才敢将自己的手从褥子上抬起。

她的整个手掌，都沾满了热而腥的鲜血。

伏变

第八章
前事

　　许太医来时，已然是无力回天了。他和赵太医忙碌得满头大汗淋漓，伸手去掐怡贵人的人中，拿艾叶拼命去熏，又灌入大量的汤药，到最后，只得摊手道："娴妃娘娘，胎儿已经死在腹中，微臣也没有办法了。"

　　她一句话也说不出来，只能和海兰依偎在一起，眼睁睁看着怡贵人身下的血越来越多，身体越来越虚弱，连昏迷中辗转的呻吟声也再发不出来。

　　她茫然地看着，痛楚和惊恸已经将心底最初的惊恐和畏惧湮然吞没。她只能发出无助的喃喃："怎么会？怎么会？"

　　虽然她和怡贵人的交情不深，可是这些日子，她几乎每天都陪着怡贵人，看着她的腹部一点点隆起，看着她初为人母的喜悦，连她也情不自禁地期盼，有朝一日，她会亲眼看着这个孩子出世。虽然，她从未有过自己的孩子，可是她可以亲眼看着一个生命的诞生，那种喜悦与企盼，是发自内心深处的。

　　可是连她自己都不能想到，已然这般小心，怎么还会这样，这样骤然目睹孩子的消逝。听着太医冰冷的话语，那个孩子，已胎死腹中。

太医小心翼翼地过来：“娴妃娘娘，已经没有办法了。微臣要用药打下怡贵人腹中的死胎，免得死胎在母体中留得太久，影响怡贵人的身体。”

她不知道用了多久的力气才逼出这一句话来：“为什么会死？孩子为什么会死？”

太医们吓得面面相觑：“这个……微臣也不知道，只能等胎儿拿出来才能计较。”

良久，如懿才能挪动自己已然僵硬的身体，她吃力地和海兰互相搀扶着起身，转到门边的时候，她抬头看到了脸色苍白如纸的皇帝。

真的是苍白如纸，他的整张脸，白而透，是那种透着无奈与绝望的锈青色，好像他整个人都那样钝了下去，失去了往日里英挺的活气，只余了单薄的剪影，就那样薄薄地立着。皇帝站在近在咫尺的地方，她看得清他眼底的悲伤与惶惑。可是她什么安慰的话也说不出来，只能静静地与他双手交握，希望以彼此手心仅存的温暖来给予对方一点坚定和支撑下去的勇气。

海兰静默地退下，由着他们悲伤而安静地相对。如懿清晰地看见，他眼底的疼痛清晰凛冽地蔓延开来。皇帝的声音带了丝崩溃般的颤抖：“如懿，你告诉朕，为什么朕的又一个孩子死了？如懿，为什么朕登基后，朕的孩子一个都活不下来？是不是天命在惩罚朕？惩罚朕得到了九五至尊的荣耀，却失去了父子天伦之乐？”

他的话像针刺一样钻进她的耳膜里，即便他贵为天下至尊，却也有这样生离死别不能言说的苦楚。如懿清晰地感到命运的无常如同一柄冰凉而不见锋刃的利刀，你根本不知道它隐藏在何地，只能默默地承受它随时随地都可能的锐利刺入，眼见着自己的血泪泪而出，生生忍住。

如懿沉默地拥住他，将自己心底的无望化作拥抱时的力气，支撑着他随时会倒下的身体。她知道自己的安慰如此无力，可是她还是要说：“皇上，您已经有了三位阿哥，您还会有孩子的。您放心，一定还会有的……”

有晶莹的液体漾得眼前模糊一片，几乎要喷薄而出，她却只能死死忍住，隐忍着不肯掉下。是，若连她都落泪，岂不让他更伤心。她仰起面，感受着夜来的风吹干眼底泪水时那种稀薄的刺痛，檐下的绯色宫灯被风吹得晃转如陀螺，像是磷火一样缥缈不定，更似夺取孩子性命的鬼魂那双不瞑的眼睛，嘲笑似的望着众生。她听着东暖阁里昏迷中的怡贵人断断续续惊痛的呻吟声，心底的无助越来越浓。她只得起身，将西暖阁里数十盏莲花台上的灯烛一一点燃，灼热的光线映得

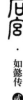

殿内几如白昼，地面上澄金镜砖发出幽黑的光泽，恰如皇帝脸上阴霾不定的锈青色，整个人似乎都被笼罩在深浅不定的阴影之中。

过了半个时辰左右，皇后也匆匆赶到了。她才俯身请安，太医已经捧了一个乌木大盘神色不安地过来。

皇帝吩咐了皇后起身，便问太医："还能有什么事让你们如此慌张？"

许太医和赵太医互视一眼，慌忙跪下磕了个头道："皇上容微臣细禀，胎儿已经打下来了，可是……"他犹豫片刻，还是大着胆子说了下去："可是这胎儿有异，不像是寻常胎死腹中啊！"

皇帝烦躁道："胎死腹中本来就不寻常，难道还要你们来告诉朕么？"

许太医连忙道："微臣这些日子以来一直和赵太医轮番伺候怡贵人的胎像，从诊脉来看，胎儿一直没有大碍。可是打下的死胎却……"

皇帝隐隐觉得不好，太阳穴上突突地跳着，脸色愈发难看："死胎怎么样？"

许太医道："从母体的脐带到死去的胎儿都周身发青，更可怕的是，胎儿已经成型，能看得出是个男胎，但……孩子却显然是中毒猝死的，若是长大分娩而出，按照中毒的情况，也可能是畸胎……"

许太医不敢再说下去，赵太医只得将木盘高高托起："打下的死胎就在这里，皇上若是不信，可亲眼一观。"

皇帝迅疾地以两指撩起上面黑色的布看了一眼，如懿正好瞥见，只见里面血肉模糊一团，中间那团血肉的确是透着不祥的黑色。

如懿心里一慌，差点没呕吐出来，她弯下腰，抵挡着胸腔里搜心搜肺的酸楚和恐惧。皇帝的身体轻轻一晃，捧在手中的茶盏咣啷砸在了地上，他几乎是狂暴地站起来，怒吼道："怎么会这样？怎么会?！"

皇后一个支撑不住，差点晕过去，幸好莲心和素心牢牢扶住了。皇后连声道："不可能！不可能！爱新觉罗家怎么会接二连三出这样的事……怎么会……"她忽然醒过神来，喝道："你们说是中毒？是什么毒？"

赵太医挺起身子道："若微臣与许太医没有猜错，是中了水银之毒。不知怡贵人以何种方式接触到了水银，不仅透过皮肤沾染，而且有服食的迹象，因为剂量太猛，所以导致胎儿被毒死腹中。而且若是水银慢性中毒，剂量不是如此之大，或许胎儿会长到分娩出母体，但有可能是畸胎或是天性痴傻。"他与许太医对视一眼，朗声道："微臣还有一个推测，不知当说不当说。"

皇后当机立断："有什么话你直说便是。"

赵太医道："怡贵人从有孕便发热、大汗、心悸不安、失眠多梦，又多发溃疡，虽然很像是有孕之身常有的症状，但皇上和皇后不觉得这些症状很像一个人也得过的么？"

如懿心念一转："你是说……玫贵人！"

赵太医道："娴妃娘娘说得不错。恕微臣大胆推测，玫贵人的死胎或许不是意外，而是如怡贵人一般中了水银之毒，才会如此。"

皇帝大怒："既然你们发觉怡贵人与玫贵人的症状相似，为何没一早察觉是中了水银之毒？"

两位太医磕头如捣蒜："微臣说过，水银中毒的情状极慢，症状表现又与初孕的反应极其相似。若不是怡贵人母体不如玫贵人强健，导致未足月便胎死腹中，根本就难以察觉。"

皇后不觉失色："那么你说的水银，宫中何来此物？"

许太医道："以朱砂稍稍提炼，极容易便可得到。宫中佛事诸多，宝华殿中有的是朱砂，唾手可得。连太医院配药也是常用，只怕谁都能得到。"

皇帝的双手握紧，青筋直暴："你们何以敢推断玫贵人的胎也是如此？当时为何没有太医说是水银祸害？"

许太医惶惑道："微臣没见过玫贵人的死胎，所以不敢妄言。只是以玫贵人和怡贵人的症状来推测。怡贵人的胎儿也是侥幸，因为这种水银的毒是在胎儿幼小时才会明显，有全身连着脐带乌黑的症状。若等怀胎满八月，产出时即便是死胎也不过肚腹泛青而已，症状与其他死胎的差异便不明显了。"

皇后的声音极轻："皇上，臣妾分明记得，玫贵人的胎是泛青的。"她沉声，如钟磬般郑重，道："皇上，若玫贵人和怡贵人的胎真的是中毒，那就是说，死胎并非是天意惩戒，而是有人蓄意为之，谋害龙胎，动摇国祚祥瑞。臣妾以六宫之首的身份，请求皇上彻查此事，以告慰两位龙胎的在天之灵。"

皇帝的眼中闪过雪亮的恨意，冷冷道："查！朕倒要看看，是谁有这样的胆子，敢谋害朕的孩子！"

所有人的注意力都放在了彻查龙胎之死的事情上，没有谁记得，去看一眼尚且昏迷未醒的怡贵人。如懿独自走到暖阁门外，掀起锦帘一角，看着华衾锦堆中昏睡的女子脸色苍白若素，一双纤手在暗紫色锦衾上无声蜷曲，空空的手势，像要努力抓住什么东西。她眼中一酸，忍不住落下泪来，她再清楚不过，怡贵人想要抓住的，再也抓不住了。

因为连着两胎皇嗣出事，连太后亦被惊动，一时间层层关节查下去，雷厉风行，连怡贵人身边侍奉的宫人也一个没有放过，一一盘查。宫中大有草木皆兵之势，风声鹤唳，人人自危。连素日性子最张扬的嘉贵人也避在自己宫中，足不出户。

慎刑司的精奇嬷嬷们最是做事做老了的，慎刑司的七十二样酷刑才用了一两样，便已有人受不住刑昏死过去，有了这样的筏子，再一一问下去便好办得多了。

怡贵人的孩子死后，皇帝也甚少过来安慰探视，即便来了也稍稍坐坐就走了，一心只放在了追查之上。倒是皇后顾念着主仆之情，虽然自己的二阿哥还在病中，倒也过来看望了几次。

怡贵人醒来后一直痴痴呆呆的，茶饭不思，那一双曾经欢喜的眼睛，除了流泪，便再也不会别的了。加之太医说她体内残余未清，每日还要服食定量的红花牛膝汤催落，对于体质孱弱的怡贵人，不啻于是另一重折磨。如懿和海兰一直守着她，防她寻了短见。她却只是向隅而泣，嘶哑着喉咙道："娴妃娘娘放心，不查出是谁害了嫔妾的孩子，嫔妾是绝不会寻短见的。"说到这句时，她几乎已经咬碎了牙齿："嫔妾侍奉皇上这么多年才有了一个孩子，他是嫔妾唯一的期盼和希望。到底是谁？是谁这么容不下嫔妾的孩子！"

是谁要害孩子？连如懿自己也想不明白。她只能端过一碗燕窝粥，慢慢地喂着怡贵人，劝慰道："吃一点东西，才有力气继续等下去，等你想要知道的事。"

一碗燕窝粥喂完的时候，却是皇后身边的赵一泰先来了。

他道："请娴妃娘娘和海贵人、怡贵人稍作准备，皇后娘娘请三位即刻往长春宫去。"

如懿搁下手中的碗道："什么事这么着急？怡贵人尚在静养，能不能……"

赵一泰道："皇后娘娘相请，自然是要事。何况事关怡贵人，还请怡贵人再累也要走一趟。"

话既如此，如懿便命人备下了轿辇，即刻往长春宫中去。待得入殿，皇帝与皇后正坐其上，各宫嫔妃皆已到场，连在雨花阁静修的玫贵人也随坐其中。三人入殿后一一参见，便各自按着位次坐下。皇后见怡贵人病弱难支，不免格外怜惜，道："赵一泰，拿个鹅羽软垫给怡贵人垫着，让她坐得舒服些。"

怡贵人忙颤巍巍谢过了，皇帝道："你身上不好，安心坐着便是。"

慧贵妃扬一扬手中的丝绢，慵倦道："外头春光三月，正当杏娇莺啼之时，皇后娘娘不去御花园遍赏春光，怎么这么急召了臣妾等入长春宫呢？"

皇后一向端庄温和的面庞上不由得浮起几分愁苦之色："自去冬以来，宫中皇嗣遭厄，悲声连连，本宫与皇上都忧烦不堪，春光再好，也无心细赏。今日急召妹妹们前来，是因为怡贵人胎死腹中之事已有了些眉目，须得找人来问一问。这既是后宫之事，自然应该是后宫人人都听着。"

怡贵人神色一紧，忙问道："皇后娘娘所说的眉目，是知道害臣妾孩儿的人是谁了么？"

皇后温言道："怡贵人，少安毋躁。此事关系甚大，本宫与皇上也只是略略知道点眉目罢了。至于事情是否如此，大家都来听一听便是。"

皇帝道："皇后既然查出了点眉目，有话便说吧。"

皇后看一眼身边的赵一泰，赵一泰击掌两下，便见许太医与赵太医一同进来。

皇后沉声道："众人都知道怡贵人身罹不幸，龙胎死于腹中，乃是受了水银的毒害。本宫却百思不得其解，怡贵人房中并无水银朱砂，娴妃和海贵人对怡贵人的饮食起居也格外小心，照理说是不会出事的。欲查其事，必寻其源，臣妾让人翻查了怡贵人房中的器物，才发现了这些东西。"

皇后扬一扬脸，莲心捧着一个紫铜盘子，上面放着一对雕银花红烛并一些烧碎了的炭灰。皇帝取过那对红烛看了一看，疑道："不过是寻常的红烛，怎么了？"

皇后微微摇头，伸手将其中一根拗断了，道："请皇上细看，这蜡烛有否不同？"

皇帝对着日色一看："虽然是红烛，但里头掺了一些红色的碎粒，可是内务府如今所用的东西越来越不当心了？居然用这样的红烛。"

皇后又道："皇上细看这些炭灰。如今也是三月末，宫中只有延禧宫的怡贵人因为怕冷，还用着炭盆。这是她阁中所用的红箩炭烧下来炭灰，颜色灰白。可是细看下去，却有异状。"皇后用护甲轻轻拨弄其间，却见炭灰上沾了些许银色物事，还有一些朱红色的粉末，若不细辨，实在是难以察觉。

皇后抬一抬手，示意莲心端给众人都看看，众人暗暗诧异，却又实在不知道是何物。

皇后道："这些都是怡贵人宫中所用的东西，请太医瞧一瞧，这蜡烛里头和炭灰里的，是什么好东西？"

赵太医掰开蜡烛，用手指捻了捻细闻，许太医亦翻看了炭灰里头的物事，几乎是异口同声地道："回禀皇上皇后，这里头的东西都是朱砂。"

赵太医道："朱砂遇高热会析出水银，水银遇见热便会化作无色无臭之气弥散开来，让人不知不觉中吸入。这炭灰里烧剩下的朱红粉末，定是有人将少许朱砂混入红箩炭中，等到烧尽，也不容易发觉。"

皇后冷笑一声："这还不算老辣的，皇上且看那红烛，雕了银花装饰，即便烧出朱红和银色的粉末，也会让人以为是烛泪和银花融化后的样子，根本难以察觉。"

慧贵妃秀眉微蹙，啧啧道："拼上了这样的心思去害怡贵人，哪里还有不成的。这个人还真是心思狠毒。"

皇帝道："既然如此，那么怡贵人阁中的宫人都会有不适之状，怎么只有怡贵人身体不适？"

玫贵人握着绢子的手瑟瑟发抖，颤声道："宫人伺候都是轮班入内的，而怡贵人身在其中，几乎每日不离，当然深受其害。"

皇后看了眼皇帝，含了几分不忍与厌憎："这些都是小巧而已，臣妾听闻太医说起，怡贵人所怀胎儿中毒甚深，显然怡贵人有服食朱砂或水银的迹象。但那东西怎么吃得下去，一定是饮食方面哪里出了问题。"

海兰忙起身，战战兢兢道："回皇后娘娘的话，怡贵人的饮食一概都是从御膳房送了新鲜的来，由怡贵人贴身的厨娘自己在小厨房中做的。臣妾也与娴妃娘娘每日留心，并无不新鲜的东西送来给怡贵人吃过。"

皇后摇头道："你们自己都还年轻，哪里晓得这其中的厉害。送来的鱼虾都是欢蹦乱跳的，可是这欢蹦乱跳离下锅也不远了，谁还管它有什么毛病。赵一泰，你来说。"

赵一泰道："本来皇后娘娘要奴才去御膳房查问，两位贵人在有孕时都喜欢吃什么，这才知道原来两位贵人都很喜欢吃鱼虾。皇后娘娘的原意是要奴才看看这些鱼虾有什么问题，谁知到了御膳房，才发现说供给怡贵人所用的鱼都死了，所以扔了出去。奴才就觉得蹊跷了，给怡贵人所用的鸡鸭鱼虾都是另外养着的，怎么鸡鸭都还好好活着，鱼虾没几日便死完了。所以奴才格外留心，找到了一小袋剩下的鱼食，想看看有什么异样。"

赵一泰转身取过一小袋鱼食捧到皇后跟前。皇后冷眼瞥着道："这些鱼都是御膳房里养着专供有孕的嫔妃所食的，都是精挑细选过然后专门养在一个小池子，喂的吃食也格外精细。宫里这样重视皇嗣，没想到有些别有用心的人，便在这个上打主意了。"

嘉贵人好奇地望着盆中的鱼："这些鱼食有什么不同么？"

皇后淡淡道："有没有不同，叫太医看过了就是了。"

赵太医忙应了声"是"，与许太医头并头看了片刻，神色凛然："回禀皇后娘娘，这些鱼食里都掺了磨细了的朱砂粉末，喂给鱼虾吃下后，初初几日是不会有异样的。因为朱砂本身只是甘，微寒，有微毒。但等鱼虾吃下养上两天后，这些毒素都化在肉里，一经烹制遇热，毒性愈强。本来少少食用也还无妨，但日积月累下来，等于在生服朱砂和水银，慢慢损害胎儿。其手段老辣之极呀。"

赵一泰又道："奴才也在御膳房问过，怡贵人与玫贵人有孕后所食鱼虾，的确是由此种鱼食喂养，绝对不会错的。"

嘉贵人吓得忙掩住了口，惊惶地睁大了双眼，下意识地按住了腹部。纯嫔闭着眼连念了几句佛号，摇头不已。慧贵妃嫌恶地看着那些东西，连连道："好阴毒的手段！"

玫贵人与怡贵人早已一脸悲愤，数度按捺不住，几乎立时就要发作了。

如懿满脸羞愧，忙起身道："皇上恕罪，皇后娘娘恕罪，臣妾本以为对怡贵人的饮食已经十分仔细，却不承想还是着了如此下作的手段。还请皇上皇后降罪！"

皇后瞟了她一眼，慢条斯理道："娴妃你的确算是小心了，但再小心，总有百密一疏的时候。至于你要受什么罪，挨什么罚，等下本宫和皇上自会处置。"

第九章
无路

玫贵人再忍不住，跪在了地上抱住皇帝的腿道："皇上，皇上，臣妾怀胎八月，突然早产，却产下那样的孩儿，以致被皇上厌弃。臣妾一直不敢怨天尤人，只以为是自己福薄命舛。如今细细想来，原来便是有人这样暗中布置，谋害臣妾和皇上的孩子。皇上，皇上，咱们的孩子死得好可怜。他一生下来连一句'额娘'都没叫过，连眼睛都没睁开好好看一看，就这样平白无故断送了。皇上啊，哪怕是臣妾在雨花阁再念成千上万遍《往生咒》，孩儿他死得这样冤屈，也不肯往极乐世界去啊！"

玫贵人哭得伤心欲绝，在场之人无不恻然。怡贵人也背转了身，咬着绢子哭泣不止。

赵太医道："玫贵人且勿伤心。依微臣和许太医看来，这个要害娘娘的人，一开始用药极谨慎，几乎是慢慢入药，所以娘娘才会拖到八月早产生下那样一个孩子。而对怡贵人，那人似乎放心大胆，用药也更猛，所以会害得怡贵人怀胎四月胎死腹中。"

怡贵人终于忍不住痛哭失声："皇后娘娘既已查到这么多，那么烦请告诉臣妾一声，到底是谁在谋害臣妾的孩子？"

皇后看着神色阴郁不定的皇帝，气定神闲道："不只你们，本宫也很想知道，后宫有如此阴毒之人留着，丧心病狂，谋害龙胎，到底是想要做什么？所以在请你们所有人到场的时候，本宫已让素心带了人遍查你们所有人的寝宫，想来很快就有消息了。"

皇后话音未落，素心已带了人匆匆进来，福了一福道："皇后娘娘交代的奴婢已经做了，果然在其中一位小主的妆台屉子底下找到了一包朱砂，还请皇后娘娘过目。"

皇后将那包朱砂递到皇帝面前："皇上闻闻，这包朱砂沾上了什么气味？"

皇帝取过轻轻一嗅，目中的瞳孔骤然缩紧，那种厉色，汇成一根尖锐的长针，几能锥人。他失声道："是沉水香的气味！娴妃，宫里只有你一个用沉水香的！"

如懿心头大惊，眼见皇帝只逼视着自己，情不自禁跪下道："皇上明鉴，臣妾真的不知情，更不知妆台屉子中何时会有这包朱砂！"

皇后闭目长叹一声："素心，你实说吧。"

素心道："皇上所言不错，奴婢便是在延禧宫娴妃娘娘的妆台屉子下找到的这包朱砂。当时娴妃娘娘的侍婢阿箬还左右阻挠，不许奴婢翻查。如此看来，阿箬也是知情的，所以奴婢也带了她来。"

皇后冷冷道："先不必传阿箬。娴妃，你且看看现在进来的这个人，可是你认识的？"

如懿回首望去，却见素心后面还跟着两个小太监。显然他们是刚从慎刑司出来，脸上还带了些许轻伤，看着倒不甚严重。

如懿摇头道："臣妾不认识。"

皇后的笑意冷凝在嘴角："你不认识他们，他们却个个认识你了。这个御膳房的小禄子，是你宫里小福子的哥哥，专管着给有孕嫔妃们养活鱼活虾的。"

如懿沉着道："臣妾是知道小福子有个哥哥，但臣妾今日也是第一次见他，从前从不相识。"

皇后取过那包鱼食丢在了小禄子跟前道："说，是谁指使你给那些鱼虾喂朱砂的？"

小禄子偷眼瞟着如懿，嘴上却硬："奴才不知，奴才实在不知啊！"

"不知？"皇后森冷道，"在慎刑司才一用刑你就招了，此刻还想翻供。本宫也不和你计较，立刻送回慎刑司就是。"

小禄子一听"慎刑司"三字，吓得浑身发抖，连连磕头求饶道："皇后娘娘饶命，皇后娘娘饶命。是嫻妃娘娘吩咐奴才这样做，奴才实在不敢不听啊，她对奴才说，只要奴才敢不乖乖听话，就要寻个由头杀了奴才的弟弟小福子。奴才只有小福子一个弟弟，从小相依为命，实在不敢不听嫻妃娘娘的话啊！"

如懿逼视着他道："小禄子，你好好想想清楚，本宫从未见过你，又怎会拿你弟弟的性命威胁你呢？"

小禄子苦着脸道："嫻妃娘娘，那日在御膳房门外的甬道里，这话分明是您自己说的。您说您还没有身孕，怎么出身低贱的玫贵人和怡贵人都有了，简直让乌拉那拉氏的祖先笑话您！您说一定要出这口气，还说奴才不做，您杀了小福子后一样可以找别人做。奴才万般无奈才答应了的。"

另一个小太监小安子也哭着道："嫻妃娘娘，您当日到内务府找到奴才，要奴才做一些掺了朱砂的蜡烛送到您宫里。奴才送去之后您打赏了奴才三十两银子。奴才只当您是做了自己玩儿的，实在不知道您是去害人呀！"

如懿气得浑身发怔，心口一阵阵发寒，仿佛是掉进了一个深不见底的黑渊里，只觉得四周越来越寒，却不知自己究竟要掉到哪里才算完。

慧贵妃轻笑一声道："这就难怪了！本宫怎么说呢，从怡贵人惊蛰那日遇蛇开始就觉得奇怪，怎么巧不巧怡贵人遇了蛇就被嫻妃你撞见救了呢。怡贵人这就感激涕零去了你的延禧宫同住。这不正好下手，一切方便么？"

如懿恼怒地直视着她道："慧贵妃慎言。如果说一切是我蓄意所为，那么就该离怡贵人越远越好，才不容易被人发现，怎么还会这么蠢接她来延禧宫同住，好叫人疑心？"

"疑心？"慧贵妃嗤笑，耳边一双明铛垂玉环玲玲作响，"若是和玫贵人一般看起来像个意外，谁会疑心？都只当怡贵人自己命薄留不住孩子罢了。所谓富贵险中求，若是不兵行险招把怡贵人留在身边，哪能又是蜡烛又是炭火又是饮食那么周全。玫贵人不就是你隔得远不方便，所以中毒缓慢，到了八个月才没了孩子。想来你自己腹中空空，看着人家的肚子一个接一个大起来，是越来越不能容忍了吧！"

如懿几乎气结，极力压抑着心口的怒气，冷冷道："慧贵妃也腹中空空，一定要这样说出自己的心思么？"

慧贵妃平生最恨人说自己膝下无所出，不觉变了脸色，恨声道："你……"

胶凝的气氛几乎叫人窒息，皇帝微微地眯着眼睛，有一种细碎的冷光似针尖一样在他的眸底凌厉刺出，他隐忍片刻，缓和了气息道："好了，你们都不要争执。皇后，只有小禄子一个人的证词，怕是不能作数吧。"

皇后轻轻颔首，恭敬道："皇上所言甚是。臣妾也觉得一面之词不可轻信，所以让素心带了阿箬过来。皇上可还记得，素心说阿箬方才拦着搜查么？那这丫头一定是知情的，依臣妾看，还是要好好查问才是。"她转头看着素心："阿箬带来了么？"

素心道："已在殿外候着了。"

如懿看着阿箬神色谦卑地走进来，并无任何紧张不安之态，心中不觉松了一口气。阿箬到底是跟着自己多年的阿箬，没有做过的事，自然不必心慌意乱。她又有什么可担心的呢？或许她的阻拦，也是因为生性里的一分骄傲吧，怎可容许别人轻易侮辱了自己？然而心底的深处，如懿还是有一份深深的不安，到底延禧宫中是谁出了差错，将这一包朱砂放进了自己的妆台屉子里。

旁人不清楚，她自己却是知道的，沉水香的气味颇为清淡，要使这一包朱砂都染上气味，必然是在自己的殿内放了许久了。那么又是谁，能做得这样神不知鬼不觉？

她的心绪繁杂如乱麻。还来不及细细分辨清楚，阿箬已经走到殿中，沉稳跪下了道："皇上万福，皇后万福，各位小主万福。"

皇后道："今日也不说这些虚礼。本宫只问你，素心要去搜查延禧宫的时候，你为什么要拦着，还不许搜寝殿。"

阿箬脸上闪过一丝淡淡的哀伤，只是道："奴婢伺候小主，就要一切为小主打点妥当。"

"打点什么？"

阿箬脸上的悲伤之色愈浓，忽然转首向如懿磕了三个头道："小主，奴婢伺候您已经八年，这八年来不可谓不尽心尽力。可是小主入宫之后，性情日渐乖戾，每每逼迫奴婢去做一些奴婢自己不愿做的事。奴婢知道，您是奴婢的主子，奴婢只能为您去做。可奴婢做这些事的时候心里并不好受，今日既然事情抖了出来，奴婢也无法了，只能知道什么便说什么。"

如懿越听越觉得不祥："阿箬，你这样说是什么意思？"

阿箬转头再不看她，只向皇帝和皇后道："奴婢知道皇上和皇后要问什么，奴婢一并说了就是。自从玫贵人有孕之后，小主时常伤感，喜怒更是无常，常常抱憾虽然抚养了大阿哥却没有自己的孩子。玫贵人有孕后得宠，小主更是恨得眼睛出血。有一日终于叫了奴婢去宝华殿搜罗了一些朱砂回来。"

慧贵妃道："娴妃突然让你要朱砂，你也不疑心么？"

阿箬摇头道："奴婢何承想到这个。当时小主也只是说用朱砂抄写经文祈福，可以早些有自己的孩子。有一次小主带奴婢去看望玫贵人的时候，悄悄在玫贵人的炭盆里撒了些朱砂，因为朱砂的颜色与红箩炭相似，颗粒又小，几乎无人察觉。只是每次去，她必定趁人不备这样做。几次之后奴婢就觉得奇怪，几日后小主突然想去御膳房，便带了奴婢在御膳房外的甬道那儿放风，奴婢隐隐约约听见小主吩咐了御膳房的小禄子什么喂朱砂，掺在鱼食里什么，还提到了小福子，小禄子当下便哭着答应了。奴婢吓了一跳，问小主要拿朱砂做什么，小主不许奴婢多问，还让奴婢继续去宝华殿搜罗。"

窗外明明是三月末的好天气，阳光明亮如澄金，照在殿内的翡翠画屏上，流光飞转成金色的华彩流溢。中庭一株高大的辛夷树，深紫色的花蕾如暗沉的火焰燃烧一般，恣肆地怒放着。如懿心里一阵复一阵地惊凉，仿佛成百上千只猫爪使劲抓挠着一般。她的面色一定苍白得很难看，她怎么也不相信阿箬会这样镇定自若地说出这些话来。

阿箬继续道："自从玫贵人产下死胎之后，小主嘴上虽不说，但奴婢伺候小主多年，看得出来她很高兴的。后来怡贵人又有了身孕，小主和怡贵人并不算太熟，不能像常去看玫贵人一样去景阳宫。可是她总不高兴，说连怡贵人那样侍女出身的都有了孩子，她却偏偏没有。那一天去看怡贵人遇蛇后，小主正好顺水推舟救了怡贵人，本来是想借机可以多去景阳宫，谁知皇上正好让怡贵人住到延禧宫，便遂了小主的心了。怡贵人有孕，皇上每天来看小主的时候都会去看怡贵人，小主气恼不过，下手也特别狠。怡贵人的红箩炭备在廊下，随取随用，都是事先混了朱砂的。连吩咐给小禄子的朱砂，也比往常多了许多。"

惢心气得浑身发抖，怒喝道："阿箬，小主待你不薄，你受了谁的好处，居然说出这样没良心陷害小主的话来？"

阿箬冷冷看她一眼："正是因为我还有良心，所以受不住内心的谴责说了出来。哪怕小主待我不薄，我也不能昧了良心。"

惢心气道："好！好！哪怕你说的不是昧心话，我和你一同伺候小主，怎么你说的这些话我都不知道。细论起来，平日里还是我伺候小主更多些呢。"

阿箬轻蔑道："你是伺候小主多些不错。但我是小主的陪嫁，有什么事小主自然是先告诉了我，你又能知道什么？而且这样狠毒的事，难道还要人人皆知么？"她目视如懿，毫不畏惧："小主，这样的事你自己做过自己不知道？难不成奴婢和小禄子都要冤枉你么？"

如懿双目紧闭，忍住眼底汹涌的泪水，睁眸道："很好，很好，本宫不知道你与谁合谋布了这个局来害本宫，当真是天衣无缝，对答如流。"

阿箬躬身道："小主若要怪奴婢，奴婢也是无法，自知道此事后，奴婢心里日夜不安，眼见得怡贵人胎死腹中，奴婢夜夜噩梦。当时遵于主仆之情，奴婢不敢说与人知。如今事发，乃是天意，奴婢也只得说了。小主任打任罚，悉听尊便。"

阿箬言毕，忽然看了小禄子一眼。小禄子冲上来道："娴妃娘娘，奴才知道供了出来对不住您，可是奴才也不想这样平白害了两位皇嗣。奴才我……我……"他支吾两声，突然挣起身子，一头撞在了正殿中一只巨大的紫铜八足蟠龙大熏炉上，登时血溅三尺，一命呜呼。嫔妃们吓得尖叫起来。

玫贵人二话不说，冲上来照着如懿的面门便是狠狠两个耳光。她还要再打，却被跟上来的宫女死死拉住了。她口中犹自骂道："你好狠毒的心，还敢说人冤了你，小禄子能拿他一条命来冤枉你？你居然狠心到连我腹中的孩子都不肯放过，要他死得这样惨！"

如懿晕头转向，脑中嗡嗡地晕眩着，脸上一阵阵热辣辣的，嘴角有一股热热的液体流了出来，她伸手一抹，才发觉手上猩红一道，原来是玫贵人下手太重，打出了血。可是她居然不觉得痛，只是看着那大熏炉上慢慢滴下的血液，一滴又一滴滑落。撞得头壳破碎的小禄子被人拖了出去。这样温暖的天气里，她居然生出了彻骨的寒意。

无路

死无对证，居然是死无对证！

阿箬脸色惨白，对着如懿道："小主若是对奴婢今日的话有所不满，奴婢也自知不活，一定跟小禄子一样一头撞死在这里，也算报了小主多年的恩义。"她说完，一头便要撞向那熏炉去。

慧贵妃眼疾手快，一把拉住了道："已经死了一个，再死一个，岂不是都死无对证了。"她款步向前，向帝后福了一福道："今日的事后宫诸姐妹都已经听明白了，娴妃谋害皇嗣，人赃并获，已经无从抵赖。臣妾请求皇上皇后还玫贵人和怡贵人一个公道，更还含冤弃世的两位皇嗣一个公道。"

海兰忙跪下，情急道："皇上，皇后娘娘，臣妾与娴妃娘娘起居一处，深知娘娘并无害人之心，此中缘故，还请皇上皇后明察。"

纯嫔亦道："皇上，皇后娘娘，臣妾与娴妃相处多年，她的确不会是这样的人，还请皇上皇后明察。"

皇后叹口气道："后宫出了这样的事，原是臣妾不察之过。人证物证俱在，娴妃是无从抵赖，但娴妃毕竟伺候皇上多年，皇上要如何查办，臣妾听命便是。"

皇帝的眼睛只盯着熏炉上淌下的鲜血，他的声音清冷如寒冰："阿箬，你是要拿你这条命去填娴妃的罪过了，是么？"

阿箬含泪道："奴婢自知身受皇恩，阿玛才能在外为朝廷效力，可是忠孝难两全，奴婢只有以死谢罪。"

空气中有胶凝般的滞缓与压抑，庭院中的花香轻而薄地缠上身来，闻得久了，几乎如同捆绑般的窒息。远处不知是不是有蜜蜂在嗡嗡地扑着翅膀，好像那锐利的蜂针也一点一点逼进身体，一阵一阵地发痛。如懿跪在乌金地砖上，膝盖疼得几乎直不起来，她欲分辩，唯觉得自己陷在了一张精心织就的天罗地网之中，口干舌燥无力挣扎，只由得冷汗涔涔而下，濡湿了面庞。

良久，她仰起面，痴痴望着皇帝："皇上，人证物证皆在，臣妾百辞莫辩。但是皇上，臣妾至死也只有一句话，臣妾不曾做过。"

皇帝并不看她，只是道："你也知道人证物证，铁证如山。朕再不愿意相信，亦只能相信。"他的脸上有深黯的惨痛与悲伤："那两个龙胎的死状，朕都是亲眼见过的，一辈子也忘不了。如懿，就算你没有孩子，可是朕一直宠爱你，你还有什么不足，要连尚在母腹中的孩子也不放过。"他仰起脸，将眼中的泪水以愤怒灼干，化作冷厉的口吻："传朕的口谕，娴妃乌拉那拉氏心狠手辣，着降为贵人，幽禁延禧宫，再不许她出入。"

如懿绝望地瘫倒在地上，眼里蓄满了泪水："皇上一直对臣妾说要臣妾放心，如今臣妾百口莫辩，只要求皇上能明察秋毫，还臣妾一个清白。"

皇帝并不看她，只道："怡贵人黄氏即日迁回景阳宫，玫贵人白氏迁回永和宫，一切如旧。至于阿箬……"皇帝脸上生了几分温柔之色："朕属意你已久，只是一直不得机会对娴贵人说。此次的事你也有身不由己之处，切莫再寻了短见，以后便留在朕身边伺候吧。"

阿箬大喜过望，只是有些畏惧地看了看皇后与慧贵妃。

皇后叹道："知错能改，善莫大焉。而且此次的事，娴贵人是罪魁祸首，阿箬只是碍于情义一时不得明说罢了。皇上要留她在身边将功抵过，臣妾也觉得是应该的。"

如懿怔怔地望着阿箬含羞带怯的面庞，只觉得天灵盖被人狠狠剖开，贯入彻骨寒冰，冷得她完全无法接受，却只能任由冰冷的冰珠带着棱角锋利地划过她的身体，痛得彻骨，却依然清醒。

阿箬的笑意还未退去，嘉贵人嘴角高傲地扬起，盈然起身道："皇上，娴贵人谋害龙胎之事做没做过只有她自己有数。只是臣妾……"她按住自己小腹，喜悦道："臣妾已经有了一个月身孕，实难再与娴妃这样的人共处。皇上幽禁了她，臣妾才敢安心在宫中养胎。"

皇帝所有的悲伤与恼怒在一瞬间被她的笑意化去，他上前一步，紧紧握住了嘉贵人的手道："你所言可真？"

"臣妾不敢妄言。只是宫里出了这样的事，臣妾不敢说出来而已。"嘉贵人满面得意地笑，牵住皇帝的手，依依道，"皇上，臣妾好怕受人所害，还请皇上允准，许臣妾住在皇上养心殿后的臻祥馆，以借皇上正气驱赶阴邪，护佑龙胎。"

皇帝欢和的笑容里，自然是无不允准。嘉贵人的孩子，恰到好处地驱散了前两个离去的阴霾。只是这样的欢欣喜悦里，没有人会在意如懿的绝望与无助。

她望着窗外艳阳高照，这是三春胜日，她却清晰而分明地觉得，她的春天，已经离得太远了。

无路

075

第十章
冷苑

　　如懿独自坐在殿中，看着黄铜镜中自己的容颜，居然已经是憔悴如斯。延禧宫中的宫人被撤去了大半，连香炉里的香烟冷了，也没有人再来更换。只剩下一把冰冷的死灰，如同她的心一般，散碎成齑粉，不知哪一阵风来，就散得不见踪影了。

　　海兰悄无声息地走进来，替她挽好散落的发髻，整了整疏散的珠钗，缓声道："姐姐切莫心灰意冷，皇上只是降姐姐为贵人，可见心中还是有姐姐的。这件事虽然看似证据确凿，但并非没有一点可疑之处，等到皇上想明白了，就会恢复姐姐位分，放姐姐出去了。"

　　如懿缓缓地摇头："没用了。"

　　的确是没用了。所谓的证人，小禄子已经死了，他的死更像是源于她的逼迫。而唯一活着的最有力的证人，只剩下了阿箬。

　　海兰正欲说话："那么阿箬……"

　　如懿凄然一笑："你也觉得阿箬劝得回头？今日她在长春宫能够如此犀利冷

静地说出那番话，说得那么滴水不漏，我便已经知道，阿箬会是置我于死地的一剂砒霜。你要砒霜变良药，如何可能？而且如今她已经在养心殿行走伺候，谁再要接近她，都不是易事了。"

海兰犹豫道："可是如今，的确只有阿箬一个证人了。我猜皇上的意思，可能是不想她也和小禄子一样骤死，所以留在养心殿中。"

如懿心灰意冷道："是什么都好了。这丫头一直心高气傲，我却不知道她还有这样的本事，竟然在我看不见的地方与人勾结做下了这等好事！"

海兰见四下里冷冷清清的，并无旁人伺候在侧，便道："姐姐以为，阿箬是和谁勾结？"

如懿沉吟着道："皇后娘娘有皇子和公主，又掌位六宫，按理说并不需除去这两个孩子。"

"但玫贵人盛宠，怡贵人的孩子又被认为是大贵之胎，不能不防。"

"慧贵妃一直与玫贵人不睦，实在有可能是她害的玫贵人。但是怡贵人与慧贵妃一直也没有冲突。"

海兰沉吟道："可是若以两位龙胎之死打击姐姐，慧贵妃一定做得出。而嘉贵人的恩宠一直与姐姐和慧贵妃相当，哪怕慧贵妃被皇上冷落之后，她都能和姐姐平分春色，今日又恰到好处提出自己怀有身孕，让皇上转怒为喜，恐怕嘉贵人也不简单。"

如懿自嘲地笑笑："宫中生存，有谁又是简单的？是我自己技不如人，才会受此算计。"

海兰急道："那还有小福子呢，他是小禄子的弟弟，难道什么都不知情？"

如懿道："慎刑司查问过了，的确是问不出什么。"

她望向院中，中庭的桃花怡然而开，灿烂如凝霞敷锦，散漫开一天一地。一阵风过，连吹来的气息都是甜的。院子里晴丝袅袅，春光骀荡，这样好的时候，她却宫门深闭，只看着黄昏暮色无可阻挡地自远处逼近，无处可逃。

外头有极轻的人语声，那是怡贵人宫中的宫人在搬离延禧宫，她看着海兰道："你也要搬走了么？"

海兰道："我求过皇上，暂居延禧宫陪伴姐姐。"

如懿神色凄苦，握住她的手道："何必？这次不比禁足，你还能出去。陪我住在这里，等于是陪我一起幽禁，葬送了自己。"

海兰眼底都是泪，只是坐在她身前，诚挚道："妹妹人傻，又愚笨不懂得周旋，即便能出去，也不过任人欺凌罢了，情愿守着姐姐。"

如懿握着海兰冰凉的手，哽咽间一句话也说不出来。忽然，帘下闪过一点响动，如懿转过脸去，却见怡贵人一身素服，头上只别了一支素银如意钗并几点雪白珠花，站在帘下，单薄得几如一枝屡屡在二月冷风中的瘦柳。她脸上的肉几乎都干透了，脸颊深深地凹陷下去，唯有一双干枯的眼，黑得让人生出怕意。

她一步一步缓缓走近，声音轻得仿似一缕幽魂："娴贵人，看着你跟海兰姐姐这样情好友善，我便想起你照顾我的那段时日，真的是对我很好很好。可是娴贵人，你为何要这样虚情假意，一定不肯放过我的孩子！如果你不喜欢我承宠，你告诉我就是了，为什么要害我的孩子！"

她步步逼近，语中的凄厉之意越来越盛，终于在接近如懿的那一刻，伸出手狠狠扼住了她的脖子。海兰一时不防她如此，立刻伸手去拽，口中大呼道："来人！快来人！"

不想怡贵人瘦弱至此，力气却极大，海兰根本拉不开。如懿只觉得喉头一阵阵痛得发紧，几乎喘不过气来了。她拼命伸手去掰开怡贵人的手指，好容易和海兰一起用力掰开了她一只手，却见怡贵人一把拔下头上的银钗狠狠向她刺来。那银钗的一头磨得极其锋利，显然怡贵人是有备而来，眼看那银钗的锋尖避无可避，朝着如懿面门直刺而下，海兰伸手一把挡住了钗尖，将自己的手臂横贯其下。

沉闷的一声痛呼，有鲜红的血一瞬间迸开，落在如懿的面上，温热而芬芳。

怡贵人似乎也被那血吓住了，一时行动有些滞缓，便被扑进的宫人们一拥而上拉开了。如懿赶忙握住海兰的手臂细看，只见雪白如藕的臂膊上，一条深深的血痕从手肘到手腕直划而下，鲜血涌出处皮肉翻起，触目惊心。

如懿慌不迭地喊起来："传太医，快传太医！"

怡贵人被蜂拥的人群拖了出去，口中犹自念念不绝，不住地咒骂哭泣。海兰手臂上不断有鲜红的血液滴落，惢心忙捧了纱布来，如懿急道："太医不知什么时候过来，我先替你缠上止住血。"

海兰痛得眼中泛起泪光，却极力忍耐着道："姐姐别怕，一点皮肉伤而已。

倒是姐姐你，没被怡贵人吓着吧？"

如懿心疼道："你都这样了，我能比这个更怕么？"

海兰强笑着安慰道："没事，一点皮肉伤而已，没有伤及筋骨就好。"

如懿的泪一滴滴落下，洇在纱布上，衬着不断沁出的鲜血，似绽出一小朵一小朵艳色的梅花："可是伤得这样深，一定会留疤了。"

海兰忍着疼，微笑道："即便留疤，也比伤了姐姐的性命值得，是不是？"

如懿的喉头隐隐还残留着被怡贵人扼过的痛，然而此刻，却被更深更重的感动填满了。是，这几日来的风波迭起，让她身心俱疲，无力抵抗，可是还有海兰。幸好，还有海兰，容得她在凄苦的宫中有人相依为命，彼此依靠。

怡贵人的死是在三日之后，因为积郁过度，加上腹中孩子的残体没有完全清除，过量催产残余的红花牛膝汤让她的身体再也承受不住，撒手而去。

据说，她死的时候，眼睛都没有闭上，只以布满血丝的双眼，无语望向苍天。

她的死，让原本稍稍平静的后宫再度沸腾起来。

消息传到养心殿的时候，皇帝正在批阅奏折。阿箬换了御前宫女的服饰，虽然不比在延禧宫时华贵，却别有一种在御前伺候的气韵隐隐透出。

阿箬见皇帝只是奋笔疾书，便捧了一小碟点心和茶水进来，不动声色地向李玉努了努嘴。李玉知道她在御前伺候之后颇得皇帝另眼相看，也不知如懿情形到底如何，一时也不敢轻举妄动，便退到了殿外。

阿箬小心翼翼将茶点放在皇帝跟前，便悄无声息地替皇帝研起墨来，她的手势极轻，手腕运力，墨汁磨得浓淡恰到好处，一星也未溅出来。皇帝蘸了蘸墨笑道："难怪古人说要让闺秀少女来磨墨，红袖添香自然是一种乐趣，但也唯有你们才能用力适度，磨出不涩不枯带光泽的墨汁来。"

阿箬盈盈一笑："皇上夸奖了。奴婢不过是为娴妃娘娘……不，是为娴贵人磨墨久了，熟能生巧而已。"她自悔失言，有些畏惧地看着皇帝："奴婢失言了。"

皇帝只是一笑："是么？朕喜欢听你说话，更喜欢你的熟能生巧。"

阿箬羞涩一笑："奴婢笨笨的，怕说错了话惹皇上不高兴。"

皇帝的眼角带了轻俏的笑意，是薄薄的桃花色，如同窗外的春色一般明媚："怎么会？你说什么，朕都喜欢。"

阿箬脸上浮起红云，还是忍不住道："皇上这么说，可是因为爱屋及乌？"

皇帝微微一怔："什么爱屋及乌？"

阿箬绞着手指，低低道："皇上爱惜娴贵人，不舍得重责。因为爱惜娴贵人，所以连昔日在她身边伺候的小乌鸦，也就是奴婢，也连着得了些怜惜。"

皇帝的笑意微微淡下去："当日你仗义执言之后，宫里还会有人把你当做是娴贵人身边的小乌鸦么？你就是你，乌拉那拉氏就是乌拉那拉氏，彼此早不相干了。"

阿箬低首道："是。那皇上不觉得奴婢是背主弃信之人么？"

皇帝眼底有深邃的墨色，几乎能望到人的心底去："只要你是仗义执言，不违背本心，没有人会觉得你背主弃信。"

阿箬暗暗地松一口气，朝皇帝露出一个极明丽的笑容。她正盈盈望着皇帝，李玉进来道："皇上。"

皇帝从他的面上探寻到一丝惊慌的意味，沉声道："什么事？"

李玉战战兢兢道："景阳宫来报，怡贵人产后失调，死胎余毒未清，方才已经殁了。"

皇帝的神色变了又变，末了眼角沁出一点泪意，叹息道："真是可惜了。去告诉皇后，怡贵人追封为怡嫔，一切丧仪按嫔位安置，让皇后好好操办。"

李玉答应着去了，阿箬忙递了茶到皇帝手中道："怡嫔娘娘真是可怜，孩子没了之后情绪还那么激动，想跑去杀了娴贵人，结果累了自己红颜早逝，真当是可怜。"

皇帝淡淡道："乌拉那拉氏是咎由自取，还累得海贵人也受了伤。"

阿箬乖巧道："皇上别生气。幸好现在嘉贵人也有了身孕，在臻祥馆养得好好的，皇上放心就是。"

皇帝嗤地一笑："你总惦记着别人，那你自己呢？"

阿箬痴痴一笑，别过身去道："皇上取笑奴婢呢，奴婢有什么好惦记的。"

皇帝取过她捧来的糕点咬了一口："好甜。"

阿箬忙道："奴婢记得皇上喜欢吃玫瑰花瓣糖蒸的菱粉糕，所以特意下厨做了一盘，不知皇上喜不喜欢？"

皇帝笑吟吟望住她，一把捉住她的手道："你还说你不惦记着，连朕喜欢吃什么都记在了心上。"

阿箬羞得满面绯红，忙低下头娇怯怯道："皇上……"

皇帝在她手上轻轻一吻，笑道："好甜。"

阿箬越发不好意思，只觉得一颗心怦怦地跳着，几乎有些晕眩。她盼了那么久，渴望了那么久，原来只要稍一用力，就可以伸手攀到了。殿外的花香无孔不入地钻进来，带着甜腻而熏人欲醉的气味，不依不饶地缠上身来。皇帝吻着她的耳畔，低声道："你阿玛现如今在高斌手下，跟着他颇有出息，不仅治水出色，这个知府也当得有声有色。朕也不想在宫里委屈了你……朕打算封你为常在，就住在嘉嫔的启祥宫。封号……为慎。"

阿箬受宠若惊，只觉得身上的力气一点一点都被抽去了，只是娇慵无力地瘫在皇上怀中，双手一点一点攀上他的颈，像在寻着最后的依靠似的："有皇上的眷顾，臣妾一点也不委屈。"

圣旨传遍六宫的时候，便是说因嘉贵人有孕，晋封为嘉嫔。阿箬因在养心殿照顾嘉嫔有功，又能柔顺侍上，封为慎常在。

皇后看着圣旨只是一笑，向陪坐一旁赏花的慧贵妃道："不承想这个丫头这么有出息。"

慧贵妃微微有些不悦："祖制宫女册封要从官女子起，她倒好，一步登天了。"

"那不是也要有妹妹抬举么？"皇后折下一朵暗红瑞香花别在衣襟上，"阿箬的阿玛在妹妹的父亲麾下做事，听说颇有才干，他的女儿在宫里能不格外伶俐么？一个眼错没看见，就被皇上调到了御前伺候，指不定怎么伸着胳膊扑棱着翅膀在皇上面前飞呢。祖制也是从前的皇上定的，如今的皇上改一改，也没什么了不得。"

慧贵妃替皇后正了正衣襟上的瑞香花，狠狠掐下一片多余的花叶："再怎么会扑棱，也不过是一个常在，臣妾不信她还能飞上了天去。真要不识好歹，翅膀是怎么安上去的，就怎么给她卸下来。"

皇后微微一笑，拈过一朵瑞香递到慧贵妃手中，笑道："古语云瑞香花，始缘一比丘，昼寝磐石上，梦中闻花香酷烈，及觉求得之，谓为花中祥瑞，遂名瑞香。有这样祥瑞的花在手，妹妹已然是胜券在握，不必做无谓的担心了。咱们还是花点心思，将怡嫔的后事料理妥当，也让皇上可以稍稍安慰吧。"

次日面见太后的时候，皇后将怡嫔生前死后所有事一一叙述，无不详尽。太后倚在暖阁的榻上，伸手抚摸着青瓷美人觚里插着的几枝新开的粉紫色丁香花："皇后看看，福珈替哀家插的这一盆丁香花，如何啊？"

皇后正回禀宫中事宜，突然听得太后这一句，忙赔笑道："福姑姑伺候太后多年，深知太后心意，这盆丁香花一定很合太后的心意。"

太后微微摇头，淡淡道："福珈，拿剪子来。"

福珈奉上银剪子，太后剪去多余的几枝，道："如今看着便清爽多了。"

皇后忙道："儿臣的眼力远不及皇额娘，所以竟看不出来那几枝花枝多余。"

太后淡淡一笑："皇后，你知道本宫为什么喜欢这盆丁香花么？芭蕉不展丁香结，同向春风各自愁[1]。丁香花开二色，有紫有白，就好比宫中有人得宠高兴，便有人失宠伤心。这次的事玫贵人痛失胎儿，怡嫔母子俱亡，便连娴贵人也受了责罚幽禁在延禧宫中。可是这边伤心欲绝，那边慎常在就跃上龙门，一朝得宠。嘉嫔也身怀龙种，备受尊崇。但皇后你有没有想过，如此一来，宫中就失却了平衡之道了。"

皇后忙躬身道："儿臣恭听皇额娘教训。"

太后和颜悦色道："嘉嫔有喜自然是值得高兴，玫贵人失子也的确让人伤心。娴贵人固然被幽禁，但慧贵妃一直未再得到宠爱，被皇上冷落。这个中的平衡之道，皇后你要好好掂量掂量。"

皇后眼中凌波微动，道："儿臣会向皇上建议，晋封玫贵人为玫嫔稍作安慰。至于慧贵妃，她位分已高，不宜即刻再进封，儿臣会安排慧贵妃再度侍寝，以免嘉嫔有孕不便伺候，让皇上备感寂寞。"

太后微笑道："皇后能如此，哀家很是欣慰。"她话锋突然一转："但是海

---

[1] 出自唐代李商隐的《代赠二首》。第一首全诗为：楼山黄昏欲望休，玉梯横绝月如钩。芭蕉不展丁香结，同向春风各自愁。

贵人无错却与娴贵人一同幽禁，而娴贵人罪孽深重，仅仅得此责罚，哀家实在是为两位枉死的皇孙感到可惜。皇后，这些话你便替哀家告诉皇上吧。"

皇后略露为难之色，道："回禀皇额娘，不是臣妾不敢告诉皇上，但只怕皇上一时心软，顾念旧情……"

太后语气森冷，与外头的明丽春色毫不相符，只道："皇上固然顾念旧情，但哀家的皇孙也不能白白枉死。那就传哀家的旨意，娴贵人乌拉那拉氏谋害皇嗣，罪无可恕，着废为庶人，终身幽居冷宫。哀家倒要看看，哀家要她生不如死，谁敢拦着！"

皇后微微一凛，忙道："皇太后懿旨，臣妾遵命。"

皇后去请命时，慎常在正一旁红袖添香，喜乐娱情。纯嫔与海兰亦守在一旁相伴，众人见了皇后来连忙离了皇帝，恭恭敬敬请了安，半分也不敢骄矜。皇后将太后所言一一回禀，皇帝倒也无一不准，但说到如懿之事时，皇帝冷然一笑："还是皇额娘有决断。朕顾念着她抚养大阿哥，一时还未下狠心。既然皇额娘这样说，那自然是好的。"他扬声唤道："李玉，你便按皇后所言，传旨下去。"

皇后道："那大阿哥……"

皇帝微微蹙眉："大阿哥便交给纯嫔带着吧。纯嫔生养过孩子，理应会管教些。"纯嫔听了，连忙起身谢过。

皇后连忙道："是，那臣妾预备下去，明日就将乌拉那拉氏移去冷宫居住。只是……"

阿箬轻轻地为皇帝捶着肩，娇声道："这样也好。眼不见为净，省得皇上想起了就要生气。"

皇后拈了绢子道："只是……乌拉那拉氏虽然有差错，但皇上念在旧情，关几日就会把妹妹放出来的，让妹妹安心去待几天思过就是。"

皇帝看了皇后一眼，不动声色道："几天？若无朕的旨意，乌拉那拉氏终身不得出冷宫别院半步。"

皇帝话音刚落，海兰脸色煞白，差点晕了过去。海兰身边的叶心机灵，一把扶住了海兰。

冷苑

海兰忍不住跪下，膝行上前，磕了个头道："皇上开恩，请念在姐姐在潜邸时就尽心伺候皇上，不敢有一丝懈怠的份上，还请皇上不要把姐姐赶去冷宫吧。"

纯嫔亦道："是啊。皇上哪怕要罚月银要责打，都比把乌拉那拉氏一辈子孤零零扔在那儿好啊。"

皇帝看也不看纯嫔，只淡淡道："跟着朕从潜邸过来的嫔妃不少，若都像乌拉那拉氏一般骄纵恣肆，敢蓄意谋害旁人，朕以后如何管治后宫前朝。你们若再求，就和她一并关进去。到时候永璋没有额娘照管，你也别怪朕狠心。"

纯嫔吓得冷汗涔涔，跪在地上不敢言语。海兰还要再说，纯嫔赶紧拉住了她，摇了摇头。

皇后欠身，淡然道："皇上三思，如懿妹妹到底陪伴皇上多年，没有功劳也有苦劳。"

皇帝散漫地看皇后一眼，微笑道："乌拉那拉氏有罪当罚，是皇后向朕提出。如今皇额娘也发了话，皇后却要朕宽恕，皇后贤德是贤德，却未免太出尔反尔，难以服众了。"

皇后神色一惊，连忙屈膝："臣妾糊涂，还请皇上恕罪。"

皇帝道："起来。"

皇后这不敢多言，微微敛容正要退下，却听殿外有童声响起，却是在背诵一首诗。

"鹿走荒郊壮士追，蛙声紫色总男儿。拔山扛鼎兴何暴，齿剑辞雅志不移。天下不闻歌楚些，帐中唯见叹虞兮。故乡三户终何在？千载乌江不洗悲。"

那童声反复响起，却只是背诵这首诗。

皇后侧耳细听，道："仿佛是大阿哥的声音，在背诵皇上的御诗。"

皇帝眉心微微一动，转过脸不悦道："前些日子永璜背了这首御诗给朕听，朕还夸奖了他几句。如今倒越发懂得取巧了。"

皇后忙道："小孩子家，哪里有这些心机。皇上切莫错怪了他。"

皇帝听了一会儿，终究不忍道："传他进来吧。"

永璜倒也乖觉，进来了便磕头道："给皇阿玛请安，给皇额娘请安，给慎常在请安。"

按照规矩，皇子与公主称呼除皇后与生母之外的庶母皆以"娘娘"相称，如今只呼慎常在的位分，而不唤一句"慎娘娘"，显然并非不懂得规矩，而是不屑如此尊称而已。

皇帝便带了几分不豫之色，道："越发没有规矩了。"

阿箬强笑道："臣妾原本就是伺候大阿哥养母的宫女，大阿哥不肯按规矩称呼，也是情有可原。"

皇帝指着永璜便道："这个样子，和乌拉那拉氏一模一样，朕真是后悔把你交给了她抚养。"

大阿哥忍着泪，倔强道："儿子受母亲抚养，母亲百般教导只是要儿子学好，从未教坏过儿子。不知皇阿玛此言从何而出。今日儿子背诵的御诗乃是母亲亲口教导，母亲时时刻刻把皇阿玛记在心上，又疼爱儿子，怎么会残害皇阿玛的其他子嗣。其中必有冤情，还请皇阿玛明察。"

皇帝连连冷笑道："反了！真是反了！连朕的亲生儿子都被她蛊惑，口口声声向着她！"

阿箬忙跪下道："皇上息怒。大阿哥养在延禧宫的时候，乌拉那拉氏百般笼络讨好，其实并非真心疼爱大阿哥，而是借机邀宠，更是为了她一己私心，想要'招弟'。"

"招弟？"皇后诧异道，"什么是招弟？"

"就是民间传言，收养一个男孩后，自己也会在不久之后有孕诞下一个男孩。"

皇后惊诧道："你是说，就是因为如此，当日乌拉那拉氏才会与慧贵妃相争，故意要抚养大阿哥？"

皇帝伸手将桌上的茶点挥落，怒道："这就是你口口声声要求情的母亲，以后你不必跟着她，就由纯嫔来抚养你。朕告诉你，也告诉所有人，都听着，以后朕不许任何人为乌拉那拉氏求情，若有违背，就和她一起去冷宫待着吧。"

第十一章
幽居

　　永璜回到延禧宫中，见到宫中苍黄昏暗，浑不似一个曾经得宠的主位所住的地方，更想起昔日伺候的阿箬如今在皇帝身边的亲昵模样，纵使心性坚强，也忍不住落下泪来，一头扑入如懿怀中，哭道："母亲，母亲……"

　　如懿抱住他好生安慰道："好孩子，回来了就好。母亲交代你的，你都做好了么？"

　　永璜哭着道："儿子不敢辜负母亲，都已经做好了。"

　　"那你皇阿玛生你的气了么？"

　　"生了好大的气。还说不许儿子再跟着母亲，要搬去纯娘娘宫中居住，由她抚养儿子。"

　　如懿心口一松，情不自禁笑出来道："那就好。纯嫔娘娘位分既高，性子也好，自己又生养过，知道怎么照顾你。你有了好去处，母亲也高兴。"

　　海兰跟着进来，陪着落泪道："姐姐何必如此，不让大阿哥求情也罢了，偏还要借着求情去惹恼了皇上，还要皇后和慎常在在旁边看笑话。"

"这个笑话，必得让人看见了才好。"如懿深吸一口气，搂着永璂道，"好孩子，母亲的苦心，你都明白么？"

永璂点头道："以后儿子不能太露锋芒，更不能太讨皇阿玛喜欢，抢了二弟的风头，以免被人觊觎陷害。"

如懿含泪点头道："好孩子。以后没有母亲护着你，万万记得要保护好自己，韬光养晦，千万不能显露锋芒。若有什么要紧事，便悄悄儿去找海娘娘，她会护着你的。"

永璂点头道："所以儿子今天惹了皇阿玛生气，以后看着皇阿玛好像不像以前那么喜欢儿子了，儿子也更安全了。"

如懿连连颔首："一点就透，真是母亲的好儿子。这样母亲以后即便出不了延禧宫，也能安心了。"

永璂擦干了眼泪道："可是儿子今日在皇阿玛那里听说，要把母亲移去冷宫，还要废母亲为庶人。"

如懿立时怔在当地，只觉得热泪滚滚而落，刺而痒地扎在肌肤上。

如懿满面是泪，眼中的神采只剩下了乌沉沉的伤心与无奈。"从阿箬被接到皇上身边那刻起，我就知道我的劫数还没完。又说下旨封了慎常在，如此盛宠，再加上旁人的话……"她泣不成声，只觉得心里的惊痛如一副千斤重的磨盘一道接一道碾下，几乎要将一颗已经溃不成军的心磨成齑粉四散在风里，"皇上……竟然疑我到这种地步！"

海兰啜泣道："众口铄金，积毁销骨，何况如今慎常在是皇上枕边的心尖子。皇上一时轻信……"

原以为已经掉到了深渊底下，却没有想到还有一重深渊，如同十八层地狱，要重重堕下，永无超生的可能。原来所谓人生路，不是只有前行与后退，还会如此下坠，坠到连自己也想不到的凄苦之地去。如懿无限凄惘，苦笑道："一时轻信，也要相信了才好……若是不信，终究旁人再多言语也是无用！"

正说话间，却见李玉已经过来传旨，延禧宫中愈加乱作一团，宫人们自伤前程，纷纷哭了起来。李玉不耐烦道："哭什么哭，小主被贬为庶人，你们自然是不用留在延禧宫伺候了。都给我出去，至于以后的去路，内务府会给你们安排的。"

一时间宫人们都退了出去。海兰趁没有外人在，低声道："李公公，这件事还有没有办法转圜？"

李玉苦着脸道："小主，事情已经无法转圜了。皇上金口玉言，谁也不能劝。再加上阿箬……"他作势拍了下自己的脸，低声道："慎常在几乎是专房之宠，皇上时常要她陪着，旁人要进言也不能啊。"

海兰道："可是因为大阿哥激怒了皇上的缘故？"

李玉忙道："那倒不是。小主啊，趁着现在只有奴才在，明天又是奴才送小主入冷宫，一些金银细软，小主好好收拾起来，到了冷宫那种地方，也有要用钱的地方啊！"

他话音未落，却听殿门"吱呀"一声被推开，三宝和蕊心哭着进来跪下道："小主，奴婢和三宝商议过了，奴婢哪里也不去，和三宝跟着去冷宫伺候小主就是了。"

如懿落泪道："你们可疯了，跟我去那儿做什么？留在外头，还能找个好主子伺候。"

李玉道："可不是，二位可别糊涂了。"

蕊心哭道："奴婢自知命贱，留在外头也只是被人轻贱，情愿跟着小主。奴婢说过，要一生一世伺候小主的。"

三宝亦道："奴才也跟着去。"

李玉想了想道："小主虽然被废为庶人，但冷宫里也不能没有人照顾，带一个去也是可以的。别的不说，以前蕊心和阿箬不总是合不来么，留她在外头，只怕委屈更多。"

如懿擦了擦泪道："那好。冷宫再苦，蕊心跟着我总还好些。至于三宝……"她看了戚戚然的海兰一眼："你便跟在海贵人身边，从此伺候海贵人吧。"

海兰正欲说话，如懿挡住了道："我知道你要推辞，可你身边只有叶心和春熙，三宝在你身边，也多个照应。"她忍不住热泪涔涔："从此，我们想要相依为命、守望相助也不能得了……你……要好好护着自己。"

李玉道："奴才不能多留。那蕊心，你陪小主好好收拾，明日奴才送小主去吧。"他伸手请过永璜："大阿哥，按着旨意，奴才眼下得把您送去纯嫔娘娘那儿了。"

永璜满脸是泪，只扯着如懿的袖子依依不舍，如懿含泪放开他手，强忍着道："去吧，好好活着。记得，出了这里就不要再回头看，一定不要。以后也别再和任何人提起母亲，知道么？"

永璜哭着走了出去，果然没有再回头。如懿的泪潸然而下："真是听话的孩子。"

李玉伤感道："小主连大阿哥都这么疼爱，奴才实在不相信小主会去害别人的孩子。"

如懿用力按住眼角即将落下的泪："什么都不必说了。李玉，幸好你还在皇上身边，如果你还记得我曾经扶持过你，那么有朝一日，在保全自己的情况下，能帮上手的时候，一定要帮一把，别让我死在了冷宫里也不得瞑目。"

李玉跪下磕了头道："奴才永远都会记得，是谁替奴才上了药，是谁暗中拉拔奴才到了今时今日这个位置。"

如懿点头道："你知道就好。你坐到这个位子不容易，当年王钦是怎么掉下来的，如今你自己也要小心。"

李玉感激得热泪盈眶："奴才没有别的本事，但会尽一己之力，极力保全小主在冷宫的平安。"

如懿沉默片刻："那你再帮我一个忙，我想最后见一见皇上。"

李玉一怔，只得点了点头。

如懿再见到皇帝的时候已经是黄昏时分，养心殿还未掌灯，殿内是金红色的淡淡余晖，由着光影由浓转淡。皇帝的语气听不出一点悲喜之情，只是低头练着书法，并不看她一眼："事情已经定下了，还要来见朕做什么？"

如懿抬头看着皇帝："臣妾注定是要去冷宫了，只是最后还未能死心，一定要来问一问皇上。皇上，您是否相信世间有公允之道？"

皇帝看着她，仿佛看着一个寻常的陌生人一般，口气却郑重其事："朕相信。"

如懿望着皇帝，仿佛要从他脸上探出什么究竟一般。然而，她知道，她的路是他给的，她再不能看出什么来了。

心底的相信逐渐被动摇，生了碎刺般的疑惑。但她逼迫着自己，若是连自己都不信了，还能留下什么。

茫然的动摇与悲望之中，如懿伏身三拜，神色哀伤而平静："为着皇上这句话，臣妾甘愿受罚，长居冷宫。只求皇上福绥安康，岁岁长乐。"

如懿缓缓起身，拂去身上尘灰，澹然若出世之云，转身离去。

皇帝看着她，将写好的字幅揉成一团，随手丢在了地上，缓缓瘫坐在龙椅之上。

宫人们散去后，延禧宫已经冷落一片，封妃的册文、金印、吉服全部被带走，满地狼藉凄冷，让人不忍卒睹。海兰亦被留在后殿，不许再踏入延禧宫正殿半步。

惢心默默陪在如懿身边，将一些贴身衣物和值钱的首饰一同包好，想了想将钱财首饰藏在包袱的最深处，又取过一些糕点收好："到了冷宫只怕衣食不周，什么都得备下些。"

如懿看着她一点一点收拾，便道："拿那些点心做什么，备下了明天的，后天也要过那些苦日子。还是收拾些衣衫要紧。"

惢心答应了"是"，便去翻开箱箧，重新收拾衣裳。

正忙碌着，只听殿门被推开的悠长声，如懿不承想此刻还会有人来延禧宫，回过头去，却见是太后身边的成公公，他哑着嗓子道："太后传召，乌拉那拉氏，随我走一趟吧。"

惢心担心地看着如懿，不知祸福几何。如懿强自定了定心神，事情已经坏到这样的地步，还能如何？

她便道："我这样去，不会太点眼么？"

成公公努努嘴道："赶紧换上你宫女的衣服，跟我走吧。"

如懿想了想，便取过惢心的一身宫人装束换上，又梳成宫人们的发髻，仔细看看，走在夜色中应当不算明显了。

去太后宫中的路并不算太远，如懿隐隐想着，这大约是最后一次去慈宁宫了吧。此生此世，她大约都要留在冷宫之中，遥望紫禁城万千灯火金玉绚烂的夜晚。

正想着，成公公已经打起帘子让了她进去。大约是要避开旁人，殿中只有太后和福姑姑两人在。

太后穿着绛色缂金水仙团寿单氅衣，头上与耳上都一色的点翠东珠配翡翠首饰，那碧艳的宝蓝色在灯火的跳跃之下，流转着暗沉不定的光泽，好像太后这个人便是如此，让人觉得暗沉而不可捉摸。太后跪在佛龛前，诚心诵完佛经，又点燃了三支檀香敬上。那香上的三点暗红星火，如同她心里若隐若现的未知的惧怕。

太后扶着福姑姑的手起身，转过脸慢慢打量着她。如懿依足规矩福了一福，请安道："太后娘娘万福金安。"

太后淡淡道："到底是乌拉那拉氏的女儿，到了这种境地，居然没有一进来就哭着求哀家饶恕。"

如懿垂手立在一旁，宛如一个宫女应有的姿态："太后亲口下的懿旨，不容更改，求也无用。"

太后微微一笑："哀家在想，如果今日被贬为庶人关进冷宫的人是你姑母，她会怎样？"

如懿心头一搐，像是被人冷不防狠狠抽了一鞭："如懿无用，不能和姑母相提并论。"

太后手上的赤金翡翠点珠护甲恍如一把金色的利刃，轻轻一晃："你们姑侄俩也真是可怜，居然都落得幽禁终身的命运，你是不是要怪哀家心狠。"

如懿眼中一酸，将眼泪逼在眼底不容它落下："如懿要怪，只怪自己不谨慎，才会落入旁人圈套。"

太后和颐浅笑，抚了抚手腕上玛瑙连珠镯："只要是活在宫里的人，但凡不是个神仙，人人都会有不谨慎的时候，人人也都会有百口莫辩的时候。但要紧的是，人在低谷的时候懂得如何自保。不保别的，就只保自己一条命。"

如懿眉心一动，若有所思："可是冷宫，形同死地，生不如死。"

"是么？"太后不置可否地笑笑，从桌上一盘未动过的糕点里取了一块，小心用绢子拈在手里，抬眼问道，"福珈，哀家要你抱来的猫呢？"

福珈抱了一只寻常的灰猫上前，太后随手将糕点丢在地上道："给它吃了。"

福珈将糕点喂到灰猫口中，如懿满腹狐疑地看着，直到吃下糕点的灰猫在挣扎之后流血而亡，她的惊惧再也掩藏不住，跪下道："太后……"

太后扬一扬脸，示意福珈把死去的灰猫拿布裹住扔出去，方才缓缓道："这是今日一早御膳房要送给你的糕点，你一旦吃下，就成了畏罪自尽，再也无力回天了。要不是福珈看着可疑替你拦下了送到哀家跟前来，你只怕连自己是怎么死的都不知道。这件事也提醒了哀家，与其让你等在延禧宫中让什么人都能伸手掐死你，还不如把你丢去冷宫，绝了所有人的心思，你也能保住这条命了。"

幽居

如懿将信将疑："如懿的姑母生前冒犯太后，太后为何要保全如懿一条性命？"

"若是只执著于从前的爱恨纠缠，哀家这个太后目光也太短浅了些。"太后取过佛珠缓缓捻着，含了一缕淡薄的笑意，"你自然恨哀家，是哀家要囚禁了你，但终身不得出。不止你，所有人都以为哀家恨极了你姑母，所以迁怒于你。可是你若未被禁足冷宫，还禁得起她们几次折腾？若在冷宫，或许还有一线生机。"

如懿低头默默片刻："太后说得是。太后纵然是顾虑臣妾，爱惜臣妾性命。可冷宫之中艰辛困苦，暗算之事亦层出不穷。臣妾只能祈求太后庇佑，容许臣妾活到沉冤得雪的那一天。"

太后的笑意仿佛海底的流光一烁："哀家倒也想，只是六宫之中都是眼睛，哀家何以要偏心你一点。所以哀家只管到你现在为止，等进了冷宫，有没有这个本事躲得过明枪暗箭，学会苟延残喘，就要看你自己的了。"

如懿心中悚然一惊，便道："是。"

"你要是连这点保着自己福大命大的本事都没有，后宫里埋下的女人成百上千，都为紫禁城的红墙积了血色，也不多你一个。"太后捻着一串紫檀翡翠佛珠，悠悠道，"但是在冷宫里，总比在外头风刀霜剑好过多了。其中的道理，你自己好好掂量掂量。"

如懿思忖片刻，蓦然伏拜："太后的意思，如懿明白了。只有人人都当如懿是不中用的人了，如懿才能真正平安。"

太后颔首一笑："无为而治，无欲则刚，你明白了么？你越露出你在乎什么，想要什么，就是把自己最大的弱点暴露人前。所以，无欲无求，别人才会以为你无害。"

如懿心悦诚服，亦有些赧然："太后所言乃至理名言，可是要到如此境界，如懿实在……"

太后闭目一瞬，很快笑道："所有的修为，都是历练出来的。你今后有的是时日，慢慢琢磨着吧。"

如懿心中稍稍安定，告辞离去。十二扇楠木雕花嵌寿字镜心屏风后绯色罗裙一闪，漾起明艳如云霞的波縠，却是玫贵人盈盈转出，半跪在太后榻前替她捶着腿道："太后如此护着乌拉那拉氏庶人，还悉心调教，可真是心疼她。"

太后用护甲挑起珐琅罐里的一点薄荷膏轻轻一嗅，方把罐子交到玫贵人手里，笑道："不是哀家心疼她，是别人越看重她，用尽了心思对付她，便越是叫哀家知道，她是有分量和那些人分庭抗礼的。后宫之中最要紧的便是平衡之道，如果有谁太盛势了，得尽恩宠与权位，哀家这个太后便没有置喙之地了。"

玫贵人取过薄荷膏一点一点替太后揉着太阳穴："那太后就应该留下乌拉那拉氏庶人，好跟那些人平分春色啊。"

太后抬眼看她一眼："怎么？你不觉得是乌拉那拉氏害了你的孩子？"

玫贵人垂下眼睑，将悲伤不露痕迹地藏于眼底，道："人赃并获，天衣无缝，的确是无可指摘。但，越是这样，反而让人起疑。"

太后微微颔首，叹口气道："总算有些长进。那你以为是谁？"

玫贵人道："是谁都不要紧。天网恢恢，疏而不漏，臣妾不必用心去查，若有机会，乌拉那拉氏一定会比臣妾更着紧。臣妾只要一心固宠就是了。"

太后道："吃一堑长一智，你也算知道些了。后宫之中急于平分春色是没有用的，保得住性命学得会立足才最要紧。"

玫贵人凛然道："是，臣妾明白了。"

太后轻轻"嗯"一声："如今慎常在新宠上位，撒娇撒痴。嘉嫔有孕在身，有恃无恐。眼见她留在养心殿的臻祥馆养胎，有皇帝在身边，这一胎必然是无碍了。丢了你和怡嫔的两个孩子，无论嘉嫔这一胎是男是女，她母凭子贵都是毋庸置疑的了。那么你呢？哀家那么辛苦把你从南苑捞出来，又想尽办法保全你。来日如何，全在你自己了。"

玫贵人即刻紧张起来："是。臣妾一定不会辜负太后期望。"

如懿离开延禧宫那一日，春光如一幅巨大而明艳的绸缎，铺开漫天漫地的晴丝万缕，袅娜如线，看得韶光亦轻贱了岁月。

那漾艳的春光，仿佛一卷上好的精工细描的锦绘，铺陈开花鸟浮艳，刺绣描金的华光，让人几乎睁不开眼睛。

来相送的，唯有海兰和纯嫔，海兰无声地落着泪，被李玉拦着不许上前半步。连纯嫔，亦站得远远的，只能含泪微微点头，以示话别。如懿只以素银扁方挽起长发，穿着无绣无花的薄薄春衫，唯有上面细细的暗纹流转，昭示着她依旧不能离开宫廷寸步。

经过景仁宫的时候，如懿仰起头，看着浮光万丈，金灿炫目。原来辗转浮沉，她的命数，和她的姑母并没有不同。

殊途同归，是不是后宫女人唯一的路？

所谓"冷宫"，便是在翠云馆后一所空置的院落。因为历代失宠犯错的嫔妃都被发落安置在此处终身不得出入，便被宫中人视若冷宫，十分避讳。

幸而历代以来，在寿康、慈宁两宫养老的妃嫔居多，幽闭冷宫终身的女人并不算太多。纵然已经想象过多次，然而走到冷宫前，如懿还是微微意外。她入宫多时，从未走到过这样荒僻而冷清的地方，仿佛从前无人提起，她也从不知道宫里竟有这样的地方。那是一处废旧宫殿模样的房子，不算很大，零零落落十来间屋子错杂其间，像是久无人居住了，宫瓦上蔓生的野草纷杂，连大门上也积了厚厚的尘灰，满目疮痍。她伸手一触，门上的铜钉便扑扑落下一层锈灰来，差点迷了人的眼睛。里头雕栏画栋的描金绘彩尽数脱落，积着厚厚的灰尘和凌乱密集的蛛网。

才一进去，就觉得明亮的天光都被隔绝在了外头。即便是这样晴朗的天气，里头也是阴阴欲雨的昏暗，住得久了，好像身上都会长出暗青色的绿霉来。

李玉领着如懿和惢心走到一间略为整齐的空屋子里，尚未靠近，已有尘灰呛人的气息扑鼻而来，李玉为难道："小主，奴才已经尽力了。"

如懿了然，感激道："能找出一个让我和惢心住的屋子已经不容易了。若要再做什么，就太点眼了。好了，你不必在此久留，免得惹人注目。"

李玉点点头，看了看旁边的屋子道："小主住在这里，千万小心旁边那些人，年纪大了，都成了精怪了。"

惢心看着里外都阴森森的，有些害怕地贴在如懿身边。

外头远远传来礼乐欢喜悠扬的声音，如懿侧耳道："是什么事？"

李玉犹豫片刻，还是道："今日是嘉嫔、玫嫔和慎常在行册封礼的日子。听说为着晋封，内务府还要挑出许多宫人来伺候呢。"

如懿将心底的空落按了又按，能如何呢？再热闹，再繁丽，那毕竟是与她无关的人世了。李玉转身离去，如懿看着他的离开将仅存的光明一同带走，只留下无尽的尘灰飞扬和暗沉光影，与她闭锁此间，一生一世。

第十二章

空谷（上）

　　幽闭的宫苑中，好像日日都下着雨。虽然知道有人一同住着，但总是无声无息，好像待得久了，人也成了鬼魂，没有动静。

　　如懿和惢心绞了帕子忙碌着打扫，虽然自小养尊处优，不事辛劳，但强逼着自己做起来，也能慢慢做得好。她和惢心忙进忙出，分明是觉得有眼睛在窥探着她们的，但猛然回头去，却又不见人影。

　　惢心有些害怕："小主，住在这里的，到底是人还是鬼？"

　　如懿强自镇定下来，沉声道："当然是人，这世上哪有鬼？"

　　惢心有些不安地翻着包袱："早知道就该多备些蜡烛了，这里不分白天黑夜都黑漆漆的，让人看了害怕。"

　　到了夜间，两人总算收拾干净了住下。因着每日给的蜡烛只有两根，两个人都当宝贝似的积攒着，加之劳累，天一黑便睡下了。才躺下没多久，只觉得身上的被衾盖着一阵比一阵凉，仿佛是起风了。风自由地穿行在回廊梁柱之间，哗哗地吹起破旧不堪的窗纸，有窗棂吱嘎地摇晃，划出一阵阵几欲刮破耳膜的刺声，啪一下，又一下，仿佛突如其来地敲着人原本就瑟瑟不安的心。

有闪电的光线骤然亮起，残破的纸窗外，分明有人影倏忽晃过。惢心吓得连声尖叫起来："有鬼——有鬼——"

如懿来不及披衣，点上蜡烛霍然打开门，直冲到外头。脆弱的火光在疾旋的风中微弱地挣扎了几下便灭了。四周黑漆漆的，只有几个破旧的宫灯晃着微弱的火光，和偶尔划过天际的闪电，照亮这破败的庭院。

如懿索性将手中的烛台一扔，金属滚地有刺耳的鸣响。如懿大声道："不管你们是人是鬼，我既然来了这儿走不了，便是做人也好做鬼也好，也要和你们待在一起。有本事就自己走出来给我瞧瞧，装神弄鬼，难道被遗弃的女人只会做这样的事情么？"

惢心随后冲了出来，披了一件外裳在她身上："小主，小主，起风了，要下雨了，你小心着凉！"

如懿扯下衣裳甩到她手中，厉声道："有本事就出来，有什么可吓人的！我若是即刻死在了这里，也比你们这些装神弄鬼只会暗中窥伺的人强！想来吓唬我，便是做了厉鬼，你们见了我也只会躲躲闪闪，避之不及！"

闪电划过处，几张苍老而残破的面容隐约浮现。如懿心生一计，转身去房中取过包袱中的糕点，向面容浮现中一一抛掷而去。很快，有几个年长的妇人从廊柱后转出，纷纷抢过糕点，呵呵笑着，心满意足而去。

如懿稍稍心安，惢心急道："小主……"

如懿道："就算是鬼魂，贪于饮食，有什么好害怕？"

一声凄厉的冷笑自梁柱后缓缓转出，如懿借着昏黄的宫灯看去，却是一个年迈妇人缓步过来。她的衣着打扮比其余人稍显洁净舒展，只是头发花白，满脸皱纹，老态龙钟，看上去已有六七十岁。

如懿看她沉着走进，并不似旁人贪恋糕点，心知此人一定不寻常，便先拜下道："晚辈乌拉那拉氏如懿，给前辈请安？"

"前辈？"那老妇人摸一摸自己的脸，森然道，"我很老么？"

如懿见她阴恻恻的，也不免添了一分畏惧，只得坦然道："既然熬在了这里，即便青春貌美又有什么用？反而年老长寿，才能熬得下去。"

"年老长寿？"那妇人连连冷笑，"熬在这种不见天日的地方，活着还不如死了。"

如懿心中闪过一丝刚硬之气："话虽这样说，但前辈没有寻死，便知蝼蚁尚且贪生。"

那老妇人虽然年迈，眼中却闪过一丝精光："是啊，来了冷宫的人没几个熬得住的，你方才看到的那几个便已经疯疯癫癫了，你看不见的那些，都是熬不住自己上吊死了的。冷宫的亡魂不少，你倒不怕？"

如懿黯然道："迟早也要成为其中一缕亡魂，这样想想，还有什么可怕。"

那妇人不置可否地一笑："这冷宫，总算来了个异数。"她说罢，缥缈离去。

如懿后退一步，才觉得背心的睡衣已经都被冷汗湿透。如懿长舒了一口气，拍拍惢心的手道："算是见过了，可以安心睡了。"

惢心畏惧地和如懿贴在一起，如懿笑道："你便和我一起睡吧。"

一夜风雨大作，起来也是个阴沉天气。惢心跟在如懿身后亦步亦趋，小心翼翼地问："小主真要去看么？"

如懿换了一身更简朴的衣袍，故意打扮得灰扑扑的："昨夜她们已经按捺不住来看了我，难道我不去看她们么？"

其实她住的地方与其他人还隔了一座院落，重重曲廊转过去，却听得前面窸窣有声，似有好些人围在那里看着什么。她疾步过去一看，吓得不由得退了一步，原来一座空空的殿阁里，一个女人高高地把自己挂在梁上，只有一双脚摇摇晃晃地，每一动，都散下一点尘灰来。

惢心吓得尖叫一声，指着道："小主，小主，有人吊死了。"

那些围观的妇人们只是冷漠地望了她们俩一眼，又望了望吊死的女人，毫无惊异地散开了。有人不无羡慕地笑起来："真好，她去见先帝了。先帝见着了她，一定还会宠幸她的。真是有福了。"

昨夜稍稍整齐的老妇人跟在人群后出来，淡漠地望了惢心一眼："不必大惊小怪，熬不住自杀的人天天有，你以后住久了就知道了。"

惢心吓得脸色发白，颤抖着说不出话来。那老妇人淡淡道："你呢？什么时候你也熬不住也把自己挂上去呢？"

如懿觉得自己的身体有点不受控制地发抖，她指着梁上的女人道："那她怎么办？"

老妇人怪异地笑了笑："等下会有侍卫来把她拖出去，拖到焚化场烧了，埋了。真好，死了，化了，终于离开了这个鬼地方。"

惢心吃惊道："这里也有侍卫？"

老妇人鄙夷地看她一眼："当然。要不然你不是随时随地都可以从这里推门走出去？"惢心惊慌失措地去拍门，惊呼道："有人么？有人么？里头有人上吊死了！"

良久，有个头儿模样的侍卫懒洋洋地探头进来看了一眼，挥了挥手道："凌云彻，赵九宵，你们俩去收拾一下。"

分明是个人，倒是像被当做物件，连死后的尊严亦没有，只是被"收拾"一下。如懿见两个大男人伸手就要抱那妇人的尸体下来，忙急道："你们是两个男人，怎么可以伸手接触前朝嫔妃的尸身这样冒犯不敬？"

凌云彻这才看见如懿，他微微眯起眼睛，似是被她容貌微微惊住，屏息的片刻他旋即收手，在一旁不再触碰。

赵九宵懒懒笑了笑道："不碰，好哇！那咱们兄弟俩就不干了，劳您自己动手吧。"

如懿被他一激，想到自己来日的下场，亦不觉兔死狐悲，一把拔出他腰间的长刀扔到惢心手里："惢心，你站到凳子上去砍断绳索，我在下面抱着她。"

惢心有点颤颤的，但见如懿选择抱着尸体，她亦无法可想，只得站到凳子上砍断了挂在梁上的绳索，尸体掉下的冲力极大，如懿一个抱不住，跟跄着连人带尸全摔倒在了地上。她离着那尸身那么近，几乎可以触到尸体上冰凉的死亡气息和那干冷的完全失去了生气的肌肤。

她丢开手，忍不住俯身干呕了几声。

赵九宵像是看着一个有趣的热闹："既然吓成这样，逞什么强？你既然不许我们兄弟碰，这尸体，我们不抬了！"

如懿仰起脸冷冷看着他道："要是进了冷宫，我还能出去半步，这具尸身自然不用你们来搬了。何况我只是要你们不许用手直接碰触，并非不让你们抬出去。"

凌云彻奇怪地瞥她一眼："那你说怎么办？"

如懿转过身，想要在周遭寻到一块裹尸的大布，却左右不见踪影，那老妇人本冷眼旁观，见她如此，转身去隔壁拎了一块硕大的白布来："这块原是我留着给自己的，如今先给她用吧。只是来日我走之前，你们必得拿自己的衣衫拼缝一块裹尸布送我走。"

　　如懿感激道："是。"她和蕊心用布裹好尸身，留出两头可以抬的地方，道："有劳两位了。"

　　赵九霄见她如此麻烦，本来就心生不忿，懒洋洋地看着天不肯动手。凌云彻看不过去，伸手推了他一把，道："动手吧，完了还有别的事。"

　　赵九霄会意，笑嘻嘻道："只有你还有别的事，我却没有了。"

　　凌云彻也不理会，伸手抬起尸身的一头，赵九霄便也搭了把手，一起出去了。

　　如懿这才松了口气，赶紧回到房中拼命洗脸洗手，又换了一身干净衣裳，那种恶心的感觉才没有那么强烈了。那老妇人大剌剌走进她房中，仿佛入了无人之地，自己找了盏干净的茶盏倒了点白水喝了："既然那么怕，就别去碰。"

　　如懿洗干净手："总有一天，我也会那样，是不是？"

　　那老妇人并不理会，只道："没想过活着出去？"

　　如懿犹疑片刻："前辈在这儿待了多少年？"

　　那老妇人横她一眼："前辈？我没有名字么？"

　　如懿见她性情古怪，忙恭恭敬敬道："还请您老人家赐教。"

　　那老妇人掸了掸衣衫："我是先帝的吉嫔。"她自嘲地一哂："可是我一辈子都没吉利过，还留着名位呢，就被关进了这里。"

　　如懿忙起身道："晚辈乌拉那拉氏如懿，见过吉太嫔。"

　　"太嫔？"她黯然一笑，"是啊。先帝过世，我可不是成了太嫔？可惜啊，人家是寿康宫里颐养天年的太嫔，尊贵如天上的凤凰；我是关在这儿苦度年月的太嫔，贱如虫豸。"她忽然警醒，"你说你是乌拉那拉氏？那先帝的皇后乌拉那拉氏是你什么人？"

　　如懿道："两位乌拉那拉氏皇后，都是我的姑母。"

　　"两位？"吉太嫔冷笑道，"一位就够厉害了。不过，再厉害也厉害不过当今太后啊，否则怎么会连你也落到冷宫里来了。不过我到这冷宫八九年了，从未听说有人走出去过，我倒很想看看，乌拉那拉氏家的女儿，能不能走得出去。"

如懿吃惊道："您才到冷宫八九年，那您今年……"

吉太嫔抚摸着自己的脸，哀伤道："你以为我七老八十了？我被太后那老妖婆害得进这个鬼地方的那一年是二十六岁，如今也才三十五岁而已。"如懿惊得喉咙里发不出一点声音，只能以不可置信的目光瞪着她。吉太嫔恢复了方才的那种冷漠："这里的日子，一天是当一年过的，熬不熬得住，就看你自己的了。"

如懿眼看着她出去，满心惊惶也终于化作了不安与忧愁："惢心，对不住。让你和我一起来了这样的地方。"

惢心有些畏惧，却还镇定："小主在哪里，奴婢也在哪里。"

如懿再也忍不住满心的伤痛，那种痛绵绵的伤痛，原本只是像虫蚁在慢慢地啃噬，初入冷宫时的种种惊惧之下，她原不觉得有多痛多难熬。可是仿佛是一个被麻木久了的人，此刻她骤然低头，才发觉自己的身体发肤已被这微小的吞噬蛀去了大半，那种震惊与惨痛，让她不忍去看，亦不忍去想。原来，她真的已经失去了那么多，地位、家族、荣耀以及她一直倚仗的他的信赖。都没有了。

可是，她却再没有办法。人在任何境地都有自己眼前的企求，譬如嘉嫔企求生下皇子；慧贵妃企求恩宠一如从前；而阿箬，企求圣眷不衰。她所企求的，只能是学着先活下来，仅仅是活下来。

而门外的凌云彻呢，在把冷宫嫔妃的尸体送去焚化场焚化后，他所愿的，是什么呢？他那样微红的英气的脸庞，疏朗的剑眉亦飞扬起来，站在冷宫和翠云馆偏僻的甬道上，仰首期盼着明媚的少女匆匆向自己奔来，那真是无趣而没有出头之日的冷宫侍卫最美好最乐意所见的场景。

那少女像一只轻盈的蝴蝶扑扇着冷宫前狭长而冷清的石板，虽然只是穿着宫女最寻常不过的青色衣装，她玉蕊琼英一般的娇美面容，依然如一抹最亮的艳色，无可阻挡地撞入了他眼帘。

云彻见她跑近，忙关切道："嬿婉，跑慢一些，等下跑得累了还要再去当差，更累着自己了。"

嬿婉扶着弱不胜衣的细腰，微微喘着气道："我就是要跑得快一些，才能多见你一会儿。"她的脸不知因为跑得太急还是羞怯，泛出珊瑚一样的娇润之色，"云彻哥哥，你是不是等了很久？"

云彻忙道：“没有。我只是稍微早一点来，这样就能看着你来。我和九宵说好了，他会替我一会儿。”

嬛婉稍稍放心，笑靥如花道：“那就好，我也和四执库[1]的芬姑姑告了假，说肚子不舒服就出来了。”她看了看周遭，叹口气道：“平日里只有你和赵九宵看着，一定很辛苦吧？每天能做的事情就是守在门口看看天，或者进去替她们搬运尸体。云彻哥哥，为什么我们都那么命苦，没有出头之日？”

云彻道：“你还是想离开四执库？”

嬛婉黯然道：“虽然伺候的是皇上的衣物，但每天只和衣裳打交道，哪一天能够有个好前程。云彻哥哥，我才十四岁，我不想一辈子都在四执库受人呼喝。若是到个好一点的宫里伺候得宠的小主，我也能拉你离开这儿。那么我们……”

云彻摇头道：“何必呢？得宠的小主宫里是非自然多。你不知道昨日进冷宫的那位，还是皇上的娴妃娘娘呢，还不是要在冷宫凄冷终身？何况是小小宫女，一个不小心被主子打死了也是活该，还不如四执库清清静静地安生。”

嬛婉撅起嘴，生了几分委屈之意：“是清静，是安生，可要是过了二十五岁还留在那里，我就要被送出宫了。我虽然是正黄旗包衣[2]出身，但若不是几年前我阿玛犯了事丢了官职，家里门楣虽然低些，也好歹是个格格。可如今我不过是包衣奴才家送进宫的宫女。如果我没有个好去处，没有个好主子替我指婚，那我和你……我和你……”她害羞得说不下去，只看着他的眼睛问：“云彻哥哥，你的心意没有变过吧？”

云彻恳切道：“当然没有。虽然我比你早入宫三年，又年长你六岁，但能遇到家乡故知已经很不容易，我和你又……情投意合，我的心意绝不会改变。”

嬛婉高兴起来，甜美的笑意再度绽放在唇角：“那就好。昨日是嘉嫔、玫嫔和慎常在行册封礼的日子，过几天内务府马上要挑选宫女去伺候她们，如果我能

---

[1] 四执库：四执库位于紫禁城东六宫和玄穹宝殿之后的乾东五所，专门存放皇帝的各类服饰等物。皇帝的冠袍带履，由隶属内务府的四执库管理。

[2] 包衣：中国历史上满族社会的最下等阶级。包衣为满族语，即包衣阿哈的简称，又作阿哈。包衣即“家的”，阿哈即“奴隶”。为满族上层统治阶级贵族所占有，被迫从事各种家务劳动及繁重的生产劳动，没有人身自由。来源主要是战争俘虏、罪犯、负债破产者以及包衣自己所生的子女等。到清朝在全国范围内建立统治后，包衣有因战功等而置身于显贵的，但对其主子仍然保留其奴才身份。

去伺候嘉嫔娘娘或是慎常在就好了，如今宫中最得宠的就是她们呢。"她按了按袖口："我已经存了一小笔银子了，到时候只要买通芬姑姑，她愿意荐我去就好了。"她为难地看一眼云彻："只是我怕银子还不够……"

云彻为难地皱了皱眉，还是道："你别急，我还有点俸例，再不行的话，我会想想别的办法。"

嬿婉高兴地点点头，眼中闪过一丝倔强的坚韧："云彻哥哥，宫中我没有别的人，只能依靠你了。"她伸出双手，露出手指上森森的新旧伤痕，凄苦道："云彻哥哥，我每天都不断地熨衣裳熏衣裳，已经两年了。管事的姑姑们只要一个不高兴，就可以拿滚烫的铁熨子朝我扔过来，拿炭灰泼我。我真的不想一辈子都做一个四执库的宫女，也不想你一辈子都困在冷宫当差。我知道的，你一直想做一个堂堂正正的神武门侍卫，甚至在皇上的御前当差。你放心，只要我们抓住机会，一定不会屈居人下的。"

云彻点点头，小心翼翼地替她呵着手道："比起我在冷宫这里空有抱负，浪费年华，我更心疼你被人欺凌。你放心，我一定会想办法的。"

嬿婉被他小心地捧着手，心中温暖如绵，好像一万丈的阳光一起倾落，也比不上此刻的温暖和煦。她摸着左手手指上一个色泽黯淡的红宝石戒指，那是红宝石粉研了末做成的，原不值什么钱，却是凌云彻送给她的一片心意。他们原是这紫禁城中贫寒的一对，能有这份心意，已经足够温暖。她柔声道："有时候再苦再累，看着你送我的这个戒指，就觉得心里舒畅多了。"

云彻的脸微微发红，静了片刻道："嬿婉，我知道自己没什么银子，只能送你宝石粉的戒指。但我有最好的，一定都会给你，你相信我。"

嬿婉满脸红晕，低下头吻了吻云彻的手指，害羞地回头跑走了。

云彻在嬿婉离开后许久，目光再度触及冷宫深闭而斑驳的大门。他逐渐明白，自己愿意帮助冷宫中那个奇怪而倔强的女人，多半是因为她的脸和美好如菡萏的嬿婉，实在是有三分相似。这样想着，他的一颗心愈发柔软，仿佛被春水浸润透了，暖洋洋地晒着春日艳阳底下。再没有比这更快乐的事了。

第十三章
空谷（下）

云彻回到冷宫门口，往进门的门槛上一靠，有点犯难。方才他回自己住的侍卫庑房里，趁侍卫头领李金柱在睡午觉，翻了翻衣箱底下的俸例荷包，里面不过才七八两碎银子。这点银子，实在是帮不上嬿婉什么忙的。他放好了荷包正要起身，只见李金柱打了个哈欠慢腾腾爬起来道："小凌，照规矩，该交钱了。"

冷宫的侍卫不过四个人并一个头领，他和赵九宵算是一班，另两个汉军旗出身的张宝铁和包圆算一班，虽然如此，也是要轮值的。张宝铁和包圆交给李金柱的例钱多一些，平时又肯花点钱请他喝酒吃菜，往往便休息得多，不用干什么差事。凌云彻和赵九宵出身包衣奴才，家里贫苦，还要送些钱回去，日子紧巴巴的，孝敬得少了，少不得什么苦活累活都得他们干了。譬如上次去抬尸首，张宝铁和包圆是永远不必干这等又累又脏的活儿的。

云彻想着还要用钱，少不得咬了咬牙，赔笑道："李头领，我……我家里……"

"老规矩，交不出钱就干活儿。接下来守夜都是你的差事。"李金柱爽快地摆摆手，笑道，"知道你和别人不一样，有个相好儿在宫里想着以后要成家。

行，存着点就存着点吧。就你和九宵那小子苦哈哈的。"

云彻感激万分地点点头，出去当差了。

九宵推一推他："发什么呆？"

云彻怔怔的："我在想，有没有什么办法弄到一点钱？"

九宵愣了愣，哈哈笑起来："想钱想疯了吧？冷宫的侍卫是所有侍卫里最穷的，哪里能去弄钱。"

云彻呆呆地望着碧蓝的天空，说不出话来。

九宵摇了摇头道："别想了。明晚包圆招呼了我们陪李头儿喝酒，他出钱，我们哥儿几个作陪，怎么样？"

如懿在夜半时分醒来，隐隐听到角门外幽怨而悲切的哭声，她在最初的畏惧之后分辨片刻，立刻就听出了是海兰的声音。冷宫的侧边有个角门，离她的屋子最近，她悄悄起身靠近，透过门缝望出去，果然见到一身幽蓝暗花素锦袍的海兰。

如懿情急地叩了叩门，低声道："海兰，海兰。"

海兰从呜咽中探起头来，喜出望外道："姐姐，姐姐是你么？"

如懿急道："都夜深了，你们怎么来这里？"

海兰稍稍犹豫："姐姐，我担心你。所以来看看你。"

如懿借着角门边宫灯微弱的光线，敏锐地发现她脸颊边深红色的红肿，分明是五个指印的模样。她立时紧张起来："海兰，是不是有人欺负你？"

叶心在近旁放风，低声催促道："小主，好容易偷溜过来一次，有什么话赶紧说吧？别被人发现了。"

海兰忙止了泪道："我听人说冷宫苦寒，所以特意包了几件衣裳来给姐姐。"她望着高高的墙头，用旁边的竿子将包袱一挑，扔了进来："姐姐若缺什么，我会常常送来。"

夜风透过薄薄的衣衫是刺骨的凉。如懿的口吻并不温和："你以后不许再来这里犯险。还有，告诉我，你的脸怎么回事？"

海兰还未开口，叶心已经忍不住道："今早我们小主从延禧宫往长春宫去请安，谁知道在西长街上碰到了慎常在，也不知道她发什么疯，看见我们小主低着头就说小主一脸晦气犯她的冲，二话不说伸手就打。"

如懿道：“没有告诉皇后娘娘么？”

叶心气道：“正好遇上皇上，告诉皇上了。谁知道皇上只问慎常在手疼不疼，要不要请太医来上药，根本不过问我们小主，真真是气死奴婢了。也不知道慎常在是怎么了，夜夜侍寝这么承宠，火气还这样大！”

如懿隐隐觉得不对：“如叶心所说，她昨夜刚侍寝，那么那个时间刚离开养心殿，应该很高兴才对。怎么会一早见你就这么大火气？”

海兰落泪道：“我本就是个人人可欺负的。她恃宠而骄，也是寻常。”

如懿想想也是：“从前你心里有了委屈，总喜欢这样来对我说一说。”她心下酸楚：“可是海兰，眼下我不能再宽慰你护着你了，你要自己想办法保护好你自己，不要再受委屈。而且冷宫这样的地方，若是被人发现你偷偷前来，连你也会被连累的。”

她话音未落，忽然听到有人喝道：“是谁在那里？”

陡然间一个声音响起，叶心慌得忙护住海兰，却发现那人正从前面过来，根本无路可退。如懿紧张得一颗心被高高揪起，她反正已经是落在这里的人了，还有什么可怕，倒是海兰，要是被自己连累也来了这里，可怎生是好？

如懿隔着角门的门缝望去，却见正是白天来搬尸身的侍卫之一，便情急道：“侍卫大哥，你千万别声张。她们……她们只是来看我的。”

凌云彻提着灯笼打开门锁一看，却见是如懿缩在门边，他狐疑道：“你都被贬进冷宫了，怎么还有人来看你？”

如懿乍然见门打开，海兰站在门外，激动得几乎落下泪来，她指了指地上的包袱道：“这是延禧宫的海贵人，我和她曾经住在一起。她是怕我在冷宫受凉，所以特意来看看。她……她不是有心闯到这里来的。”如懿见他衣着寒素，灵机一动，拔下头上的一支银簪交到凌云彻手里：“求求你，千万别声张。千万别！”

凌云彻见如懿一副哀求的凄惶神色，仿佛是在溪边饮水时突然被猛兽惊起的鹿，惶惶不安，而这种不安却并非为了自己，更多的是为了眼前另一个人。他不觉为自己的这个比喻觉得好笑，原来自己竟然是那只猛兽。想到此节，他便有些心软，更兼看到那支银簪，心底更是一动，便硬声道：“给我这支银簪做什么，一拿出去人家还以为我是偷的，还不如银子方便呢。”

如懿心中一动，已然明白眼前这个人不过是贪财罢了。她眉心一松，唇角便有了一点笑意："那你稍等。"她安慰地拍拍海兰的手，从袖口取出一锭银子交到他手中："这里是十两，如果你愿意绝口不提今日之事并且护送海贵人出了这里的甬道，我便再给你十两。"

凌云彻眼中微微发光，顿时心念如电："如果海贵人以后还要给小主你传递什么东西，实在不必这么冒险了，只要交给我转交就是了。至于我这么帮忙……"

他才要说下去，只听那头庑房里有人探出头来唤道："小凌，你撒泡尿怎么那么久，等着你喝酒呢。"

他忙回头道："好了好了，就来！"

如懿略略含了几分轻蔑："你很爱财？"

凌云彻不以为辱："有贪念的人才肯好好做事。"

如懿松口气："那你略等，看护好海贵人。"她转身回房中取出五十两银子交到凌云彻手中："这点银两，够你好好办事了吧？"凌云彻大喜过望，一双眼灼灼发亮，伸手就要去拿，如懿一缩手道："但你总要告诉我，你叫什么，我才好托付你办事。"

凌云彻倒也坦然："我是冷宫的侍卫，凌云彻。"

如懿淡淡一笑："这个名字倒有几分气势。"凌云彻接过银子握在手心，那种冰凉的坚硬给人踏实的感觉，他只觉得心头大石瞬间被移开了大半，连连答应了"是"，又道："海贵人往后哪怕要过来，提前派个人跟我招呼一声就是了。只是别常来，也别白天来，太点眼了。"他向四周张望道："赶紧走吧，等下有人出来就不好了。"

如懿看着海兰依依不舍的样子，越加觉得凄然，心疼道："好好照顾自己。"

海兰贴在她身边轻声道："姐姐，日后我不能常来，每隔十天若天气好的话，我会在御花园里放起一只蝴蝶风筝，只要你看见，就算我们彼此平安了。"

如懿点头道："快去快去，无事不要再来。"

海兰被叶心牵着，一步三回头地走了。如懿听着微微松了一口气，将海兰送来的衣裳包袱紧紧抱在胸前，倚靠在墙壁上，无力地坐了下来。风声依旧呼呼的，如泣如诉，仿佛是谁在幽幽地呜咽着。这或许，就是她要习惯的人生了。

冷宫里的日子，过得缓慢而悠长。有时候几乎连她自己都忘记了，她还活在这个地方，一天天过着重复的日子。阴雨的日子里，所有的人像虫豸一样蜷缩在自己的世界里，苟延残喘。天气晴好的日子里，她会看到一个个像幽灵一样冒出来的前朝女人们，干瘪的，枯燥的，疯癫的，安静的，活在自己的世界里的女人。一开始她也会害怕，害怕有人会冲上来抱住她把她当做是接她们出冷宫的先帝，或者在太阳底下袒胸露乳晒着身上虱子的女人。但她渐渐习惯，好像周围的人把冷漠和无动于衷都传染给了她，让她习惯了忍耐、默然、冷眼旁观。就好像她一样习惯着有时候会馊腐的饭菜和经常潮湿晒不干的衣裳和被铺，照样大口大口地吞咽，照样合目而眠。

不为别的，只是她还想活着，活下去。

只是这里实在是太阴冷了，阴冷得几乎能掐出水来，即便她觉得自己渐渐活得像长在墙角的一株霉绿色的青苔，她还是在半年后觉得有些异常，有一种疼痛开始缠绕上她的身体，那就是风湿。虽然海兰常常托凌云彻送来一些治疗风湿的膏药，但在整日的阴冷潮湿之下，这些御药房上好的膏药，也成了杯水车薪。

她无声地忍住疼痛，和惢心缝制着越来越多的护膝和护臂，不仅给自己，也给吉太嫔。这里的每一个女人，都得着这样的病。偶尔，她会抬头望向天空，期待着十天一次的蝴蝶风筝高高飞起。那是海兰在提醒着她，时间的流逝和彼此的平安。当然，偶然凌云彻还是会替她们传递些必需的衣物和所用，因为如懿赏赐给他的银两，足以让嬿婉实现愿望。虽然钱不如预期那么多，不能让她去最得宠的嫔妃宫里，但嬿婉至少离开了四执库，不用再终日和衣裳打交道，受着姑姑的责骂，而是换去了阿哥所伺候皇后的三公主。这虽然算不得最理想的去处，但比起四执库，已经算是一个很好的去处了。

等到秋风渐起的时候，冷宫的日子便越来越难熬了。到了那一日该放风筝的时候，是个阴天，风筝才刚飞起，便又落下了。

如懿心中隐隐不安起来，正盘算着让凌云彻去看一看，才发觉这一日值守的却是另两个侍卫。她心中实在担忧，但又无法，只得忍耐着坐在廊下打着各种各样的络子，寻思着什么时候让凌云彻送出去换点钱来。

而此刻的海兰，心中也如暴风疾雨来临一般，心慌得不行，她的风筝才刚飞起，就被经过御花园的皇后和慎常在、慧贵妃看见。

这些日子以来，皇后的脸色一直不好看。她所亲生的二皇子永琏一直断断续续地病着，春日的时候抱在身边养了一阵已经见好，便即刻送回了阿哥所，但只要天气稍稍反复，便一直发作风寒，让人担心不已。这一层秋凉下来，永琏便再度虚弱了下去。

皇后刚从阿哥所过来，见到发病中的永琏面色紫绀，呼吸急促而微弱，简直如绞心一般，此刻看到一只五彩斑斓的蝴蝶高高飞起，想到自己的孩子竟不能起身放声大笑，尽兴玩一玩，简直气不打一处来。

慧贵妃察言观色，已然喝道："谁在那里？"

海兰听得声音，心里没来由地一慌，慌慌张张收了风筝线跪下道："参见皇后娘娘，慧贵妃娘娘。"

跟在皇后身后的慎常在轻蔑地看了她一眼，勉强行了个平礼。

慧贵妃很是不悦，一张芙蓉面如冻了严霜一般，呵斥道："皇后娘娘担心二阿哥的病情心绪不佳，你竟然还在这里欢天喜地地放风筝。"

皇后一向柔和的面庞犀冷如冰，道："简直全无心肝！"

慎常在娇声娇气地劝道："皇后娘娘您别生气了。海贵人一向和冷宫里的乌拉那拉氏交好，不与其他嫔妃来往，性子孤僻是出了名的。她非要在这儿幸灾乐祸一下，放个风筝撒个欢儿，您就由着她去。小人得志，能多久呢？"

海兰慌忙俯下身，卑微地道："皇后娘娘息怒，皇后娘娘息怒，臣妾并不知道二阿哥病重，只是在此放风筝嬉戏，并非幸灾乐祸！"

慧贵妃"哎呀"一声道："枉费海贵人还在宫里呢，连外头的诰命夫人都来了好几拨儿入宫看望了，海贵人还真是漠不关心。"

皇后心下愈加恼怒，失了往日的温和沉着，又惊又怒："本宫与皇上为了二阿哥担忧心烦，她却毫不关心，还在这儿这么兴高采烈，简直是其心可诛。"

慎常在趁着皇后怒气正盛，索性一脚踩在海兰的手上。嫔妃所穿的花盆底鞋的底都是寸许高的桐木，质地异常坚实，这一脚踩下去又格外用力。海兰只觉得钻心疼痛，眼泪都掉了下来。

慧贵妃摇头冷笑道："此刻才掉眼泪，可知不是关心皇后娘娘的二阿哥了。怎是连牲畜都不如。"

皇后厌弃道："你那么喜欢在御花园放风筝，就给本宫跪在这儿静心思过。"

"哎呀，这天气怕是要下雨了呢。"慎常在看一看天色，忽然笑道，"娘娘，对待这样不知进退的人，罚跪雨中，好好淋淋雨，脑袋就清醒了。"

海兰再忍不住，抬起头道："阿箬，你也曾受过淋雨的责罚，己所不欲为何还要施于人？"

慎常在的满头珠翠在愈加阴沉的天光下摇曳出尖冷如利芒的暗光："我就是这样才足够清醒，那么海贵人，个中滋味，你也该尝尝。"

皇后的语气冷漠而简短道："那么，就跪在这儿，等着大雨冲刷干净你这样卑劣肮脏的心。"

皇后含怒离开，一脚踩在海兰已经受伤的手背上，整个人差点一滑，幸好被宫女们牢牢扶住了。

皇后嫌恶地看她一眼，道："手放在不适宜的地方，还不收起来么？"

说罢，皇后便忧心忡忡离去。慎常在和慧贵妃一左一右扶着皇后的手臂前行。慎常在赔笑道："皇后娘娘切勿生气，小孩子风寒是常有的事，宫中有那么多名医在，请宽心就是。"

皇后担忧不已："可是太医说永琏的风寒反复发作，已经转成肺热，常常呼吸困难，一不小心就会致命，实在令人担心……"

海兰跪在那里，叶心慌忙去看她的手，手背上已经被坚实的桐木花盆底踩出深紫泛红的两个血印子。海兰痛得死死咬住自己的唇，极力忍耐着，不让屈辱的眼泪落下来。她看着阴翳的云层越来越密，终于积聚成一场罕见的瓢泼秋雨，将自己单薄的身体和着秋日里飘零的残叶一同席卷其中，成为茫茫大雨中漂浮的一点零丁秋萍。

夜来风雨大作，海兰浑身发着高热，再耐不住委屈，撑着伞独自从宫中跑出，奔向冷宫。风雨时节，连侍卫们都躲在了庑房不肯出来，海兰拍响角门，终于惊动了住在近旁的如懿。她门缝里望见如懿撑着伞瑟瑟守在门边，不由得热泪潸然，她哭着诉说了今日的种种屈辱。

皇后、慧贵妃、慎常在，这三个名字，几乎是立刻勾起了如懿心底血肉模糊的沉痛。她咬碎了银牙，恨恨道："海兰，害我的人总逃不脱是她们三个。如今，可能连你也会被她们践踏至死啊。"

海兰呜咽道："姐姐，这宫里好冷，可是我只有一个人，连你也不在身边。"

如懿的心伤再度被她勾起，伸手按在破败潮湿的角门上："海兰，我在这里，每一天都好冷，好像永远没有阳光一样。就像此时此刻，我很想握一握你的手互相温暖，可是却隔着这扇门不能碰到你。"她的声音变得坚定如磐石："海兰，如果你不想冷死，就好好抱紧自己。不要像我一样，除了恨什么也做不了，像我当初一般除了隐忍便不懂得狠命反击。海兰，不要落到我这样的地步，千万不要！"

海兰举起受伤的手背："可是姐姐，我怕我的力量不够，不能保护自己。任何人都能践踏我，甚至嫌弃我的存在。"

如懿的声音在呼啸的风雨中听来格外冷硬："海兰，如果别人嫌弃你，践踏你，你就一定要活得更好。"

海兰的哭泣伤心而无助："姐姐，可是我知道你活得不好，一点也不好。我也活得一点都不好，怎么办？我要怎么办才能帮你，帮到我自己。"

如懿的脸上分不清是雨水还是泪水，但声音却沉稳而没有一刻迟疑："海兰，我已经是没有办法的人了，但是你还可以。你活得好一点，或者，我也可以活得好一点。恰如我此刻卑微的祈求，至少有一个太医，可以来治一治我日渐严重的风湿。海兰，靠自己，去争取好一点的生活。"

海兰极力想拭净脸上的泪，却发现她的泪和雨水早已混杂在一起，浇湿了她。她昏昏沉沉的，拖着沉重的双腿，走在茫茫雨帘之中。暴雨如巨大的绳索一下一下用力鞭打着大地，用溅起的硬如石卵的水珠再次暴打不已。

她身上滚烫滚烫的，却觉得自己成了薄薄的一片纸，任由雨水冲淋，除了深寒，还是觉得深寒。紫禁城的秋水这样冰冷，冲刷直下，将无数落叶残花，一同卷落沟渠之中，不知飘零何处。她忽然想，如果自己就此死去，这世间便只有如懿一人会替她伤心吧。那么如懿，便连她这个最后的温暖也失去了。她将如懿的愿望在心中反复揣量。良久，她才恍然发现，原来如懿的愿望，便是她自己的愿望。

曾经很多年前，她能依靠的只有如懿一人。那么今日，她也应该让自己稍稍坚强，变成如懿可以倚靠的后盾。

这样的念头最后在她脑中划过时，她已然走回了延禧宫的门外。叶心和绿痕打着伞守在门边，见她痴痴惘惘地回来，脸上终于有了一点人色，她忙迎上去，带了哭腔道："小主您白日里淋了好几个时辰的雨发了高热，怎么此刻还要淋雨呢？您的伞呢？小主您说话啊，别吓奴婢啊小主！"

海兰听着叶心的声音在耳边喧哗，再忍不住，身子向后一仰，晕倒在滂沱大雨之中。

第十四章
旧爱

海兰的高热是在三天后退去的。她醒来的时候，一缕明媚的秋阳恍如淡淡的金色膏腴从镂空的长窗中斜斜照进，阳光隔着淡烟流水般的喜鹊登梅绣纹轻罗幔缓缓流淌，空气中沉郁的紫檀气味若即若离。

她怔怔地坐在床上，看着窗外的花竹葱茏，阳光温暖，也不过就是一道被凝固了的荒凉寡淡的影子，宫苑蒙尘玉人落灰。延禧宫，真的是空置了太久太久……

叶心端了药进来，见她醒了，喜得热泪盈眶："小主终于醒了。"

海兰微张着干裂的唇："这几日辛苦你了，有谁来看过我么？"

叶心稍稍为难，还是说："纯嫔娘娘和秀答应还有婉答应来看过您。不过秀答应和婉答应只在窗外望了望，只有纯嫔娘娘带着大阿哥送了点东西来，还在您床头坐了会儿。"

海兰微微一笑："这宫里，也只有纯嫔有心了。只不过，她也是个可怜见儿的罢了。"她想一想，挣扎着坐起身来，抚了抚睡得凌乱的鬓发："叶心，你去准备些回礼，我要亲自去向纯嫔娘娘致谢。再让绿痕进来替我梳妆，我病了这几天，一定很难看。"

叶心高兴地"哎"了一声答应，也有些意外："小主平日最不在意打扮，今日怎么也讲究起来了呢。"

海兰似是回答，似是自叹："一病如新生啊。"

她挽着纯嫔的手在阿哥所一起看着三阿哥的时候，精神已经好了许多。连纯嫔亦赞："换了颜色衣裳，好好地打扮起来，也真是个美人儿呢，看着也精神了许多。"

海兰笑道："是啊，老是恹恹的，从春到夏，如今入秋了，真觉得半点精神气儿也没有了。"

三阿哥在乳母怀里抱着一个大佛手玩得十分起劲，笑得咯咯的。

纯嫔轻轻嘘了一声，向乳母道："轻点儿笑，别让隔壁听见了刺心。"

海兰便问："二阿哥还是老样子么？"

纯嫔苦笑道："可不是？反反复复的，皇后娘娘的眼泪都快哭出一大缸了。早知道这样子，还不如像本宫的三阿哥一样笨笨的好，虽然不讨他皇阿玛喜欢些，可到底平平安安，壮壮实实。"

海兰低低道："这话怎么说？"

纯嫔打发了乳母去一旁哄三阿哥抓布老虎玩儿，低声道："本宫也是听大阿哥说了才知道的。原来自从二阿哥进了尚书房读书，皇后娘娘望子成龙，日夜查问功课，逼得十分紧，为的就是要在皇上面前拔尖出彩。本宫不知道从前如懿是怎么教孩子的，便告诉大阿哥说，千万不要争强好胜和二阿哥比，什么都是输给他才好的。否则呢，可不是自己吃亏了。"

海兰颔首道："大阿哥听话，会明白娘娘的一片苦心的。"

纯嫔与海兰立在窗下，看着二阿哥房中的太医进进出出，忙作一团。几个宫女站在廊下翻晒着二阿哥的福寿枕被。纯嫔摇头道："只是可怜了孩子，病着这么受罪。听说二阿哥的风寒转成了肺热，好几次一个不当心就差点缓不过气来了。"

海兰回头看了看玩得正高兴的三阿哥，道："其实若没有二阿哥，皇上的眼睛里到底也有三阿哥些。纯嫔娘娘，嫔妾一直有个疑惑。当年三阿哥养在您身边时一直聪明伶俐，颇得皇上喜欢。怎么入宫后离了您进了阿哥所，就笨笨的不讨皇上的喜欢了呢。嫔妾随您来了几次，别的不说，嬷嬷们连认东西都不教，难怪三阿哥一味贪玩儿。又整天抱在手里不教好好走路，如今也三岁多了吧，三阿哥走路还是不稳当。"她的声音极低，像一枚绵绵的针，缓缓刺入："这些嬷嬷乳母们的心是不是向着三阿哥和您，您都清楚么？"

纯嫔的面色渐渐灰败下去："这念头本宫往常也不过一转，想想宫里的人总是仔细些也罢了。难道妹妹也这样想么？"

海兰低低道："倒不敢想别的，只是同样是乳母，同样是皇后吩咐下来的，怎么待二阿哥就这么精细严格，待三阿哥就这么宠溺放任？如今小还罢了，若是长大，三阿哥可不止不受皇上器重了。一旦厌弃起来，先帝雍正爷不就把他的三阿哥弘时，咱们皇上的亲哥哥的名字从玉牒上删了，逐出宗谱了么？"

纯嫔向来胆小怕事，但听得儿子的事，哪里能不上心。她一辈子的恩宠也不过如是，唯一的指望全在这个儿子身上，这些话听在耳朵里，几乎是锥心一般，不觉暗暗握紧了双拳，望向一群乳母们的目光，带了芒刺般的怀疑，阴沉难辨。

纯嫔与海兰离开时，皇帝正好带了李玉从二阿哥房中出来。这一年秋来得早，庭院里黄叶落索，寂寥委地。碧澄澄的天空上偶尔有秋雁飞过，亦带了一丝悲鸣。阿哥所死气沉沉的氛围里，一袭紫罗飞花翩莺秀样秋衫的海兰挽着纯嫔盈盈步下台阶，海兰的紫罗色绣蝴蝶兰衣衫下素白色水纹绫波裥裙盈然如秋水，远远望去，便如一树一树浅紫粉白的桐花，清逸悠然。

"是你们俩？"皇帝眼前微微一亮，目光在海兰身上一转，"你难得穿得这样艳。"

海兰含着淡如轻云的笑："让皇上见笑了。穿得艳点来阿哥所，希望阿哥们看了高兴。"

皇帝笑着虚扶她一把："你有心了。平日素素的，偶尔鲜艳一点，让人眼前一亮。无论谁看见，都会喜欢的。"

纯嫔亦笑："可不是，三阿哥可喜欢海贵人了。"

皇帝拍一拍额头，朗然笑道："朕都忘了，你已经是贵人了。一个人住在延禧宫，可还惯么？"

海兰道："也惯，也不惯。"

皇帝失笑："怎么这样说话？"

海兰淡淡一笑："从前有如懿姐姐就个伴儿，现在一个人，所以不惯。但一个人对着影子久了，也惯了。"

皇帝笑意渐渐淡薄下去，眼里似浮起一层薄影影的霜华，"哦"了一声，道："朕乏了，你们也乏了，都跪安吧。"

皇帝径自离去，纯嫔嗔怪地看她一眼："你忘了如懿是皇上下旨发落进冷宫的么？好容易皇上跟你说一回话，你怎么倒提起她惹皇上不高兴呢？"

海兰不以为意道："皇上半年都没提起如懿姐姐了，既然皇上自己都忘了，嫔妾提一句又怎么了呢？"

纯嫔颇有哀其不争之态："你呀，再这样下去，那点子恩宠便连本宫也不如了。本宫好歹还有个孩子，你却……"

海兰正色道："正因为娘娘有孩子，万事都要以孩子为重。"她略略苦笑，那笑意薄薄，似散落在地的凋零的花："嫔妾这样的人，却是不打紧的。"

纯嫔望了望二阿哥房，听着三阿哥无忧无虑的笑声，神色更加凝重了。

海兰送过了纯嫔，便回到殿中和叶心修剪几枝早起刚送来的芦苇。那芦苇有着蓬松的花絮，远远看去，像浮在半空中的一堆轻雪。海兰道："我吩咐你去内务府拿的杭绸料子拿了么？"

叶心为难道："杭绸的料子难得，内务府扣着不放，说是给几位主位娘娘都还不够呢。"

海兰心下不豫，便道："那也罢了，那些人一贯这样势利的。"

叶心开解道："也说不准。奴婢去内务府时，听绣房的几位姑姑说，过几日便是重阳节了，皇上特意嘱咐了要给太后缝制一床万寿如意被，听说连上面钉了珍珠的万寿金丝图案床幅是先送去西藏请喇嘛大师开光诵经过的，再从西藏运了过来赶着要在重阳节前绣好图样送给太后的。她们都忙着这事呢，一时顾不上也是有的。"

海兰眉心一动，拨弄着手中轻如柳絮的芦苇："皇上很着紧这件事么？"

叶心道："当然了。听说皇上每隔两日便要去绣房亲自看一看，督促进度。"

海兰的笑意慢慢浮起在唇角，似一朵乍然怒放的蔷薇，在暗夜里闪出明艳的丽色。

这一日皇帝往内务府去查看给皇太后的寿辰贺礼，端的是——精美，皇帝倒也满意，赞许道："秦立，你做事还算用心。"

内务府总管太监秦立亲自陪在一旁，点头哈腰道："送给皇太后的万寿如意被已经缝制好大半了，只是上头那凤凰的羽毛怎么配色都不亮，绣娘们都在犯难呢。"

皇帝随口道："若要艳丽鲜亮，或者多配点颜色，或者捻了金丝，有什么难的？"

秦立一脸犯难："都绣了给太后看了，太后说俗气，又斥了回来。奴才们啊，想得脑仁都快干了，还是没办法呀。"

皇帝叱道："糊涂！这点分内的小事都办不好，难怪皇太后生气。给朕去瞧瞧，什么凤凰羽毛便这样难了。"

正说着，一行人已经转到了绣房长窗下。秦立正要通报，皇帝隔着疏朗镂空的长窗，见得绣娘们都围着一个女子，不觉有些好奇，挥了挥手示意不许出声，便站在窗外看着。

那女子柔声道："太后寿年遐颐，看惯了繁花似锦，加之这被子是盖在身上之物，太过华丽了夜里看起来刺眼，她自然是不喜欢的，更觉俗气。"

有绣娘问道："那您说怎么办呢？"

那女子的声音清婉如珠落："这只凤凰气宇昂然，旁边又簇拥百花，颜色更不必太艳，只需用深紫色的蚕丝线八股绞了一股薄银线进去捻成为一股，这样色调柔和又不暗淡，在日光下不夺目，烛火下又微微有温柔光泽。然后在每一羽凤凰羽毛的边缘用最细小的紫瑛珠和深绿的碧玺珠相间钉珠，紫瑛与深紫色蚕丝线深浅交错，碧玺有宁神之效，更被称为长寿石，颜色压得住百花丝线的繁丽。最后，在凤首处多用蜜蜡珠子，蜜蜡乃是西藏佛宗最喜欢的祈福之物，颜色也稳重大方。这样，想来太后也不会有异议了。"

她言毕，白如玉的手指轻扬起落，如翻飞花间的玉蝴蝶。皇帝看了半日，却见众人围着那女子，只觉得声音耳熟，却想不起是谁，也看不清她的容貌。

旧
爱

115

不过片刻，那女子便道："我已经绣了一羽，你们看看，这样可以么？"

她话音未落，皇帝已经款步进来，笑道："那么朕也可以看看？"

众人听得皇帝的声音，不觉吓了一跳，忙请安道："皇上万福金安。"

皇帝笑道："哪里来了这样心思灵敏的绣娘，朕也要看一看，她到底绣了什么新样子，大家都听她的？"

众人忙让了起身，那女子站在人群中间，因着众人都穿着深紫色的宫女服饰，她一身浅浅的月白色的湖绸夹衣，只以宝蓝夹银线纳绣疏疏几朵盛放时的昙花。一时在众人之间显得格外清新夺目，恰如暗簌簌的花瓣别无所奇，那花蕊倒是格外可人了。皇帝细瞧之下，那女子低着头看不清面容，但云鬓堆纵，犹若轻烟密雾，都用飞金巧珍珠带着银镶翠梅花钿儿，只在眉心垂落一点紫水晶穗串儿，如袅袅凌波上一枝芙蓉清曼，似乎是不经意打扮了，却处处有用心处。

皇帝心下的赞赏更多了一分："朕听着你的声音很耳熟……"

那女子仰起脸来，粉面微晕，含羞带怯："臣妾卖弄，让皇上见笑了。"

皇帝不禁莞尔："海兰，是你。"他看着她刚绣完的一尾凤凰羽，果然配色沉稳而不失温沉华美："朕看了你绣的凤凰羽，不仅太后不会有异议，朕已经要击节赞叹了。你是怎么想出来的？"

海兰温柔的笑意如芙蕖新开："臣妾想起太后时常握在手中的紫檀嵌碧玺佛珠，所以配了这个颜色。若不是太后最喜欢的，想必不会经常带在身边。"

"人人都看见，你却最有心。"皇帝眼中的温柔与赞许交织愈密，靠近些道，"从前怎么不知你有这样的心思？"

海兰妩然一笑："心思藏在心里，轻易看不见。"

"那朕今日可巧，居然都见到了。"皇帝目光微微下移，笑道，"怎么身上绣着昙花？"

海兰盈盈道："因是稍纵即逝的花，开完便谢，想留它长久些，便绣在了身上。"

皇帝额首道："如今是过了昙花的季节了。但你要喜欢，下个夏天的时候，朕让人多多地送到你宫里。"

海兰颇有些伤感，摇头道："花开无人见，再多又有什么意思呢。"

皇帝挽过她的手向外去道："明年昙花开时，朕一定陪着你。只是今日花开，朕又怎能辜负呢？"他低声细语，带了几分温柔亲昵："朕记得初见你，是在王府的绣房，你也是这样一身月白色，清丽出尘……"

海兰嫣然含笑，微微侧身，触碰到皇帝的手臂。

秦立看着皇帝携了海兰相笑而去，不觉急了，跟上道："皇上……"

李玉本跟在皇帝身后，见他如此，呵斥了一声道："没眼力见儿的，没见皇上要陪海贵人么？不许跟着了。"

如此，待到重阳节夜宴时，海兰已成了与玫嫔和慧贵妃一般得宠的女子，看着满殿歌舞锦绣，对上皇帝含情的眼，露出沉着而清艳的笑容。

待到十月的时候，天气渐渐寒凉下来。延禧宫的桌上随意堆放着内务府送来的杭绸缎子，一匹匹垒在那里，色色花样都齐全。叶心笑吟吟道："自从小主得宠，内务府巴结得不得了，从前咱们要也要不来的杭绸子，如今多得打赏下人都够了。"

海兰穿着一身全新的玉兰紫繁绣银菀花宫装，头上一色的碧玉珠花，垂落珠翠盈盈，好似一脉青翠的兰叶。她不以为意地笑笑，伸手随便撩拨着道："这么好的东西，给下人岂不可惜了？"她低声道："我让你送去冷宫的棉衣，都备下了么？"

叶心笑道："小主又不放心了！昨晚是您自己选了厚厚的新棉花连夜缝制好的，瞧您眼圈都熬黑了，比做给两位小阿哥的福寿枕被还仔细呢。"

海兰有些不好意思地笑笑，扯着青瓷双耳瓶中的几枝芦花怔怔出神。忽然外头锦帘一闪，却是纯嫔进来了，笑道："几日不见，妹妹大不相同了。当真是士别三日，当刮目相看了。"

海兰亲热地拉过纯嫔的手坐下道："娘娘还不晓得嫔妾，不过皇上一时想起来了，半刻的兴致罢了。"

纯嫔微微掩饰着失落，笑得和婉："跟本宫还这样客气么？这大半个月来，皇上对你，可都赶得上对玫嫔和慧贵妃了。玫嫔和慧贵妃是一向得宠的，而你呢，可是新贵直上啊，宫里多少人羡慕你呢。"

海兰轻轻一噎："哪里是新贵呢，不过是偶尔被想起的旧爱罢了。对了娘娘，怎么这个时候过来看嫔妾呢？"

纯嫔目光往四周一旋，海兰会意，便道："茶点搁在这儿吧，我和纯嫔娘娘说话，你们都不必伺候了。"

众人忙退了出去，殿里安静得如积久的深潭一般。纯嫔见四下里无人，方沉下脸来，攥紧了绢子，恨得眼中含泪，道："上回妹妹让本宫留意的，本宫一一去探听了。真不想，那帮人竟是这么听皇后的话，害本宫的三阿哥。表面上疼爱三阿哥，实际上什么也不教，什么也不帮着，皇上一旦问起，只说三阿哥贪吃贪睡，其他一无所知，教了认东西也不会。也怪本宫母子傻，皇上就这样疏远了本宫的儿子，自己竟也还蒙在鼓里。"纯嫔说着急切起来："若到了妹妹所说皇子遭皇上离弃的地步，往后三阿哥还有什么指望！"

海兰惊道："那日嫔妾也不过疑心罢了，不承想皇后竟真是如此，好歹她也是三阿哥的嫡母啊。"她见纯嫔恨得咬牙切齿，轻轻道："那娘娘有没有想过法子，让皇后娘娘可以无暇顾及这么害三阿哥，让她也好好心疼心疼自己的儿子。"

纯嫔眼珠微微一动，看着盏中的清茶，缓声道："本宫倒是想出一口恶气，只是……"她的声音渐次低下去，无可奈何："只是皇后一向小心，连二阿哥的一应穿戴所用，哪怕是被子枕头，都是亲自缝制的，何况是饮食起居，只怕是密不透风，无从……"

海兰扶了扶发髻上微微摇曳的珠花，那碧玉的质地，硌在手心微微生凉，她淡淡一笑，起身取过一套福寿枕被："送给三阿哥的一点心意，娘娘可喜欢么？"

纯嫔看了几眼，不觉诧异道："这不是皇后给二阿哥做的那一套么？"

海兰的笑意隐秘而轻微："娘娘也觉得很像么？"

纯嫔仔细翻了又翻，看了又看："真的不是？几乎一模一样，可以乱真。"

海兰晓得温婉无害："那日在阿哥所院子里看到的，所以试着做了一套。"

"妹妹的手真是好巧！"纯嫔疑惑道，"可是这套枕被的大小，对于三阿哥来说，实在太大了，怕不合用呢。"

海兰望着她的眼睛，几乎要望进她的心里去，推心置腹道："那么娘娘觉得谁合适，就换上给谁吧。反正都是嫔妾给三阿哥的一番心意，旁人无需知道，也看不出来。"

纯嫔身子一颤，鼻尖微微沁出汗意："有什么不同？"

"二阿哥得的是风寒肺热，怕凉。这被子和枕头都用杭绸缝制，盖着十分柔软，保护幼儿的体肤，但里头嫔妾用的不全是棉花，而是掺了芦苇絮。盖着看似厚，其实薄，二阿哥的风寒会更重些罢了。让皇后受点教训，以后不要再只疼自己的孩子，不顾别人的孩子。"海兰打量着纯嫔的神色，"娘娘若不敢，只当嫔妾这份心是白费了。嫔妾立刻拿去火堆里烧了，彼此干净。"

纯嫔惊疑的眼神渐渐有了几分动摇，更添了几分憎恨嫌恶，急切道："只是教训？"

海兰的笑意笃定而沉稳，道："是。否则咱们能如何？事情若是败了，针脚是嫔妾落的，赖不了别人。若是成功，娘娘也出了这口恶气，不是么？"

纯嫔抓着被子的手越来越紧，实在是万分舍不得从里头推开去，终于道："好。明日就是十月初一，本宫会去看望三阿哥，把妹妹的心意神不知鬼不觉地带到。"

海兰微笑，切切地握住纯嫔的手，口吻镇定如常："嫔妾病中只有娘娘一人来探望，也只有娘娘一人把嫔妾放在心上，当做妹妹看待。嫔妾自己是受惯人欺辱的，实在不想娘娘的孩子也是如此。从此，疼爱三阿哥的人，也算上妹妹一份吧。"

纯嫔深深震动，眼底泪水盈然："皇上不疼爱三阿哥，好妹妹，一切便只有我们了。"

第十五章

端慧

因为太医一服服重药用下去，又轮流着悉心陪护，二阿哥的病稍稍见了起色。纯嫔亦在去了阿哥所之后回来道："本宫趁着宫人们翻晒被子的时候悄悄换过了，按说没有人看见。只是这几日天气稍稍回暖，难道那被子太厚的、就不顶用了？"

海兰笑得稳笃，劝道："娘娘凡事莫要着急，总有天气冷下来的时候啊。"

纯嫔已经尽力，便也只得静观其变，恨恨道："总要让皇后也吃点亏才能出本宫心里这口恶气！"

这一夜皇帝宿在海兰宫里，身体的缠绵之后，只余下了彼此相依的力气。云锦帐帏流苏溢彩，零星地绣着暗红银线的吉祥图样，安静地透迤地，连帐外的红烛高照，亦只能映进一点微红而朦胧的光线。

皇帝疲倦而惬意地闭着眼睛，轻轻地吸一口气："海兰，总觉得你这里连枕衾间都有别致香气，旁人那儿再寻不到。"

海兰一把乌黑青丝在皇帝臂间曲出柔和优美的弧度，轻笑道："皇上去哪儿寻了？皇后？慧贵妃？还是玫嫔？"

皇帝默然叹口气："皇后一心在永琏身上，昼夜不安。为着这个，朕也很久没留宿在皇后那里了。"

海兰道："皇后娘娘不是一直求皇上将二阿哥挪到长春宫看治么？皇上不如答应了，两下也好方便些。"

皇帝有些欷歔："皇后是这么求朕。朕想着永琏的病虽好了些，但挪动间容易着凉，太医也觉得不妥，朕便罢了。何况皇后的性子那么好强，春天的时候永琏养在长春宫中，病稍有起色，皇后便催着他读书写字，好好的一个孩子，硬是被逼成那样。"皇帝论到几个皇子，不免有些感慨："朕的三个儿子，二阿哥管教太严，三阿哥太过放纵，唯有大阿哥勤奋好学，只可惜亲娘去世得早，朕也未能十分顾及。"

海兰伏在皇帝手臂上，皮肉与汗水的黏腻让她有些不习惯，她不动声色地挪了挪，唇边却依旧笑靥如花，仿如小女儿撒娇："大阿哥不是有养母抚养么？"

皇帝默然叹口气："纯嫔虽然好，但总比不上……"他下意识地停住口，深吸一口气，轻笑道："好香。好像是你身上，好像又是帐帷间，到底是什么香气？"

海兰心中微微一震，像是被谁的小手指轻轻挠了挠，隐隐有些明白。她便笑得恬婉，按了按皇帝颈下的软枕道："是春天刚过的时候收集的荼蘼，和菖蒲叶子放在一起搓碎了滚在丝绵里头，这种花枕香气虽淡却悠远留长，让被衾乃至床帐内都弥漫着荼蘼的余芬，人在睡梦中都会被花气浸染，以至臣妾在梦中都梦见自己化身成了翩跹花丛中的蝴蝶。"

皇帝在她鼻上一刮，道："枕里芳蕤薰绣被，今宵帏枕十分香。你心思那么细腻，分明是旧人，却总让朕觉得是新欢，一重又一重惊喜与陌生，好像你与从前都不同了。"

海兰拧着一缕青丝，痴痴地笑着，又有些幽幽："但愿新欢别又成了旧人，被皇上抛诸脑后。"

"新欢久了，也是旧爱，怎能忘怀。"皇帝笑着搂过她，侧脸枕在玫瑰色的软枕上，轻嗅道，"告诉朕，是谁教你的这个？分明像是江南女儿才有的心思灵巧。"

端慧

121

海兰悄悄地瞥一眼皇帝，见他眉眼间都是沉醉的笑意，便大着胆子试探着道："是如懿姐姐……"她恍作失言，不再说下去，并以惊惶的神色来窥探皇帝神色的微变，然而皇帝只是转过身去，静静道："许多事都不能如意……海兰，朕累了。"

海兰伸手抚摸着皇帝的肩胛，柔蜜蜜道："臣妾知道，臣妾都明白。"

皇帝的声音是沉沉的倦意："嘉嫔只惦记着生皇子，她不喜欢公主；慧贵妃也是一心想在朕身上要到一个孩子；纯嫔只想着孩子而很少念及朕；皇后呢，她的心思也全扑在了永琏身上。朕只有见到你，才觉得松泛一些。因为，你什么都不求。"

海兰从后面抱住他的肩，嘴唇贴在丝质的寝衣上，那种光滑，像女人的肌肤，柔而嫩。不像男人，再饱满的肌体，也总带着情欲的味道。

海兰的声音如在呢喃："皇上怎么知道海兰什么也不求？"

皇帝已有了蒙胧的睡意，还是答道："朕要进你的位分，你总是推辞；朕赏赐你珠宝首饰精致玩意儿，你也不过一笑；朕常来，你固然高兴，可是来得少些，你也从不埋怨。朕总觉得你和满宫里的女人们都不一样，你不求什么，或者你求的，朕给不了，甚至不知道……"

说到最末几句，皇帝已经语意含糊。海兰伸手抚摸着他的手臂，想要试着习惯去依靠在他身上，却还是觉得陌生而迟疑。

哪怕是肌肤相亲的一刻，她也觉得，自己的灵魂离身体很远很远，好像只有这样冷眼看着，保持距离，她才是安全的。恰如皇帝所言，她有着与别的女人不同的淡泊，这种淡泊一如她自多年的失宠生涯所知的，帝王的情爱，男人的情爱，从不可靠。因为在你身边时，自然彼此欢悦；要离开，也是顷刻之间的事。这种亲密，既不长远，也非无可取代。

因为这一切的欢悦，在不同的女子身上，总有不同的索取与满足。

而今时今日所拥有的这一切宠爱，都比不上一直在她身边的那个人，那双手。只有那个人，才让她觉得可以依靠，可以安心呼吸，不必辛苦笑颜应对。

这一夜的梦冗长而琐碎，她辗转地梦见许多以前的事，在潜邸绣房劳作的自己，第一次承宠的自己，被冷落和漠视的自己以及此刻被旁人所羡慕的自己。

醒来时天色还乌沉沉的。她悄然起身披上外衣，想喝一盏茶缓解昨夜临睡前过度疲累带来的劳渴。床前的红烛曳着微明的光，烛泪累垂而下，注满了铜制的蟠花烛台，当真是像沾染了女人胭脂的眼泪。

她慢慢地喝下一盏微凉的茶，回首看着床上熟睡的男人，想想自己，大约一辈子也不会为眼前这个面孔俊美的男子流下伤心的胭脂红泪吧。她凝神想着，忍不住伸手抚摸皇帝的脸，平心而论，他的确是个清朗男子，如玉山上行，光彩照人，难怪宫中上至后妃，下至宫女，少有不对他倾心倾意者，便如冷宫中的如懿姐姐，亦是如此吧。只是连她自己也没想过，原以为会以不得宠的嫔妃的身份在深宫度过一生的她，也有这样学会婉转承欢讨他喜欢的时日呵。

正凝神间，忽然有凄厉的哭声剧烈地爆发出来。海兰一个恍惚，还以为是某种夜枭或是野猫凄绝的嘶吼，几乎能撕裂人的耳朵。

可那一声哭，恍如硬生生扯破了紫禁城夜深阑珊的安宁，一声又一声更惨烈的哭声，遥遥地传了过来。

皇帝有些迷茫地醒来，问她："是什么声音？"

海兰也是一样迷茫，却是李玉在外头急促地敲起门扇。李玉一向是稳当的人，若非十万火急的要事，绝不会在这样的三更时分，以如此急惶而没有分寸的手势，敲响有皇帝留宿的嫔妃寝宫的大门。

海兰忙忙披上氅衣打开殿门，李玉脚下一软，几乎是爬到了皇帝跟前，哭着道："皇上，皇上……出大事了……"

皇帝警觉地坐起身："外头的哭声是怎么回事？"

李玉伏在地上号啕道："是阿哥所……是阿哥所……"

皇帝有些畏惧地站起身，顿了一顿才下意识地冲到窗前，猛地推开窗望着阿哥所的方向。窗外有冷风凌厉贯入，皇帝不自觉地打了个寒噤。海兰忙抱过大氅替他披上："皇上保重，别着了风寒。"

皇帝像是在哭泣似的抖动着肩膀，声音里尽是怀疑和不自信："是不是……是三阿哥出了什么事？李玉，是三阿哥对不对？"

李玉跪在地上，痛哭失声："皇上，您节哀。是二阿哥，二阿哥薨了。"

皇帝不可置信地转过脸来，一步一步跌跌撞撞地走着，几乎是脱力般坐倒在床边，喃喃地问："怎么会是二阿哥？怎么会？"他像一头悲绝而走投无路的兽，仰天道："永琏是朕的嫡子，朕的嫡子！朕是上天的儿子，上天是不会把朕

端慧

123

的嫡子收走的！他才九岁，他以后要继承朕的帝裔，他……"皇帝被喉中的哽咽呛到，大口喘息着说不出话来。

海兰忙倒了水递到皇帝唇边，替他抚着后背。李玉哭泣着连连磕头道："皇上，您节哀、您节哀。皇后娘娘已经从长春宫赶过去了，您……"

皇帝来不及拭落眼角的泪，已经怒吼道："给朕更衣！朕不相信，朕不相信！"

海兰守在一旁，侧耳倾听着那哭声里的悲哀欲绝，脸上也陪皇帝一同露出哀戚的神色，连含在眼中的泪，也随着她的心意沉沉坠落。

可是唯有她知道，唯有她自己知道。那一刻，窃喜与欣慰如何同时蔓延到她的心头，紧紧攫住了她颤抖的灵魂。

乾隆三年，十月十二日巳时，二阿哥永琏卒，年九岁。帝后痛失爱子，伤心欲绝，追封为皇太子，谥曰端慧。

听到消息时，海兰正换好了素色衣衫并银质首饰，坐在暖阁里慢慢地叠着金银元宝和冥纸，闲闲道："死后哀荣有什么用，不过是活着的人聊以安慰罢了。我却不信，玫嫔和怡嫔死去的孩子在地下见了二阿哥，还会称呼他一句'太子'？"

叶心在旁边帮衬着，悄声道："小主叠了那么多冥纸，要去哪里烧啊？宫中可不许见这些不吉利的东西的。"

海兰微微翘着银镶碎玉护甲，慢条斯理道："不是让你告诉如懿小主，我会送冥纸过去陪她一起化了么。"

叶心担忧道："小主又要去冷宫？"

海兰看她一眼："怎么了？"

叶心有些担心："如今宫里是多事之秋……又在为端慧太子做法事超度，小主还是不要去比较好。"

海兰轻哂一声，沉稳道："我都不怕，你有什么可怕的？"

正说着话，却听暖阁的门豁然被推开，一身素青的纯嫔如同一个影子般迅疾地闪了进来，她一向平和的面孔上有着显而易见的惶惑，六神无主似的。海兰抬了抬脸示意叶心出去，也不起身相迎，只忙着手中的活计道："如今宫中多事，纯嫔娘娘脸上的害怕惊惶，在嫔妾宫中也罢了，若是在外头被旁人看见，人家还以为是二阿哥的鬼魂追着您的脚跟吓着您了呢？"

纯嫔在她面前坐下，倒了盏茶急急喝下，按着心口道："你还说这样的话！你知不知道二阿哥是怎么死的？他是在半夜时分呼吸滞住，活活闷死的。而他闷死的原因，是在他鼻中发现了一些芦花和棉絮。"

海兰摇了摇头，怜悯地叹息道："真是太不小心了。二阿哥的肺热本来就容易缓不过气，这个季节又易起芦花，阿哥所靠近御花园那儿，哪阵风吹来了水塘边的芦苇花絮也不知道。还有那些棉絮，进进出出的宫人太医那么多，入了冬谁的衣裳上没棉絮取暖。这些伺候的宫人们那么不小心，真该全打发了出宫去。"

纯嫔抚着心口，慢慢沉静下来，盯着海兰道："你应该比谁都清楚，离二阿哥口唇鼻息最近的芦花和棉絮出自哪里。"

海兰嗤地一笑，盈盈道："当然是娘娘亲手偷天换日的那床福寿枕被啊。"

纯嫔一怔，重重搁下手里的茶碗，气吼吼道："你现在便撇得一干二净了，那床枕被分明是你做的，看针脚就可以分辨出来，你还敢抵赖！"

海兰轻轻按了按腮边的脂粉，柔声细语道："娘娘别着急啊，这会子您是替皇后娘娘来向嫔妾兴师问罪的么？针脚会说话么？会认人么？到底除了上回和娘娘一起去阿哥所之外，嫔妾没有再踏足过半步啊。"

纯嫔又气又急又害怕，手指颤颤指着她道："你……"

海兰温柔地伸出手，握住她发冷的手指轻柔折回掌心，笑道："嫔妾和娘娘说笑罢了。当务之急娘娘还没想清楚是什么吗？"

纯嫔一愣："什么？"

海兰收起笑意，一句一句语气稳妥道："娘娘的当务之急是告诉皇上，阿哥所的嬷嬷和宫人们照顾不周，致使二阿哥早夭，所以请求将三阿哥留在自己身边抚养。娘娘可要知道，要是有人先回过神来打起了三阿哥的主意，您可是防不胜防了。"

纯嫔会意，立刻道："对对对！本宫还要告诉皇上和皇后，要严惩那些伺候不周的奴才，希望让皇上不要留意到本宫。"

海兰笃定地笑道："皇上当然不会留意到娘娘了。今日午时焚烧二阿哥的遗物，那套枕被是二阿哥日夜盖着的，也是皇后娘娘亲手缝制的心意，到时候随烈火化去，不是什么都清清静静了。而娘娘有三阿哥在身边亲自抚养，三阿哥来日出人头地，一定会感激娘娘今日为他所付出的一切苦心的。"

纯嫔大为安慰，松弛一笑，马上迟疑而警觉地看着她："那你……"

端慧

海兰恭恭敬敬道：“嫔妾的双手自然不比娘娘的干净。所以娘娘实在不必担心嫔妾会说出去什么，因为嫔妾告诉过娘娘，以后疼爱三阿哥的人，算上嫔妾一个。嫔妾也很希望能沾三阿哥的光，来日能安安稳稳，享享清福呢。”

纯嫔笑道：“若真有那一天，本宫必不负妹妹就是了。”

夜来时分，乌云蔽住明月清辉，连昏暗的星光亦不可见。因着端慧太子崩逝，宫中一律悬挂白色宫灯，连数量也比平日少了一半。紫禁城中除了昏沉的暗色便是凄风苦雨般的啼哭，连平日的金碧辉煌亦成了锈气沉沉的钝色。皇后早已哭昏了好几次，万事不能料理，幸而有皇太后一力主持，事无巨细亲自过问，无一不周到，无一不体面。如此一来，倒是让皇太后在后宫中的威望更高了许多。

这一夜嫔妃们轮流在殿中守丧，因着一切混乱，三阿哥也不独自留在阿哥所了，挪到了纯嫔身边和大阿哥做伴。三公主也暂时跟着慧贵妃起居在一处。嘉嫔怀着身孕不宜在此守丧，行了礼之后便也回宫歇息了。

海兰守在冷宫的角门外，凌云彻早已借口找赵九宵喝酒，哄了他躲了开去，由着海兰和如懿好好说话。海兰找了个背风的角落，慢慢地烧着冥纸，道：“姐姐，你听到宫里的哭声了么？好不好听？我可是从没听过这样好听的声音。”

如懿在里头慢慢化着元宝，火光照亮了她微微浮肿的脸庞，映得满脸红彤彤的：“你办得这样利落，哭声当然好听了。”

海兰嘻嘻地笑着：“好孩子啊，别怪姨娘们心狠，谁让你的额娘这么欺负人呢？有这样的额娘，想保你长命百岁，阎王爷也不肯啊。来，永琏，好孩子，去底下找你那两个未曾谋面的弟弟吧。他们等你呀，等得太久太久了，都寂寞得很哪。”她烧着手里的几个纸制人偶：“来，姨娘再给你烧几个伴儿，让你在地底下别太孤单了。”

如懿苍白的面孔被火光照亮，道：“那套枕被烧了吧？没有人察觉么？”

“没有。就算真有人发觉，姐姐在冷宫里，我一步也没踏进过阿哥所，谁也疑心不到咱们。也算纯嫔争气，我当时便想好了，这件事做得好，是成全了纯嫔和三阿哥的前程；做得败了，是纯嫔这个做额娘的不争气，咱们也没法子了。”

如懿轻轻一笑：“但凡额娘为了儿子，没有不尽心尽力的。”

海兰将一大把冥纸撒进火堆里，暗红色的火舌一舔一舔，贪婪地吞噬着，她慵懒地笑道："幸好姐姐提点我，告诉我杭绸的空隙比一般的缎子大，也告诉我芦花混在丝绵里会慢慢飞出，永琏的病是最受不了这个的。"

如懿隔着门扇轻轻一笑："你若不告诉我永琏的病情，我哪里能想到这个。"她将最后一把金银元宝撒落，看着纸灰如黑色的蝶肆意飞扬，自嘲地笑笑："我是身在冷宫里的人了，坐井观天只能等死罢了。但是海兰，我绝不会让你成为第二个我的。"

海兰静了静神，眼底闪过一丝坚毅决绝之色："姐姐，只要我想到法子，我一定会让你出来的。我绝不会让你一生一世都陷落在这里，永无出头之日。"

"我这辈子，都不敢做这样的梦了。海兰，我只希望你过得好些。"如懿恍惚地笑笑，轻轻叩动门扇，凑近了，"来，让我告诉你，皇上喜欢些什么，不喜欢些什么。"

海兰微微出神，有些黯然："姐姐告诉我这些，是想用另一种方式陪在皇上身边，让皇上过得舒心愉悦么？"

如懿惘然地摇了摇头："不。他已经不信我了……他……"

她没有再说下去，因为她听见了急促的脚步声，是凌云彻急着跑过来道："小主不宜久留，似乎有宫眷从漱芳斋那儿过来呢。"

海兰忙不迭起身："姐姐，那我下回再来看你。你的风湿……我会记在心上的。只是太医院的太医，没一个敢来冷宫，妹妹也是无奈。"

如懿点头道："你能常常送些御寒的衣物和治风湿的药物来，就很难得了。"

惢心本默默守在一旁，听到此节，不由得黯然叹了口气："海贵人。内务府有个职位很低微的小太医，叫江与彬。别人若不肯来，你问一问……问一问他肯不肯？"

海兰喜道："这人可靠么？"

惢心迟疑着道："他若肯来便是可靠，否则奴婢也不能说什么了。"

海兰匆匆离去，如懿隔着门向凌云彻道："把海贵人烧的纸钱清一清，别露了痕迹。"

海兰跑出了甬道，听见外头渐渐有人声靠近，慌不迭吹熄了手中的灯笼，绕到隐蔽之处。却听几个小宫女四处张望着，低声呼道："三公主，三公主，你在哪里呀？"

端慧

127

一个女声怒气冲冲道："本宫叫你们好好看着三公主，结果你们那么多人，偏偏连个小女孩都看不住，简直是废物。"

一个宫女道："慧贵妃娘娘息怒。方才三公主说守丧守得累了，想跑来御花园玩玩，结果一个转身，便不见了人影。奴才们该死。"

慧贵妃高昂的语调里含着压抑的怒气："皇后娘娘将三公主托付给本宫是信任本宫，若是出了什么差池，皇后娘娘已经失去了端慧太子，哪里还受得住？还不快去寻了公主回来！"

海兰趁着人往东边去了，忙迅疾地转过身，消失在茫茫夜色之中。

宫人们正四下寻觅，忽然一个高兴起来，像得了凤凰似的："公主，你怎么在这儿呢？"

三公主穿着替太子守丧的银色袍服，外头罩着碧青绣银丝牡丹小坎肩，手里正把玩着一片东西出神。慧贵妃循声而来，忙欢喜道："公主，你怎么待在那儿，快到慧娘娘这儿来。"

三公主低头片刻，将手中的东西递到慧贵妃手中："慧娘娘，您快瞧瞧，这是什么好玩意儿。"

慧贵妃接过，借着羊角灯笼的光火一看，却是一个烧了一半的纸制人偶，画着五颜六色的花样，想是没烧完就吹了过来，难怪三公主瞧个不住。慧贵妃心下一阵疑惑，知道这东西是烧给地底下的人用的，便问身边的双喜道："双喜，宫里是不是安排了人在这儿烧冥纸冥器？"

双喜丈二和尚摸不着头脑："没有哇。这里都快到冷宫了，谁会安排人在这儿烧啊。忌讳哪！"

慧贵妃想了想，取过绢子小心翼翼地包好了那半个人偶，哄着三公主笑道："来，公主，慧娘娘那儿有新鲜的皮影戏玩意儿，比这个好玩多了，快跟慧娘娘回去吧。"

三公主毕竟小孩子心性，听了高兴便跟着去了。

慧贵妃将袖中的绢子摸了又摸，心下有了计较，只盼着皇后身体好些，再——商量。只不过皇后痛失爱子，这一病，却缠绵了许久。

第十六章
嬿婉

　　次年正月的某一天里，海兰再度放起那只风筝，这一回，蝴蝶风筝旁已经飞起了另一只小小的童子风筝。

　　就在前一天，如懿听见宫中喜乐和鞭炮齐响的声音，她知道，嘉嫔已经顺利诞下了皇四子。这个在乾隆四年正月十四诞下的孩子，成为皇帝登基四年后得到的第一个皇子，也是皇帝失去了嫡子永琏后得到的第一个皇子，几乎是弥补了他那痛失爱子的巨大痛苦和空落。皇帝喜不自胜，亲自为皇子取名为永珹，日日设宴，又赏赐启祥宫上下，连着皇子的生母嘉嫔也春风得意，恩宠不衰。

　　而长春宫的皇后，却沉浸在失却亲子的痛苦与打击之中，日复一日地病重下去。

　　四阿哥永珹出世后便被许养在生母嘉嫔身边。这是格外的恩宠与荣昭，落在外人眼中，既是嘉嫔与四阿哥盛宠与荣耀的象征，亦是在向嘉嫔的母族李朝昭告嘉嫔在后宫与皇帝心目中不可动摇的地位。四阿哥出生到满月的欢宴足足持续了一个月，连李朝也特地不远千里派来特使，向朝廷贡贺人参与特产，并且送来了嘉嫔素来爱吃的家乡小食，聊慰她思乡之情。

而与此同时，抚养着两位皇子的纯嫔亦被晋位为纯妃，一时间由默默无闻而至举足轻重，风头颇健。连皇帝亦在闲暇之余，除了逗留嘉嫔宫中之外，往纯妃的钟粹宫亦渐渐去得多了。皇帝为着端慧太子早逝，实在也不放心皇子公主在阿哥所抚养，加之纯妃与嘉嫔每每哭劝，舍不得母子分离，皇帝便也答应了。如此一来，从前热热闹闹的阿哥所也清净了下来，只是形同虚设罢了。阿哥所中除了最低等的洒扫宫人，其余的都分配去了各宫伺候。嫚婉便在此列，分到了纯妃宫中。纯妃又喜她眉目清俊，看着柔婉可人，便专门拨了她去伺候大阿哥茶水点心。

这一日纯妃与海兰在庭中闲坐，赏着冬日微微干枯的枝头用彩纸点缀的花朵，赞赏道："还是妹妹有心，在枝头点缀些彩纸的花朵，看着也没那么冷清清了。"

海兰凝睇一眼，道："纯妃姐姐有所不知，这个花本是要用彩绢裁剪了才最好看的。只是如今不能罢了。"

纯妃悄悄向外看了眼，点头道："这也太糜费了，若是让皇后娘娘知道，又是一顿训诫。"

海兰轻声笑了笑，扯着纯妃身上新做的一件玫瑰紫妆缎狐肷氅衣道："如今皇后娘娘之下便是慧贵妃和纯妃姐姐您了。您又有着两位皇子，地位不同寻常，穿得好些用得好些，旁人自然是奉承的，有谁敢说什么呢。"

纯妃笑着拍了她的手，顺势将手上一串玛瑙赤金九环镯推到了她手腕上，亲热道："若没有妹妹劝本宫为了三阿哥冒险一次，本宫哪里有今日与三阿哥共聚天伦的欢喜，又哪里有封妃的好日子呢。"

海兰悄声笑道："纯妃姐姐这也值得说，便是见外了。"

两人看着嫚婉陪着大阿哥和三阿哥与几个乳母在廊下嬉闹着玩耍。却见皇帝正好过来，笑着道："朕走到哪里，都是钟粹宫最热闹，远远便听见笑闹声了，朕听着就觉得高兴。"

纯妃与海兰忙屈膝道："皇上万福金安。"

皇帝虚扶了二人一把，笑道："海兰，你也在。"

海兰笑盈盈望着皇帝，目中秋波流转："皇上喜欢热闹，就不许臣妾也来羡慕一番热闹么？"

纯妃笑道："海贵人这是羡慕臣妾有个孩子了，说来海贵人若是也能生个皇子便好了。皇上说是不是？"

皇帝的笑意中含着几分欷歔："朕何尝不是这样想，孩子是越多越好。圣祖康熙爷子嗣繁盛，咱们皇室也能跟着兴旺起来。"

皇帝看着三阿哥跟着大阿哥玩得起劲，便道："只是热闹是好的。三阿哥如今也四岁了，是该好好认些字，别一味只是贪玩，连带大阿哥也不好好读书了。"

纯妃听皇帝这句话分明是有几分不愉之情了，正要替儿子分辩几句，却见嬿婉盈盈施了一礼，道："回皇上的话，大阿哥说，三阿哥刚回到纯妃娘娘身边，母子兄弟间难免疏离，所以下了学便陪着三阿哥玩耍，也增兄弟之情。而且三阿哥如今可乖巧呢，大阿哥在屋子里读书温课的时候，三阿哥都跟着身边听着，大阿哥还教三阿哥认字，真是兄友弟恭。"

皇帝喜道："真的？三阿哥已能认字了么？"

大阿哥牵着三阿哥的手晃了晃，指着钟粹宫正殿内的匾额道："三弟，那是什么字？"

三阿哥好奇地仰起头来，看了一会儿道："温和。大哥，是温和。"

纯妃原当三阿哥一字不识，一颗心提得紧紧的，正暗怨大阿哥竟挑了那么难的几个字给儿子认，却不想匾额上"淑慎温和"四字，儿子却能认识两个，也不觉大松了一口气。

"从前大字不识，如今能认两个，已经是不错了。"皇帝含笑，伸手抚一抚大阿哥的脑袋，"好孩子，不愧是朕的大阿哥，能教养幼弟，用心向学。"

大阿哥忙跪下道："皇阿玛明鉴，不是儿子用心，而是觉得三弟其实资质聪颖，只是以前阿哥所的嬷嬷乳母们太过宠爱才会认字识物太晚，所以想自己多教教三弟，以尽大哥的责任。"

纯妃十分欣慰，亦笑道："大阿哥纯孝友爱，实在是诸位阿哥的表率。"

大阿哥牵过皇帝的手道："不过皇阿玛，儿子近日读书有几处不明，可否请皇阿玛指教，教教儿子和三弟。"

皇帝大悦，带着两个儿子便往暖阁里去。他正要抬步，却见嬿婉一脸温柔恭顺，仿佛一朵欲绽未绽的小小迎春，娇嫩而羞怯，却带了一抹独占春光先机的小小得意。

皇帝不觉注目："你是伺候纯妃的？怎么从前没见过。"

嬿婉的声音清澈如山间泉水，娓娓动人："奴婢从前是在阿哥所伺候的，如今拨来了纯妃娘娘宫里。蒙娘娘不弃，让奴婢专责伺候大阿哥的茶水点心。"

皇帝见她言语得宜，便道："朕看你挺机敏聪慧，用心伺候着大阿哥吧。"说罢，便带着两个阿哥入内了。

纯妃见皇帝如此欢喜，不觉大松了一口气，道："阿弥陀佛，皇天保佑。皇上居然不嫌弃三阿哥了。"

海兰笑着宽慰道："否极泰来。妹妹就说么，只要三阿哥养在亲额娘身边，那一定会好的。果然有姐姐和大阿哥调教着，三阿哥便讨皇上喜欢了。"

纯妃抚着心口道："本宫也不承想大阿哥这般机敏，想着替三阿哥露这个脸。真是老天有眼了。"

海兰看了看守候在殿门外一身宫女装束却不失清艳容色的嬿婉，笑道："纯妃姐姐要赏大阿哥，更要好好赏大阿哥身边这个宫女了。若没有她，皇上今儿还没那么高兴呢。"

纯妃一迭声笑道："赏，自然要赏。可心，去把御膳房今日送来的糖蒸酥酪赏给这个宫女，叫……"

嬿婉乖觉道："回娘娘的话，奴婢名叫嬿婉。贱名能入娘娘的尊口召唤，是奴婢的荣幸。"

纯妃愈加眉开眼笑："可心，便把糖蒸酥酪都赏了嬿婉吧。"

海兰见机忙道："纯妃姐姐，趁着皇上高兴，您快进去吧，妹妹就先告退了。"

次日海兰往嘉嫔宫中看了四阿哥回来，正携了叶心过御花园，见新开的迎春星星点点闪着鹅黄的星光，掩映在葱茏绿枝之间，果然已经是春临世间了。海兰想着这一冬严寒，本该早些个请江与彬去冷宫给如懿医治风寒的，只是二阿哥早夭，四阿哥出生，宫中的事一桩连着一桩，几乎没有缓过来的余地。如今天气稍稍回暖，也该想办法召这个江与彬入延禧宫问一问，摸摸他的底细。

海兰正想得出神，却听得前头浮碧亭后有人语喁喁，其中一人之声十分熟悉，不觉站住了脚，示意叶心噤声。

一湾碧水如薄薄春绸无声蜿蜒过浮碧亭，潺湲而下。四下里花木日渐萌发出鹅黄翠绿，芳草青郁如茵。隔着丛丛佳木枝丫微叶的空隙，一抹明黄之色意外地撞入眼帘，皇帝只对着身前的青衣宫女道："朕记得昨日在纯妃宫中见过你，怎么今日你又在御花园中撞进朕的眼睛里。"

那宫女有些怯生生地，道："皇太后召唤大阿哥去慈宁宫，奴婢伺候完大阿哥送他去了尚书房，便往御花园走回钟粹宫，不是有心要打扰皇上的。"

皇帝笑着托了托她小巧圆润的下颌道："朕有说过你打扰朕了么？春色撞入眼帘为欢悦欣然之情，朕看你，亦是如此。"

那宫女旋即明白，忙从皇帝的手指底下闪开，含羞带怯，道："奴婢愚昧，不敢承受皇上如此夸奖。"

皇帝的微笑如拂面的春风，化开含苞的花蕾，催生一树树的花开艳灼："你叫什么名字？"

"奴婢名叫嬿婉。"

"嬿婉极好，念来口舌生香。是哪个嬿婉？"他忽然眼眸一亮，带了几分调笑的意味，"南朝沈约的《丽人赋》中说，'亭亭似月，嬿婉如春。凝情待价，思尚衣巾[1]'。可是从女旁的嬿婉？"

嬿婉眉目间带了薄薄的绯色，好像天边的云霞凝在她细巧的眉目间，依依不肯离去。她似乎有些畏惧，声音虽柔和，却有些克制的疏远，道："皇上念的诗真好听，可惜奴婢不懂得。"

皇帝的眼里是蓬勃的笑意，他道："你不必懂得，因为你便是那个嬿婉如春的丽人。你站在朕面前，便是全部的懂得与明白了。"

皇帝似想起什么，便问："嬿婉，你姓什么？"

嬿婉似提到不悦之事，却不得不答："奴婢出身汉军正黄旗包衣，母家姓魏。"

皇帝微微一笑，似是宽慰："魏这个姓普通，像是委曲求全的鬼心眼儿。但是汉军正黄旗包衣，出身也不算很低。"

有难过的阴翳蔽住了她澄澈而清郁的眼："虽然是汉军旗上三旗[2]出身，父

---

[1]　出自南朝梁朝沈约的《丽人赋》。沈约，南北朝时期，在宋、齐、梁三朝为官，乃一代文坛领袖。《丽人赋》之丽人乃南北朝艺伎的典型形象。

[2]　上三旗：清代由皇帝直接统辖的三个旗。满洲八旗有上三旗和下五旗之分。清军入关前，正黄旗、镶黄旗、正蓝旗由皇太极亲自统领，是皇帝的亲兵，身份高贵，条件待遇优厚，称为"上三旗"。入关后顺治皇帝凭借中央政权的政治经济力量，掌握正白旗，拨出正蓝旗，上三旗调整为正黄旗、镶黄旗、正白旗。下五旗调整为正红旗、镶红旗、正蓝旗、镶白旗、镶蓝旗。

嬿婉

亲死得早，又没有争气的兄弟，实在不算什么好门第。"

皇帝的手似乎无心从她手背上抚过："门第好不好，长辈留下的都不算，而是要看你自己能不能争气，争出一副好门第来。"

嬿婉眼中微微一亮，似乎明白。她眼中最初的回避与羞涩慢慢褪去，只剩下笑意盈盈，眉目濯濯，似是明月夜下的春柳依依，清妩动人。她娇怯怯道："奴婢不过一个弱女子，可以么？"

皇帝一笑："你要是个男子，那便难些。偏生你是个弱女子，那便简单了。"

嬿婉微微一怔，迷茫而清澈的眼波中似有无尽情思涌过，迷乱如浮絮。皇帝淡淡笑了笑："其中的意思，你慢慢思量。朕便等着有一日，'欢娱在今夕，嬿婉及良时[1]'。"

皇帝独自离去，唯余一袭青衣春衫的嬿婉，独自立在春风斜阳之中，凝思万千。

嬿婉走到冷宫前的甬道时，已觉得双腿酸软不堪，好像自己已经走了千里万里路，将这一生一世的力气都花在了来时的路上。凌云彻冷不丁见她到来，不觉喜不自禁，忙嘱咐了九宵几句，便赶上前来道："嬿婉，你怎么来了？"

嬿婉勉强一笑，便道："我正好没事，就过来看看你。"

云彻心中一暖，伸手握住她的手笑道："可是想我了？"

嬿婉缩回手，往他身后看了一眼，低声道："九宵大哥在呢。"

九宵看见二人都望着他，便伸手遮住眼睛，兜住耳朵，吐舌扮了个鬼脸，往远处去了。

云彻关切道："你现在在纯妃娘娘身边伺候大阿哥，是不是很忙？我看你好些日子不来见我了。"

嬿婉急忙道："忙……是很忙。"

云彻温柔的语调像轻轻流过手背的碧绿春水，带着酥酥的暖意："大阿哥正在顽皮的年纪，你得学着给自己偷些懒，别太辛苦了。"那声音一向是温柔惯

---

[1] 相传出自汉朝苏武的《留别妻》。全诗为：结发为夫妻，恩爱两不疑。欢娱在今夕，嬿婉及良时。征夫怀远路，起视夜何其？参辰皆已没，去去从此辞。行役在战场，相见未有期。握手一长叹，泪为生别滋。努力爱春华，莫忘欢乐时。生当复来归，死当长相思。

了的，她最受用，入耳也最安心。可是此时此刻，她听来却只觉得遥远而陌生，像浸浴在艳阳底下的人，一脚踩进了冷水里，那水色再如何映人心，也是让人着惊。她心底反反复复念着皇帝那一句："你要是个男子，那便难些。偏生你是个弱女子，那便简单了"。

那便简单了，那便简单了。这句话不能不让她动摇，汉军旗包衣出身，虽比下五旗高贵些，可还是个包衣。且阿玛犯事丢官，弃下他们一门孤苦。罪臣之后，这是一生一世的禁锢，会随着她的血脉一代一代传延下去，挣脱不得。她看着眼前的云彻，心下更是难过。云彻，他何尝不也是这样卑微的身份，所以入宫多年，也只能是个看守冷宫的侍卫，没有出头之日。她伸手替他掸了掸肩头沾染的蛛网尘灰，心疼道："只能在这里，没有别的办法么？"

云彻虽然无奈，却也宽慰她："慢慢来，总会有机会的。"

嬿婉的手轻轻一抖，停在了他肩上："你是男人，不怕等不到机会。而我到了二十五岁就要出宫，在这之前没有机会，便没有可能了。"

云彻有些糊涂："什么机会？你在纯妃宫里不好么？"

嬿婉低下头，不敢看他的眼睛。唯觉得鬓边一只紫云绢蝴蝶的绢花，颤颤地在风里颤动着，恨不能张开翅膀立时飞起来。这样振翅飞起的机会，真是稍纵即逝吧，或许今生今世，都没有第二次了。她狠狠心，再狠狠心，终于道："云彻哥哥，我们不要再见面了。"

云彻似乎被一个闷雷狠狠打在了头顶，嘴唇有些发颤："你说什么？是不是纯妃娘娘不许底下的宫女和侍卫来往？"

嬿婉不敢看他，只是迅速地退开两步，盯着自己的鞋尖道："云彻哥哥，我们不要再见面了。你是汉军旗包衣出身，我也是包衣出身，我们若是在一块儿，以后的孩子也不过是包衣，一辈子奴才的命，生生世世都脱不了。你就为自己的前程好好打算吧，别再理会我这个人了，就当不认识我便是了。"

她说完，便逃也似的走了。云彻愣在当地，几乎目瞪口呆，只觉得甬道里无穷无尽的穿堂风如呼啸的利剑，冰冷地贯穿了自己的身体，将血液的温热一分一分地，冷冷冻住。

嬿婉回到钟粹宫的时候，大阿哥已经下了学，正在四处找她，见了她进来便道："嬿婉，我一向爱吃金针木耳馅的豆腐皮包子，怎么今天点心不是你准备的

嬿婉

135

么？居然拿青菜蘑菇馅的应付我。"

嬿婉郁郁不乐，见大阿哥缠着，只得打起精神道："好阿哥，今日就将就吃了吧，明日奴婢一定给您准备好金针木耳馅的豆腐皮包子，好么？"

大阿哥缠着嬿婉进了书房。海兰陪着纯妃在暖阁的窗下冷眼看着。

海兰轻声道："这丫头这么晚才回来，不知上哪儿去动那些见不得人的心思了。"

纯妃含着压抑的怒气："妹妹方才说的可都是真的？"

海兰秀丽的双眸轻轻扬起，清澈而澄明，蕴着十足十的关切："纯妃姐姐觉得妹妹编得出这样的谎话么？妹妹想着，皇上如今常来姐姐这儿，怕是已经对那小丫头留上了心思，若再被那小丫头狐媚儿下子，宫中可又要添新人了。纯妃姐姐您好不容易才有了今天的地位和荣宠，难道要被这狐媚子分去么？"

纯妃咬了咬唇，苦恼道："可是皇上要喜欢她，本宫能有什么办法？再说皇后病着，嘉嫔才出月子不能伺候皇上，怡嫔也殁了，后宫里统共就只剩下了这么几个人，皇上要纳一个新人，咱们也没有办法呀。"

"就算皇上要纳新人，也不能出自姐姐宫里。纯妃姐姐您细想想，您已经有了两个皇子，若嬿婉得宠，旁人必定以为是姐姐举荐的。这本是无心事，落在有心人眼里便以为姐姐趁着皇后病重私下勾结，迷惑皇上，要捧高了三阿哥争宠。姐姐倒也罢了，那三阿哥不就成了众矢之的了么？"

纯妃大惊失色："那怎么行？本宫自己不要紧，但不能害了自己的儿子！"

海兰乌黑的眼眸微微一转，道："法子自然是有的，而且能彻底绝了皇上的心思。"

纯妃又惊又喜，笑纹里都是舒展的笑意："妹妹真有把握？"

海兰笑着弹了弹指甲，低声道："姐姐是第一天认识我么？"她附耳低语几句，纯妃喜上眉梢道："可心，去传嬿婉过来。"

嬿婉即刻便过来了。她低眉顺眼地请了个安，显得格外恭敬。纯妃本来觉得她清秀可人，眉眼间隐隐有几分亲切，可此时看着她，即便是一身青碧的素色宫装，亦觉得她妖妖调调的，大不成个样子，不觉皱起精心描摹的春柳眉。海兰不动声色地碰了碰她的手肘，取过一枚橙子，用并刀慢慢切着。

纯妃扬了扬绢子，缓缓道："嬿婉，你伺候大阿哥伺候得很好。本来本宫是想让你留着继续伺候大阿哥的，但今日钦天监过来替大阿哥算流年，本宫拿你的生辰八字和大阿哥的一合，发现不仅和大阿哥犯冲，和皇上也犯冲，这就不大好了。所以本宫思量来思量去，为了皇上和大阿哥，只好委屈你了。从今日起，你就去花房伺候花花草草吧。如此，也不会再有犯冲相克之事了。"

嬿婉本听纯妃夸奖，显是分外器重。想着日后若是在皇帝身边，想来纯妃也不会反对了，却不承想纯妃骤然说出这一篇话来，简直如五雷轰顶一般。那花房本在后宫最偏远之地，除了几个花匠便是宫人，事务繁重，想要出来亦不能了。没想到自己刚有转机的人生，竟然又如此被人摁到了底处，没有翻身的余地。

她听着纯妃口气虽然客气，但却决绝到底，求情必定是无用了。想来想去，只得磕头谢了恩道："奴婢谢纯妃娘娘恩典。只是大阿哥一时还离不开奴婢，能不能请娘娘稍稍通融，容奴婢和大阿哥交代几日再去。"

海兰慢悠悠道："既然命数相克，多留又有何益？赶紧去了，免得生出什么意外，那就不是去花房能了的了。"

嬿婉死死咬着嘴唇，忍住眼底泫然欲落的泪水和喉中的酸楚欲裂，磕了个头道："奴婢遵命，奴婢即刻就去。"

她缓缓站起身，看见海兰将切好的橙子递到纯妃手中，笑脸盈盈："姐姐尝尝。并刀如水破新橙，便是这种滋味了。"

嬿婉望着那被剖成八瓣的橙子，自己的腔子里几乎要沁出血来。她无望地想着，自己的人生，何尝不是如那只橙子，由着人肆意划破、剖开，半分由不得自己，也从来由不得自己。

嬿婉

137

第十七章
相慰

　　纯妃立时下了令遣她出去，嬿婉再委屈，也不敢在面上露出分毫来，只得赶紧收拾了东西去了。大阿哥见她要走，原也有些依恋，奈何嬿婉不过是个新来照顾他的宫女，虽然好，但身边总有更好的嬷嬷乳母在，他寄养在纯妃宫中，更不大敢出声，只得罢了。

　　海兰回到宫中，便也有些乏了，自在妆台前慢慢卸了首饰，换了青玉色暗纹梅花衬衣。那衬衣是云呢缎的料子，着身时光滑如少女的肌肤，且在烛光下，自有一种淡淡的烟罗华光，仿佛薄薄的云彩雾蒙蒙地贴上身来。她却格外喜欢袖口上玉白色缠绕了深青的梅花纹样，小小的一朵并小朵，是临水照花的情态，都用极细极细的金线勾勒了轮廓，有一种含蓄而隐约的华贵繁复之美，恰如她此刻的心思，丝丝缕缕地密密缝着，不漏一丝缝隙。

　　海兰托着腮，凝神望着镜中的自己，骤然也觉得心惊。从前温顺无争的一张面孔，如今也精心描摹起了脂粉，画的是皇帝最喜欢的杨柳细眉，只因他爱着江南的柳色新新，朝暮思念。腮上的胭脂施得极轻薄，先敷上白色的珍珠茉莉粉，再蘸上蔷薇花的胭脂，只为玫瑰色泽太艳，月季又单薄，只有月光下带露的红蔷薇拧了汁子才有这般淡朱的好颜色。胭脂之上还需再压一层薄薄的水粉霜，须得是粉红色的珍珠研磨成粉，才有这样的天然好气色。这胭脂也有个名字，是叫"嫩吴香"，是觅了唐朝的古方子做的，敷在脸上，浑然天成，仿佛吴地女子的轻婉娇媚，未见其人，先闻其香。

这样精致的描摹，自然得到皇帝的圣心常顾，亦是因为她从前实在不太打扮，一旦用起心来，才有这样的惊艳。可是从前的自己，却是铅华不御得天真的。

真的，才是多久的光景呢。如今不说旁人，连自己看着也是另一个人，另一副心肠了。

正凝神间，却从铜镜里瞧见叶心捧了热水进来，要伺候她盥洗。她有些心思恍惚，叶心便道："小主今日心想事成，还有什么不高兴么？"

海兰摘下护甲将双手泡在热水里，道："我有什么可心想事成的。"

叶心小心翼翼地替她按摩着手指："小主不喜欢嬿婉在皇上面前那股子水蛇身段妖媚劲儿，借着纯妃娘娘的手三下五除二便把她料理得一干二净了，小主也可以安枕了。"

海兰秀丽的眉峰微微皱起："怎么？连你也觉得嬿婉不容轻视么？"

叶心仰起脸笑道："奴婢就不信小主看不出来，除了那股子妖妖调调的娇媚劲儿不像，嬿婉那丫头的脸容，长得倒与冷宫里的如懿小主有两三分相似呢。"

海兰本拿着雪白的热毛巾擦手，听得这一句，将手里的毛巾"啪"地往水里一撂，溅起半尺高的水花来，扑了叶心一脸，她怒声道："作死的丫头，嘴里越发没轻重了。如懿姐姐虽然在冷宫里，可她是什么身份，岂是你能拿着一个低贱宫女浑比的？下回再让我听见你说这样的话，仔细我立刻打发了你出延禧宫，再不许进来伺候！"

叶心伺候了海兰多年，忠心耿耿，深得海兰信任。海兰又是个极好性子的人，何曾见过她这样气恼的面孔。当下叶心也慌了神，狠狠打了自己两个嘴巴，肿着脸道："小主别生气，为奴婢气坏了身子不值。都怪奴婢说话没轻重，以后再不敢了。"

海兰这才消了气道："你永远要记得，不管如懿小主身在何处，从前待我最好的人是她，如今和以后待她最好的人就是我。你若要分出彼此来，就是你自己犯浑作死了！"

叶心吓得大气也不敢出，忙伺候着海兰铺床叠被一应齐整了，又点上了安息香道："小主，时候不早，早些安置吧。"

海兰拿着犀角梳子慢慢地梳着头发，冷不丁问道："叶心，你说皇上突然看上了嬿婉，会不会也是觉得嬿婉和姐姐有几分相像？"

叶心吃了方才那一惊，哪里还敢开口，只得诺诺应着，嘴里一味含糊着。海兰知道她是吓怕了，便也叹了口气道："今儿是我的气性大了些，宫里那么多人和事，哪里有不添烦的。你伺候我这么多年，不要往心里去就是了。"

叶心吓了一跳，脸上虽热，心里头也热了起来，感激道："小主别这样说，奴婢知道小主自从得宠之后，事情也多了，心里难免难受。"

海兰怅然道："或许你说得对。我就是不喜欢皇上跟前有一个和姐姐长得相似的人。因为这样，皇上很可能时时惦记着姐姐，也会彻底忘了姐姐。"

叶心答应了"是"，再不敢多嘴。

海兰坐到床上，看着叶心放下了帐帷，便道："明日皇上要过来用午膳，你早些叫我起来，我好亲自预备些拿手小菜。等午后皇上走了，你记得去太医院找一个叫江与彬的人，带他来见我。"

叶心答应着将帐帷平整垂好，又将地上海兰的绣花米珠软底鞋放得工工整整，方退到自己守夜的地方，躺下睡了。

这一夜睡得并不大安稳，海兰心里装了重重心事，只是辗转反侧。如懿亦犯了风湿，躺在床上浑身酸痛，四肢百骸如同被人强行灌入铅酸一般，被一点一点地腐蚀着。惢心虽然自幼操持身体强健，却也没好到哪里去，只坐在床边，借着一灯如豆的残光，用纱布裹了生姜挤出汁液，一点一点替如懿擦拭关节。

如懿忙扶住她道："别蹲在那里了，等下仔细腿脚疼，又站不起来。"

惢心咬着牙关一笑："奴婢熬得住。"

如懿看她的神情，似是隐忍，似是期盼，总有无限情思在眼底流转。她轻声问："那个江与彬，你与他很熟么？"

惢心微微一怔，脸上带出些许温柔之色，一双眼睛如同被点亮了的烛火："奴婢与他自幼相识，后来家乡饥荒，各自跑散了，奴婢入了王府，他凭着一点家传的医术入宫做了太医。奴婢其实与他在宫中遇见也是近几年的事情，只是想着，若是同乡也帮不上忙，那就没人肯来帮忙了。"

如懿道："他的医术很好么？"

蕊心微微一笑，继而叹息："好有什么用？他在太医院中没有关系，没有家世，一向不受人重视，只是个最末流的小太医罢了，只能给宫女侍卫看看病。不过也好，若他都不能来，那就真的谁也不能来了。"

如懿站起身，又拿姜汁替她擦拭手腕和手肘关节，柔声道："来是他的心意，不来也无需怪他。富贵之中难见真心，你若落得这种地步他还真心待你，此人才值得继续相交。否则，不见也罢。"

蕊心道："小主，奴婢自己来涂吧。您往外起身走一走，涂过姜汁的地方会继续发热才暖得过来。"

如懿走到院中，只见月光不甚分明，雾蒙蒙的似落着一层纱。她蓦然听见一声叹气，那声音便是外头来的，分明是个男人的声音。

如懿听得耳熟，不自觉便隔着疏疏的门缝往外望去，却见凌云彻满脸胡楂，意态萧索，举着把酒壶往嘴里一个劲儿地倒酒。她看了不免暗自摇头。进了冷宫这么久，这个男人也算是朝夕都见得到的难得的正常人了。虽然贪财些，倒也有一颗上进之心。宫里的人，谁不想往上爬呢，倒不和那些与他一起的侍卫一般终日糊涂度日，只是如今，怎么倒也颓丧起来了。

她素性不是个遮遮掩掩的人，索性便道："人总有不遂心的时候，你却只拿自己的身子玩笑，以后再想要遂心，身子也跟不上了。"

凌云彻本自心烦，所以连一向要好的赵九宵都打发了不在身边，自顾自地喝着闷酒。此时听她这么说了一句，心下愈加不乐，嘴上也不耐烦道："你是什么人什么身份，自己也不过是晾在泥潭里起不来，还有心思理会别人。"

如懿受了这将近一年的搓磨，心下自宽，也不把这些话放在心上，只在月色下将白日里晾着的衣服又抖了抖平整，道："虽然身在泥潭里，可总不愿沉沦到底。我要是将心口上的一口气松了，便永远沉沦苦海，无法脱身了。"

"难不成你心里还想走得出这鬼地方？"云彻冷冷笑着，"别痴心妄想了。这个地方你走不出去，我也走不出去的。"

如懿抬头望着月色，淡淡笑了笑："走不出去又如何？好歹也得活出个人样

相慰

141

来。我若稍一松懈，一口气撑不下去，和这里那些疯疯癫癫整日在地上墙角打滚的女人还有什么不同。索性一脖子吊死在那里，尸体也没得善终。"她蹲下身，看着茂盛欲滴的青苔底下四处爬动的蚂蚁："你见过蝼蚁么？蝼蚁尚且偷生，而且希望偷生得不要那么艰难，所以无论怎样，我都要忍耐下去。"

"忍耐就够了？"他仰天倒着酒喝，冷然道，"还不如痛快一醉，万事皆忘。"

如懿摇头道："看你这么个喝酒的样子，大约不是为了前程，就是为了女人。偏偏这两样东西，都不是醒来就可以忘记的。反而你越是借酒浇愁，越是没有半分起色。"

"前程？我这种汉军旗下五旗包衣的出身，家里又贫寒，能有什么前程？"他大口大口地吞咽着烈酒，瞪着布满血丝的眼睛，"所以没有人看得起我，所有人都要离开我。"

如懿冷笑连连："你是汉军旗下五旗的包衣又怎么了？我还是出身满军旗上三旗的大姓乌拉那拉氏，一朝潦倒蒙冤，被人困在这里，终身见不得天日，难道我不比你凄惨可怜么？只是做人自己可怜自己就罢了，要说出这等可怜的话来让人可怜，真真是半分心胸都没有了！"

云彻陡然被人奚落了这几句，又借着酒意冲头，便不管不顾起来："我能有什么法子？生定了的身世，还有能力往上爬么？你被人冤枉困在冷宫是你没本事。而我呢，一点本事都使不上，便彻底没了希望。连我喜爱的女子也离我而去，嫌我给不了她翻身的机会！我还能怎么样？"

月光朦胧，是个照不亮万千人家的毛月亮。那么昏黄一轮，连心底的心事亦模糊了起来。门外的凌云彻固然是没有指望的，可是她能有什么指望？只不过是含着冤屈，受着悲怨，拼死忍着一口气，不愿彻底沉沦至死而已。是，她是个小女子，都尚且能如此，如何一个七尺男儿，偏偏这般自怨自艾。

如懿忍不住道："能与你共患难的女子，不得已走了才值得你痛哭大醉！若是只能同富贵不能共患难，还要嫌弃你的出身前程，这种女子，若是早早离开，换我便要买酒大醉一场额手称幸，以示庆贺。你如今既是喝了酒，要放声大笑庆贺也来得及！"

云彻的酒意兜头兜脑地冲了上来，一股悲怆之意自胸中直冲而上，几乎把胸腔都要迸碎了，他森森冷笑道："这样子冷心绝情的话，也只有你们女人说得出来。我见过你，你的那张脸，和她竟有几分相像，难怪说出来的话都是这样冷冰冰的没有半分情意！"

如懿听他言语间似是受了那女子极大的委屈，本就是瞧不上那样薄情寡义的女子。眼下听那醉汉竟拿这样的女子与自己浑比，虽然她如今沦落成冷宫里一个被废的庶人，却也容不得被人这样比了下贱去。如懿本是出来活络活络涂了姜汁的筋骨，想要发热暖暖关节，现下却被气得浑身发热，便也懒得说话，径自回了屋里。

如懿甫一进屋，就见惢心就着微弱的烛光在打着络子。惢心的手巧，丝线落在她手里便在十指间飞舞不定，让人眼花缭乱，不一会儿工夫，便能编出一条好看的花样子汗巾子，有松花结的、福字结的、如意结的、梅花结的，最巧的是戏文里的崔莺莺拜月烧香，她都能活灵活现地打出来，形形色色，颜色也配得好看。最精细的功夫，是在手帕绢子上打出各色花样来，经了她的手，绢子也不是普通的绢子了，配着珍珠穿了络子，或是细巧别致的穿八宝缨络，光是拿在手里，便是一方风景。

彼时尚在闺中，暖阁下的朱漆镂花长窗半开着，凉风吹起低垂的湘妃竹帘，隐约传来数声蝉鸣，愈噪复静。有微热的晚风带着迷蒙的栀子花香缓缓散进，那本是最沉静清新的花香，被空气的热气一蒸，也有些醺然欲醉。那是盛夏最末的光景，一阵风过，殿外的蔷薇花四散零落如雨，片片飞红远远地舞过，光影迷离如烟。那时无忧无虑的如懿，便斜签在杨妃榻上，看着窗下的惢心，手指飞舞着打出一只大蝴蝶来。

那样清闲的时光，闺阁的游戏，如今倒成了谋生的技艺了。如懿想着便有些心酸，缓声道："夜深了，别低头做那些活计，仔细伤了眼睛。"

惢心淡淡一笑，撑着道："海贵人虽然得宠，也不过是个贵人的份例，皇上赏的那些东西变不了钱，小主的首饰也不能拿去变卖让人落了口实，可是咱们身边的银子，却是越来越少了。"

惢心说的也是实情，初入冷宫的艰难不过是身体发肤受苦，自己虽然是个养尊处优的世家出身，但统共只有她和惢心两个人在这里，身边又是些疯疯癫癫的居多，许多粗活譬如洗衣倒水，一一都得自己学着做起来。只是许多事能忍，譬如送来的饭菜，冬天的时候冷冰冰的没一丝热气还能忍，虽然是放了几天的隔夜饭菜了，倒好歹还不坏。但天一热起来，外头不管不顾送来的馊饭馊菜，夏天的时候远远就能闻到一股酸腐味道，惹得苍蝇嗡嗡乱飞。但冷宫里的人要活着，也要有活着的本事。单看吉太嫔好端端地活了下来，她便知道必定有饿不死的法子。

果然，冷宫外守着的几个侍卫都不是吃素的，打了络子绣了手帕交出去，总能由他们换点银钱回来，虽然总被他们昧下大半，但有他们通融着送饭菜的小太监，送来的饭菜总算是不馊不坏了，冬天的时候最低等的棉絮也总能换回来些。于是，大半的时光，她和蕊心都费在了让自己活下去的这些活计上。

次日起来的时候天色便阴阴的不大好，如懿和蕊心的风湿便有些犯得厉害，正挣扎着要起来处置一天的活计，却听外面大门"吱呀"一声，扑落了好多灰尘，竟是冷宫的角门被开启的声音。如懿来了这么多时日，从未听见过门锁开启，即便海兰贵为宠妃，也只能和她隔着门扇说说话。如今突然开了门，竟不知道是什么事情。

她听着那角门开启的声音，虽然不大，心里却有了一丝热络一丝畏惧。

谁知道进来的，是什么呢？

如懿坐着还未挪动身子，蕊心便先起身去看了。谁知道她才出门外，便是一声又惊又喜的低呼，很快又被压抑住了，立在门边满脸是泪地回过头，那泪雨蒙蒙之中却带了无比欢欣之色："小主，是他来了。"

昏暗的屋中，借着门口的光线，如懿微眯了双眼，才看到一个太医模样的青年男子提着小药箱进来。蕊心又惊又喜地捂着嘴低声啜泣，一句话也说不出来。如懿立刻明白过来，撑着桌子站起身来，缓缓道："江与彬？"

来人从容不迫，丝毫不以进入这种腌臜地方为辱，彬彬有礼道："微臣来迟，小主受苦了。"他说完，侧身看着蕊心，那一双幽黑眸子，在幽闭的室内看来，亦有暗转的光泽，他轻声道："蕊心，你受苦了。"

这一句话，与方才问候如懿的语气是迥然不同了，那种关切与熟稔，仿佛是与生俱来，更是发自心底的温意。

这样淡淡一句，蕊心已经红了眼眶："没想到你还能来。"

江与彬向如懿请了一安，从药箱里取出请脉的枕包，道："能来已经不容易了。还是海贵人上下通融了多少关系，才能这样过来。"

如懿道："其中费了不少关节吧？"

江与彬一笑："自小主和恣心入了这里，微臣一直想来，可是人微言轻，无计可施。海贵人也因宫中连着出了几件大事，无法立刻来找。如今还好海贵人想了些法子，让微臣在太医院犯了事，被罚来冷宫给废妃太嫔们诊治，希望她们疯得不要太厉害。"

恣心倒了碗白水来给他："这里没有好东西，你将就着喝吧。"

江与彬笑道："来了这里，还当是什么锦衣玉食的地方么？你们别太受苦了就好。"他凝神诊了一会儿脉，便道："小主的身子没有大碍，只是忧思过甚，颇为操劳，肾水有些虚枯。再者风湿是新得的，虽然发得厉害，但根基还不深，慢慢调理是治得过来的。"说罢他又替恣心搭脉："你的风湿比小主还轻些，大约是素来身体强健的缘故。但切记万万不能逞强，不能在犯风湿时仍强撑着劳作，否则这病便入了骨髓，再难好了。"

说罢，他提笔写了方子念道："川乌、草乌、独活、细辛、桂枝、伸筋草、透骨草、海桐皮各三钱水煎。"又细心叮嘱："光服药见效太慢，还得拿桑枝、柳枝、榆枝、桃枝剥了皮，再加追地风、千年健熬水日日熏洗患处，才会好得快。另外，微臣每次来都会给小主和恣心针灸。"

如懿心中感动，谢道："江太医有心了。"

江与彬满脸愧疚："有心还来得这样迟，是与彬的错。药开好了微臣会从太医院领来，只是熬药的事得辛苦恣心了。"

如懿感叹道："有药就很好了。"

江与彬想着恣心笑意温煦："我虽然来得迟，却总算来了。以后我在，多少能方便些。至于你们的生活起居，"他从药箱中摸出一包银子："海贵人与我的心意，都在这儿了。"

相慰

145

第十八章

蛇祸

到了三月里的时候，天气渐渐和暖。好似一夜里春风化雨，饱满了柳色青青，桃红灼灼，饱蘸了雨露润泽，洇开了花重宫苑的春天。

时气见好，皇后的病也逐渐有了起色，虽还不能下地，却至少能支撑着坐起身来了。慧贵妃为了宽皇后的心，日日都把三公主带在皇后跟前逗乐尽孝。皇后虽然失了爱子，想着年纪还轻，终究还有一个女儿。皇帝又时时宽慰着，命太医好生调养，指望着再生下一个嫡子来才好。

有了这一分心怀在胸，皇后少不得挣扎起精神来好自调养着。待得精神渐渐好了，有一日慧贵妃便把伺候的人都打发出去，将藏了数月的烧得只剩半片的人偶取了出来，将事情始末一一说个清楚，又有三公主这个皇后亲生女儿的旁证，由不得皇后不信。

皇后人还在病床上，不过穿着一身家常的湖水蓝绣莲紫纹暗银线的绡缎宫装，头上的宝华髻上缀了几点暗纹珠花，脸色苍白中却带了铁青，颤抖着嘴唇道："你说的都是真的？"

慧贵妃当即跪下，赌咒发誓道："事情就出在娘娘的端慧太子崩逝后的几天，又是在冷宫附近看到的这个东西。若说不是诅咒，臣妾断断不信！"

皇后不自觉地坐直了身子，如临大敌："你是疑心她？"

慧贵妃道："冷宫那儿哪里有人去？这个东西只有被风从冷宫里吹出来才是有的。她能那么好心祭拜端慧太子，必定是听到了丧钟哭声，知道了端慧太子早逝，那毒妇不知怎么高兴呢，连太子走了都不肯放过，上了路还要诅咒他。"她神色一凛，姣好的面容间更添了几分戾气："臣妾想着，这种诅咒怕不是那一日才有的。只怕咱们不知道的时候，就已经偷偷诅咒上了。怪不得从她进了冷宫之后，端慧太子的病就忽好忽坏的，总没个全好的时候，怕就是那疯婆子搞的鬼。"

皇后新丧爱子，听见这些话，简直如椎心泣血一般，如何能听得有人这般诅咒爱子。她细想起来，虽然如懿进冷宫前她的儿子便不大好，可的确是如懿进了冷宫之后，孩子的病情就一直反复，以致突然暴毙，让她这个做母亲的，几乎断了一生的指望，如今想起来，有了这个缘故在里头，几乎是恨得眼睛里要沁出血来，一双手死死攥着锦被，手背上青筋暴起，如同要吞了人一般。

慧贵妃几乎是皇后入府之后即刻随侍在身边的，多年相对下来，何曾见过皇后的神色如此骇人，心下也不觉害怕，忙唤道："娘娘，皇后娘娘，您可千万别气坏了凤体。"

皇后冷了半晌，才缓过一口气来，慢条斯理道："本宫哪里是气坏了身体。妹妹分明是送了一贴好药来，催着本宫要逼着自己好起来，再不能像个活死人似的躺在这里，让本宫的孩子白白去了。"

慧贵妃听她虽说得慢，但一字一字狠狠咬着磨出声来，知道皇后心里着实是恨透了，便道："那皇后娘娘的意思是……"

"如今她在冷宫里，咱们在外头。凡事不要着急，稳稳当当地来就是了。"皇后摆了摆手，慢悠悠弹了弹指甲，道，"那些饮食照样还送进去给她吃的吧？"

慧贵妃道："她哪里吃得下馊腐的东西，稍稍花点银子通融也是有的。然后咱们顺理成章，把那些东西送进去给她吃。娘娘放心，一点都看不出来的。"

素心捧了碗药进来，皇后点点头道："搁着吧。"

素心搁下便告退了，慧贵妃虽然对着嫔妃们嚣张肆意，皇后跟前却是无微不

蛇祸

147

至，便亲手端了汤药伺候皇后吃了，又拿了酸梅子给皇后解苦味。

皇后感叹道："如今真正在本宫面前尽心的，也只有你了。对了，你的身子每常不好，记得多吃温热进补的东西，别耽误了。"

慧贵妃一力谢过，却听外头道："慎常在来给皇后娘娘请安。"

慧贵妃听得慎常在的名字，便有些不屑之意，坐正了身子略略理了理领扣上的翠玉兰花佩上垂下的碎玉流苏。

皇后看慧贵妃神气不大好，便道："怎么？很看不上她了？"

慧贵妃只当着皇后一个人的面，便没好气道："狐媚子下贱，娘娘病了这些日子竟不知道。皇上一个月里头有十来天召幸她的，今儿赏这个，明儿又赏那个，连先头得宠的海贵人和玫嫔都赶不上她的风头呢。"

皇后似笑非笑倚在攒心团枝花软枕上："那么你呢？皇上可还眷顾你么？"

慧贵妃脸上微微一红："不过一个月里留在臣妾那儿五六次吧。"

皇后淡淡"哦"了一声道："那也不算少了。你是宫里的老人儿了，位分又高，只在本宫之下，不必去和那起子位分低的嫔妃计较，没得失了身份。你要记着，她们争的是一时的恩宠，你却要争一辈子的念想。目光且放远些吧。"

慧贵妃得了皇后这一番教训，一时也不敢声张了。听着皇后传唤了慎常在进来，只见锦帘掀起处，一个衣着华丽的丽人盈盈进来，身上一袭洋莲红绣兰桂齐芳五色缎袍，头上是银叶玛瑙花钿，累丝凤的珍珠红宝流苏颤颤垂到耳边，莲步轻移间，便如一团华彩渐渐迫近。

慧贵妃到底按捺不住，轻轻哼了一声，拿绢子按了按鼻翼上的粉，以此抵挡那丽人身上传来的迫人薰香。

慎常在恭恭敬敬地请了个大安，口中道："皇后娘娘万福金安。臣妾听说娘娘身上大好了，特意过来看望娘娘。"说着又向慧贵妃请安不迭。

皇后含笑吩咐了"起身"，又嘱咐"赐座"。阿箬方才敢坐了。

慧贵妃慢慢转着手上的鸽血红宝石戒指，笑了笑道："慎妹妹的气色真好，看着白里透红的，跟外头廊下的桃花似的，粉面含春哪。看妹妹这满面春风的样子，想来昨儿皇上是歇在你那里了。"

慎常在听她语气含酸，便讪讪地笑笑："姐姐说笑了。"

"说笑？"慧贵妃轻嗤一声，"妹妹日常见着皇上，恩情长远，自然是把这恩宠当说笑了。不比咱们，三四日才见皇上一次，高兴都来不及，哪里还敢说笑呢。"

慎常在脸上红一阵白一阵，只垂了脸不去接她的话。

慧贵妃看在眼里，益发以为她是一味地得宠所以不把自己放在眼中，心中更是怏然不乐。慧贵妃的父亲高斌自皇帝登基以来就是前朝最得力的臣子，与三朝老臣张廷玉一起辅佐，如同皇帝的左膀右臂。她在后宫又得宠，哪里受得了这样的气，便打量着慎常在道："慎常在今日打扮得好颜色好艳丽，不知道的还以为常在不是来看望皇后娘娘病情，安慰娘娘丧子之痛的，倒像是来看热闹凑笑话的。"

慎常在猛地一凛，忙赔着小心道："皇后娘娘凤体见好，臣妾这么打扮也是来应一应娘娘的好气色。另外一桩……"她转脸对着慧贵妃嫣然一笑："皇后娘娘盛年体健，又深得皇上眷顾，要再得十位八位皇子也是极容易的事。贵妃娘娘说是么？"

慧贵妃被她这么一说，方知她口齿厉害，果然有皇帝喜欢的地方。当下当着皇后的面也不好再说什么。

皇后和颜悦色地笑道："你的心意本宫都知道。你做了那么多的事，本宫和贵妃难道还不知道你的心意么？贵妃不过是和你说笑话罢了，也是把你当个亲近人而已。来，你坐近些，好多话贵妃都要和你说呢。"

慧贵妃唇边凝了一点笑涡："可不是，妹妹如今是皇上心尖子上的人，听说不日还要抬了贵人呢。咱们不指望着妹妹，还能指望谁呢？"

出了长春宫，阿箬扶着宫女新燕的手走得又快又急，一阵风儿似的。新燕知道她是着了恼，越发不敢言语，只得小声劝道："小主走慢点，走慢点，仔细脚下。"

阿箬走得飞快，骤然停下脚步，鬓边垂落的珍珠红宝串儿沙沙地打着面颊，好像是谁在扇着她的耳光似的。她顺手狠狠一揪，将发髻上累丝凤步摇一把扯了下来掼在新燕手中，恨恨道："什么劳什子，也来欺负我！"

新燕吓得脸都白了，捧着那累丝凤步摇道："小主，这可是皇上赏的，您瞧满宫里的小主，嫔位以下哪里能戴红宝呢？都是皇上疼您的心意啊。"

阿箬走得额上微微冒汗，站在红墙底下气咻咻地挥着绢子："皇上赏我的？皇上赏我的多了去了！"

新燕忙赔着笑道："可不是。皇上哪一天不赏赐咱们这里，饶是嘉嫔生了皇子，皇上像得了个凤凰似的，也不过这样赏赐罢了，奴婢瞧着许多东西还不如咱们的呢，嘉嫔不知道多眼红。皇上到底还是宠爱小主您的呀！"

阿箬拨着手腕上一串明珠绞丝钏出神，慢慢道："你也觉得皇上是宠爱我的么？"

新燕喜滋滋道："可不是，满宫里不是都在说，小主虽然位分低些，但论宠爱，谁都比不上您呢。"

阿箬怔了怔，忽然虎起脸，反手就是一个耳光："皇上对我宠不宠爱，也是你能议论的么？小心我拔了你的舌头。"

新燕不知她为何发怒，吓得眼泪直在眼眶里打转，一声也不敢哭，只捂着脸低低说："小主，出来有些时候了，咱们还是回去吧，要不然嘉嫔娘娘又有的排揎了。"

阿箬轻哼一声，不以为然道："排揎？我若有些好故事告诉她，她更有的排揎呢。"

海兰伏在角门边，一身暗色弹花织锦斗篷将她的身形掩饰得不露痕迹。她悄声道："江太医来了之后，姐姐的风湿好些了么？"

如懿抚着膝盖道："好多了。"

海兰低低道："姐姐好多了，皇后的病也日渐有起色。说来奇怪，病的时候就病得那么厉害，说好了也好得那么快，昨日居然可以下床了。"

"她是心病。有心让自己好起来，总是能好的。"

海兰轻轻"嗯"了一声："眼下后宫里人不多，皇太后本来打算选秀，可端慧太子刚过世，皇上也无心操办。今日听说皇太后选了几家公卿的格格养在身边，表面上说是鞠养闺秀，伴她老来之乐，想来都是将来为皇上充实后宫准备的。"

如懿轻轻一嗤："如今皇后不大好，后宫的一大摊子事情都交给了太后，太后自然要尽心尽力的。都选了些什么人？"

海兰掰着指头道："总有三四个，其中最出挑的便是太常寺少卿陆士隆的女儿陆氏，侍郎永绶的女儿叶赫那拉氏。听说太后喜欢得紧，一直带在自己身边亲自调教呢。"

如懿关切道："别总想着别人。如今你如何了呢？"

海兰默默道："我还能如何？老样子罢了，只能牵住皇上的心不走而已。"

如懿蹙眉道："便这样艰难么？"

海兰犹豫片刻，还是道："皇上很喜欢阿箬，听说过了端午就要封贵人了。若是有个一男半女，成个主位也不是什么难事。"

如懿一想起阿箬当年红口白牙冤枉自己的事，便觉得刺心无比，恨声道："她便这样得意么？"

海兰道："得意自然是得意的。皇上这么宠爱，又是赏赐又是召幸，她阿玛也在外头得意，每年到了治水的时候，总用得上他。可她犹是不足，成日家在宫里打鸡骂狗的，也不知哪里不好了。细想起来，她这样的人总是贪心不足的。"

如懿想了想，忍耐着道："如今也急不来。你且护着自己要紧，不用替我多筹谋。"

海兰正要说什么，却见凌云彻踢踢踏踏地走过来，不耐烦道："时辰差不多了，海贵人赶紧走吧。总在这儿磨蹭，耽误了您的大好时光。"

海兰得宠多日，见惯了旁人的奉承，冷宫这儿虽不能进去，但来往亦是自如，何曾听过这样的话，当下就冷下脸来。还是如懿在里头拍了拍门暗示她不要理会，海兰念着往后总有再来的时候，总要靠着凌云彻通融才行，少不得忍着气走了。

如懿见凌云彻这般口气，倒也不恼，只淡淡道："这么些日子了，还放不下旧事睁开眼睛看看前路么？"

言毕，她便转身进了自己屋子。云彻颓然坐倒在冷宫的角门边，睁眼看着墨黑的天色，眼前浮起嬿婉清丽柔婉的面庞，心中不觉狠狠一搐，像被一把生满了铁锈的钝刀狠狠划过又来回切割着似的。他下意识地去摸怀里的鹿皮酒囊，那里头是他最爱喝的掺了雄黄的白酒，气味又甘又烈，别有一股冲鼻的气息。他拧开盖子正要喝，骤然想起里头的如懿从前说过的话，想想也是无趣，便睁着眼睛打算独自守完前半夜，然后和九宵换了去睡觉。

他模糊地想着，不觉有睡意慢慢袭来。左右冷宫这里没有旁人过来，打个盹儿也是寻常的。他便索性闭上眼睛，由着自己睡去。

凌云彻被惊醒是在夜深时分，他估摸着自己才睡了一两个时辰，脑袋里还昏昏沉沉的，却听得离角门最近的屋子里传来一声又一声压抑而畏惧的低呼声。在冷宫待了这么久，他认得出那声音，是如懿和惢心俩主仆的。他也意识到，这样惊恐的低呼，一定是出了很大的危险。

他迷糊的脑袋骤然醒转过来，几乎是本能地从腰带上解下钥匙开了角门直冲进去。

眼前所见几乎让他目瞪口呆。倾尽他一生的阅历，他也没有看过同时几十条蛇在地下悠游地扭动着躯体，慢慢地往床铺的所在靠近。且不说那腻滑阴森的躯体，嗞嗞冒出的阴恻恻的声音，光那种腥气，就已让床上两个仅着单衣的女子吓得面目无色，魂飞天外了。

惢心见了他进来，如见了天降神兵一般，几乎是喜极而泣："凌大哥！快来救我们。"

云彻被这一句"凌大哥"唤得回过神来，几乎是本能在驱使着他背过身转身逃命而去。不错，多年的乡间生活教会他的，便是分辨有毒和无毒的蛇。而这些蛇，分明都是有毒的。趁着现在那些蛇压根儿没注意到他，他如何能不拔腿就跑。

恐惧和惜命的情绪几乎是一下子攫住了他的心口，他转身的一瞬间，忽然听到一声低低的呼喝："凌云彻！"

他转过脸，看到缩在床铺一角的如懿，分明已经是满脸的惧色了，却还强撑着护在惢心身前，硬撑着一脸的镇定，拿被子死死捂住自己。

两个弱女子，两床薄被，如何能抵挡群蛇的来袭。任意一条蛇只要轻轻咬啮一口，除了死，便再没有别的活路。

可是他，不能硬生生拒绝这样的神情，来自一个女子的神情。他狠一狠心，从怀中掏出鹿皮酒囊，朝着群蛇环伺处用力泼去。那酒中含了些许雄黄，本是蛇最忌讳害怕的。果然所泼之处，那些蛇都纷纷退避，行动也迟缓了好多，连口中的嗞嗞声也弱了下去。他趁着此时找到落脚之地，拔下腰刀趁着一股勇气胡乱挥去。

床铺上的二人吓得面无人色，只看他左挥一刀右挥一刀，刀锋所及之处，那些蛇都断成两截，心下稍稍安稳起来。谁知凌云彻挥得大意了，一条蛇只被削去尾巴，大半个身体借着刀子的力量飞了过来。如懿挡在蕊心跟前，一时不防，却见那蛇冰凉的身体落在了自己手腕上。如懿恶心得浑身都发毛了，才要伸手挥开，却觉得手背上忽然一凉，像是有什么细小而坚硬的东西冰冰凉而尖锐地嵌了进去，还未觉得痛便一阵阵麻上来。

如懿只觉得头晕目眩，胸口一阵阵地憋闷上来，身子一软便歪在了蕊心怀里，蕊心惊呼道："小主，小主你怎么了？"便慌慌张张地抬起如懿的手："小主你的手背怎么都黑了？"

那边厢凌云彻才手忙脚乱处置了蛇，眼看都死透了，却听得蕊心没命价慌起来，忙转头去看。他一人应付那些毒蛇，本就出了一身的虚汗，此刻看到如懿面如金纸，心下一慌，那一层本已凉透的虚汗又逼了上来。

如懿虽然身上逐渐失了力气，但脑子里还清楚，便低下头就着伤口一吸。她本是毒性发作虚透了的人，这一吸本吸不出什么。蕊心却明白了，忙要探头替她吸去手背上的毒液。云彻立即拦下了，抢在前头附着如懿的手背将毒液一口一口吸了吐出。

蕊心看得目瞪口呆，虽然说男女大防，但云彻所为，一切都是在救如懿的性命。她愣了半晌，赶紧倒了茶水来给云彻漱口。云彻吸了半日，见如懿手背上的黑气尽数散去，脸上也只剩了苍白，而不是那种骇人的金色。他松一口气，脚下微微一软，坐在了地上缓过劲，一抬眼竟见如懿脸上微红，眸中带了一点羞涩，侧转身去。

他知道自己是犯了男女大防，但不也是救她的性命么？这样的念头一转，不知怎的，自己脸上也热辣辣起来。他掩饰着拼命漱了口道："还好，那蛇是被砍了一半的，嘴上没力，咬得也不深，否则大罗神仙在也没用了。不过丫头，你还是得找找有什么解毒的药给她敷上。"

蕊心翻箱倒柜找出了上回江与彬留下的一盒子牛黄丸，取了一点给如懿放在嘴里嚼了，又慌道："还能找什么解毒的？"

云彻看蕊心对这些事不通，又慌得手忙脚乱的，便急道："这些蛇都是蝮蛇，你得找些清热解毒、凉血止血的药来，什么夏枯草、半边莲、生地、川贝、白芷之类有么？"

那都是寻常的药物，蕊心连连道："有，有。"

云彻吩咐了蕊心把药嚼碎了敷在如懿伤口上，自己也嚼着服了些，又取一份煮上等会儿让蕊心喂如懿喝下，道："明日我去告诉太医一声，请他再来看看，应该就无妨了。"

蕊心千恩万谢道："还好凌侍卫在，否则今日小主的安危就悬了。本来，本来……这吸毒该是奴婢的事。"

云彻点点头道："本来是该你的事，但你一个小女子，身体自然不如咱们男人。要是你也损伤了，谁照顾你们小主呢。"他自嘲地笑笑："我就是这么一条贱命。"

如懿听他这般自嘲，有心想说什么，嘴唇张合着却无半分力气，缓了半日神，才吐出一句："多谢。你得去看看太医。"

蕊心一壁撒了草灰小心翼翼打扫毒蛇的尸体，一壁接口道："是要多谢凌侍卫，今日若不是您在……"

云彻看了看地上的蛇尸，仰头看了看屋顶的瓦片，踩着凳子上了桌子，顶起瓦片一看，问道："天刚黑下来的时候有没有听到什么动静？"

蕊心摇头道："小主和我在外头洗衣服，什么都没听见。"

云彻跳下来道："房上的瓦片松开了，想必有人往里头的梁上绕了蛇进来。蛇身上血凉，动作迟缓，晚上你们熄了灯火，人身上的热气就凝在一个地方不动，自然会慢慢吸引这些蛇过来。"他抬起头，目光炯炯："你们到底得罪了什么人？"

第十九章

暗涌

"得罪人？"蕊心吃惊道，"咱们都在这儿了，还能得罪什么人？"

如懿躺在床上，吃力道："就是因为咱们得罪了人，所以都在这儿了。你还不明白么？"

蕊心面上一惊，下意识地掩住口，便道："幸好凌侍卫手上带着雄黄酒，还能抵挡一阵。否则可真是着了人家的算计了。"

凌云彻缓过精神来，慢慢道："我平素爱喝几口雄黄酒，就是因为冷宫这儿湿冷，什么蛇虫鼠蚁没有，喝着带着都是防身罢了。只是这蝮蛇虽然是常见的，但一下子冒出那么多条来，也着实是出奇。除了故意，要说是意外偶然，也是不可能的。"他拱拱手："小主自己多保重吧。"

蕊心急得拉住凌云彻的袖子道："凌侍卫，要再有这样的事，可怎么办呢？"

云彻淡淡道："明儿给你们捎点雄黄扔进来，墙角四处都洒一点，自己提防着吧。"

他说罢转身便走了。如懿缩在被子里，一阵一阵听得心惊，只睁着眼看着窗外枝丫被风吹得乱舞，像是无数鬼爪子张牙舞爪地挥着过来，越逼越近，越逼越近。她霍地坐起身来，一背脊的虚汗被风一扑，钻心地凉。惢心端了药进来，见她这副模样，也吓了一大跳，忙拿衣服给她披上："小主这是怎么了？别被冷风扑了热身子，又招来什么不好。"

如懿只得道："方才有点吓着了。"她掠了掠头发道："药好了么？我身上还难受得紧，好歹拿一点喝喝。"

惢心忙端了药喂到她唇边，道："小主先胡乱喝一点罢了。明儿江太医过来，再仔细找他瞧瞧，好好开个方子。"

如懿喝了药，想着毒性还未完全退去，昏昏沉沉地便睡下了。

第二日一早果然江与彬赶着就过来了，如懿心里念着云彻辛苦奔劳的好处，原先看他那一层鄙薄也退了些许。江与彬仔细给她搭了脉，连声道："幸好昨晚救治得快，否则便是大祸了。等下我得给凌侍卫也去瞧瞧，他可是你们的救命恩人哪！"说着看惢心："也是我的大恩人！"说完他又留了好些清热解毒的草药，一样一样嘱咐了惢心调弄，又多多地留下雄黄之类的药粉，替惢心和如懿撒在了角角落落处。

等到一切忙完，江与彬问起惢心素日吃风湿药汤的效力，惢心浅浅笑道："也不过那样罢了，哪里那么快见效呢。"

江与彬的面上闪过一层疑云："这一个月来，你们都按时吃药了么？"

惢心奇道："巴巴儿地费了那么多才请了你来治病，怎么会不按时吃药呢？"

江与彬道："方才我搭过小主的脉，蛇毒没有大碍，但是风湿一直是老样子。按理说你们的风湿不深，我给你们开的药也算药效强力，虽不能马上见效，但总能有些起色。"他见如懿手上打着络子做活儿，耳朵却一直听着，索性也不瞒着，道："微臣这些日子给冷宫里许多嫔妃瞧过病。虽然也有得风湿的，但那都是积年在这里的老人了，阴湿许久，加上年纪渐大，自然容易得风湿。只是小主和惢心年纪还轻，又吃药调理着，屋子也不算是冷宫里最阴湿的地方，为何风湿会一点也不见起色？"

如懿与惢心面面相觑，也说不出什么来，倒是惢心问道："会不会是中毒？"

江与彬摇头道："世上没有这样的毒。倒是小主和惢心都是虚寒的体质，倒是真的，其他实在把不出什么。"

正说话间，外头墙下的圆洞里陆续塞进饭菜来，那些冷宫的嫔妃们一一去领取了。等到人都散去，又送进两份饭菜来，蕊心知道是她们的，便出去端了进来。饭菜虽然简陋，倒也不腐坏，不过是两份米饭，一份清炒苦瓜，一份水煮豆芽菜和一份酱油拌茭白。

江与彬蹙了蹙眉，心疼地看着蕊心道："蕊心，你们每日就吃这个，一点荤腥也没有？"

蕊心摆好筷子，笑道："我的好太医，这饭菜不馊不坏就不错了。这都费了我和小主好大的工夫花银子才求来的呢。否则吃那些猪狗不食的饭菜，哪里还能熬到你来的这一天。"

如懿笑道："好了。江太医才说一句话，偏你有那么多话说。前几日是清明节气，有一碗烧田螺肉送进来。逢着年节，总还见点荤腥。"

蕊心撇嘴道："什么荤腥，一股腥味才是。不过就是螺蛳、鸭血和蚌肉之类的，素菜也反反复复就这么些。"

江与彬当即变色道："你说真的？"

如懿见他脸色不好看，即刻放下筷子，疑道："这些饭菜有什么不对的么？"

江与彬肃穆了神色道："微臣刚说过，小主和蕊心都是虚寒体质，这些食物又都是大湿大寒的，小主与蕊心一日三餐吃这个，加重了体内的寒气，难怪风湿久久不见起色。原来是在这些地方。"

如懿默然，一颗心缓缓、缓缓沉到了底处。原以为昨晚的蛇便已经是杀招，不承想这里还藏着天长日久的厉害在，却是自己留意万分也留意不到的事情。

蕊心恼恨道："怪道呢，还以为咱们是花了银子通融的，饭菜才和别人不同些。原来是有人做了手脚。"

江与彬脸色沉重，道："若说无心，断不能顿顿都这样。这些东西本是无毒的，也不相克。只是饮食用药，体热的人不能过多温补，虚寒的人切记寒凉。寒凉不是说生食冷食，而是性寒的东西。像小主和蕊心的体质，便是碰不得这些的。"

蕊心发愁道："那可怎么办呢？除了这些，咱们也吃不上别的。"

江与彬看着窗外晴和的日头，分明是四月时节春暖花开，在这日头也照不透的地方，却只有凄寒彻骨。偏偏便只有这两个女人熬在这里，叫天天不应，叫

暗涌

157

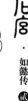

地地不灵，年深日久……他一想到年深日久，她们还在此处，便冷不丁打了个寒噤，仿佛是一阵冷风逼进了骨子里，透心彻凉。

如懿深吸一口气，缓缓摇头道："没有办法。送这些饭菜的人既然有心，如果看到咱们不吃完，或是悄悄倒在哪里，便知道是起了疑心了，更不知道要用什么法子来谋害我们。与其如此，不如就安他的心，照吃照睡就是了。"她斜睨了江与彬一眼："至少江太医是不会袖手旁观的。"

江与彬心中暗赞她的沉稳，便道："微臣会找些温热滋补的药物给小主和惢心慢慢调养，希望能化去食物的湿寒之气。至于其他的事，昨晚已经这样险，若有什么轻举妄动，反而让杀身之祸来得更早。"

江与彬如此嘱咐了一般，惢心便送他到了门外，自也不能远送，只得回来。

如懿看着桌上的饭菜，往日为了活下去，她拼命保重，每顿饭都吃得干干净净。如今看着这些东西，竟似慢毒一般，天长日久积累在自己身上，如何还能下咽。

惢心进来掩了门道："小主，昨晚的事你疑心是谁？"

如懿一下一下叩着桌脚，极力平缓着自己的情绪，缓缓道："我还能疑心是谁？不过是想起当年惊蛰的时候，怡嫔宫里突然掉下条蛇来。你不觉得事情有些关联么？"

惢心凝眉道："小主觉得，害咱们的人就是害怡嫔的人？那事儿本来就是一气的。"

如懿微微点头，看着廊下丛生的杂草萧萧，黯然道："只是如今我们哪怕想到了是谁，也没有办法。只能先保住自己的性命，不要不明不白丢在这儿就是了。"

主仆俩默默地守着，照旧过活，到了午后时分，却见外头一包东西"啪"地丢进来，如懿正在院中晾晒衣服，拾起一看才知道是凌云彻丢进来的一包雄黄。她感念他的细心，更兼昨日救命的勇气，也不管他在不在，对着角门边便诚恳道了声"多谢"。

自进了冷宫，如懿满心的怨恨与不甘，更兼对世人冷了心肠，除了海兰与惢心之外，再加上如今一个江与彬，其他人是一个不信，一个不听。无论谁落在她心里，都是带了当初害她的疑影的。可是经了昨夜那一番事，即便是再冷的心肠，也不觉生了一份暖意，仿佛一点涓涓的细流，润泽了干涸的心扉，叫她知道，这世上总还有热心肠愿意对人好的人。

或许这一点温暖，足以让她觉得人世苍凉，不那么风寒逼骨了。

如懿这样想着，凌云彻却没那么福气了。这一日傍晚他去领自己和九宵的那顿晚饭，才走到冷宫的甬道口，不知道哪里闯出来几个力大无比的侍卫，把他摁倒在地，只问了一句："你便是凌云彻？"

云彻才答应了一声，那拳头便不分青红皂白地打了上来。他是宫里混久了的人，知道一定是哪里得罪了人，也不敢分辩，只护住了要害咬着牙一声不吭。那拳头落下来如雨点一般，每一下都是下了狠手的。起初还觉得痛入骨髓，渐渐也麻木了。就像他一直以来的生活，除了忍耐，还是忍耐。因为反抗，只会招来更大的痛苦。

好一会儿，那帮侍卫看他乖乖承受，也不反抗，便也打累了收手。其中一个趾高气扬道："知道为什么打你么？"

云彻抱着头伏在地上，一时也爬不起来，只道："小人无知，请大人指教。"

另一人"嘿"了一声道："原来你还真是个糊涂的！当你有几个胆子呢，连咱们小主的事都敢得罪！还打算英雄救美，哪天连自己怎么死的都不知道呢！"

领头一个抱着肩膀，冷笑道："咱们小主如今是有皇子的，谁敢不睁开眼睛看看清楚，敢扰了她的好事。真当是不要命了！这次权当你是无知，以后你就牢牢记着，你在冷宫只管是守门的，要是连救命的事也管，便是搭上你自己的性命了。"

说完，几个人一使眼色，便四下散了。

云彻伏在地上，缓了半天的劲才爬了起来，试着动了动手脚，发现还好没伤了筋骨，便慢慢往庑房里走。九宵见他这个样子回来，也吓了一大跳，来不及去问晚上的饭菜如何，忙要拉了他细问。云彻简短应付了几句，便赶紧找出伤药来自己抹了。夜间旁人问起，只说自己不小心得罪了人，便也应付过去了。

次日傍晚时分，赵九宵看他受伤，便帮着去领晚饭。

云彻坐在门口，身上的伤虽没伤及筋骨，却辗转反侧痛了一夜，他没有睡好，便觉得疲倦难耐，心中更含了一包窝囊火气无处发泄，深悔自己那日莽撞进去救人，白白连累自己挨了一顿打。

他正懊恼，只听身后的门上笃笃几声响，有年轻女子轻声唤："凌云彻。"一包薄薄的东西隔着墙头"哗"地飞落下来，他顺手捡起一看，却是一双鞋垫子，针脚纳得又细又密，显然是新纳的。

暗涌

云彻心头微微一暖，自从他入宫当差起，便再没人替他纳过一双鞋垫了。他一笑，牵动嘴角的伤，不觉生了几分懊恼，更兼了一分难以言说的畏惧。他抬起头，看着甬道之上细细窄窄的一痕天空，灰扑扑的，好像随时会变成一条勒死人的绳索，套在自己的脖颈上。他一狠心，随手将鞋垫从墙头抛了进去，以一种拒人于千里之外的口气冷冷道："自从进了宫就没穿过别人送的鞋垫，怕穿上了走到阎王跟前去。"

里头轻轻笑了一声，忽然笑声止住，换了一种惊疑的口吻："你的脸怎么了？"

想是里边的人看到了他脸上的伤，他索性也不瞒着，粗声粗气道："那天是我莽撞了。只想着你们的命，忘了自己也是一条命。"

有片刻的沉默，如懿已经明白过来，虽然明知他看不见，却也是深深一福到底。"抱歉，是我们连累你。"她轻声道，"伤要不要紧？"

云彻听她并未因自己的呵斥与粗暴而负气离去，转念想见当日救与不救，原在自己一念之间，如何能怪旁人，心下便先软了几分，换了稍稍温和的口气："不要紧，都是皮外伤。"

如懿松一口气："那就好。否则我与惢心心里更加过意不去。那么，知道是什么人打的么？"

云彻犹豫片刻，想起领头一个侍卫的话，便道："他们说了一句，什么有了皇子的小主，其他我便不知道了。"

如懿心头悚然一凛，便道："你知道得越少越好。"她捡起那包鞋垫道："这双鞋垫是惢心纳了一个下午的，还望你能收下，也算我们尽一点感谢之心。"

云彻想了想道："如果再加一瓶跌打药给我，就算是谢我了。"

如懿闻言，不觉含笑："那就谢过凌侍卫了。"

如懿回到房中，嘱咐惢心挑了一瓶最好的跌打药和鞋垫一起送出去，自己只是坐着出神。惢心回来见如懿只是坐在桌前发怔，便道："小主这是怎么了？"

如懿淡淡道："我只是听凌云彻方才说起，说打伤他嫌他多管闲事救人的人说起，是有皇子的小主吩咐他们做的。"

"有皇子的小主？"惢心脸色微微一变，"宫中有皇子的小主，只有纯妃和嘉嫔，难道是她们？"

如懿只是沉默不语，惢心越发猜疑道："纯妃有大阿哥和三阿哥，可是她一向与我们还算亲厚；嘉嫔虽然不太与咱们来往，言语上又厉害，喜欢落井下石，拔尖抢乖，但比起慧贵妃她们，也算不上有什么深仇大恨。难道会是她？"

如懿摇头，给自己斟了一杯白水，慢慢道："如果你受了我的指使去害人，会不会当着人家的面提起是谁指使的？哪怕是含含糊糊的影子话都不会落下。"

惢心即刻明白："小主是说那些人是故意的？"

如懿微微一笑，看着杯中的白水道："水至清则无鱼。凡事太分明，反而落下疑影。她们非要给我来这一招移祸江东，反而告诉我是哪些人更可疑。"

惢心愁眉叹了一声："可惜咱们知道归知道，也不能如何防范，只能求菩萨保佑，让她们无心顾及咱们就是了。"

如懿扬眸浅笑："这样的事，咱们做不到，海兰却一定做得到。"

因着皇后丧子，皇帝膝下的实则只有三子一女，且三位皇子都是庶出，实在违背皇帝一心立嫡子为太子的心意。这一年暮春，便由海兰提议，因为后宫屡屡失子，有伤阴鸷，为求多子，皇帝与皇后便携了后宫嫔妃，相随去圆明园伴驾。一则散散心，二则也希望借此机遇可以让宫中多些子嗣，三则也暗合了太后的心意，将自己收在身边年龄颇相宜的太常寺少卿陆士隆的女儿陆氏让跟着去了。

果然到了圆明园中不久，陆氏不过十五岁，因着年轻美貌得到圣意垂顾，不久便封了庆常在，在皇帝身边很得恩宠。加着玫嫔旧爱难失，新宠又当道，如此一来，圆明园中愈加热闹，便越发顾不上宫里的情形，如懿也稍稍缓了口气。

只是听着这样新宠旧爱的消息传来时，如懿起初仍不免有丝丝缕缕的惊痛，一点一滴触及心房，蜿蜒直刺下去，渐渐地，便只剩了酸楚。每每这个时候，便会想起，那年的烟柳蒙蒙时节，与皇帝的初遇。

彼时，她还是高门玉楼里的深宅闺秀，因着表姑母嫁得那样高贵美好，也生出了一点不知天高地厚的心。她知道的，她会嫁到皇室。却极想，与姑母一样，承担起一个家族的荣华，步步踏在紫禁城的朱门锦绣之内。可是偏偏，齐妃的亲生子，皇后抚养的三阿哥弘时，中意的人并不是她。一个错失，眼看着他削爵，去宗籍，逐出玉牒，最后赐死。

一颗心除了惊惶不定，更有一重快意。他是那样看不上她，宁愿去喜欢不该喜欢上的人。

于是那样尴尬的时候，遇到了如今的夫君。

当时皇帝仅剩下的两位成年的阿哥里，五阿哥豪放不羁，四阿哥端稳持重之余却不失一段玉树风流。明明是身世普普的皇子，却偏偏更像一个"骑马倚斜桥，满楼红袖招[1]"的翩翩浊世公子。

那一瞬间，便动了心意，忖度着哪怕他是"翠屏金屈曲，醉入花丛宿[2]"的人，便也顾不得自己一颗芳心了。

在冷宫的浸淫里，或是深宫静院午夜醒转，梦醒衾寒的时候，会忆起很多年前，姑母与当今太后安排着他们见了一次。

姑母含笑轻声唤着"青樱"，她便轻轻巧巧，莲步姗姗，从十二扇泥金仕女簪花屏风后转出来，杏子红透纱绣牡丹含露闪缎长裙缓缓漾起一点涟漪般的微澜，连腰带上垂的一对白玉鹧鸪樱桃佩都微微摇曳，仿佛一朵绽放在暗夜微风里的红蔷薇。

不，她如何不想保持大家闺秀的沉稳笃定，安宁无波，而是，实在是在屏风后一点窥视的害羞，让她晃了晃心思，愿意捧着一颗一瓣一瓣绽放的胭脂色的心，一直一直沉静下来，沉到尘埃的底处去。

那时她也不过十三四岁，单衫杏子红，双鬟鸦雏色。

一转身，一抬头，眼帘里撞入了以为可以依靠一生的人。那时候的他，不过是一袭月华色淡淡青衣，袖口是极素净的暗色花纹，仔细瞧去是唐棣之华的图纹，腰间只一根明黄色带子，晓谕皇子身份。

她无端地便想起那一句："唐棣之华，偏其反而。岂不尔思，室是远而。[3]"

怎么会遥远呢？如果是真切的缘分，再远，这个人也会来到你身边。

他是谦谦君子，温润如玉，淡淡含笑间，便是清明天际朗月入怀。可是他即

---

[1] 出自唐代诗人韦庄的《菩萨蛮》。全诗为：如今却忆江南乐，当时年少春衫薄。骑马倚斜桥，满楼红袖招。翠屏金屈曲，醉入花丛宿。此度见花枝，白头誓不归。

[2] 出自唐代诗人韦庄的《菩萨蛮》。全诗为：如今却忆江南乐，当时年少春衫薄。骑马倚斜桥，满楼红袖招。翠屏金屈曲，醉入花丛宿。此度见花枝，白头誓不归。

[3] 出自《论语》，原文为："唐棣之华，偏其反而。岂不尔思，室是远而。"子曰："未之思也，夫何远之有？"唐棣：一种植物，属蔷薇科，落叶灌木。偏其反而：形容花摇动的样子。室是远而：只是住的地方太远了。整句话的大意为："唐棣的花朵啊，翩翩地摇摆。我岂能不想念你呢？只是由于家住的地方太远了。"孔子说："他还是没有真的想念，如果真的想念，有什么遥远呢？"

便那样笑着，也难免有一分失势皇子的萧索，萧萧肃肃，若孤松独立山巅之风。

她一贯倨傲的心，莫名地就颤了颤，生了一股相怜之意。

真的，是君须怜我我怜君。他有他身世的不堪，自己也有自己的难为。

然后，亦见过一两次。不过是姑母或者当今太后的安排。

她替太后抄书，他来请安，有时替她磨墨，唤一声"青樱妹妹"。她抬起头来，并没有旁人在，他望住她，也不过，就是相视一笑罢了。

还有一次，是陪着满宫的嫔妃们在清音阁看戏，有一出是他点的，便是《墙头马上》[1]。戏台上的戏子歌舞泣笑，唱的是别人的人生百态。她却被一阕引子惹动了心肠。"妾弄青梅凭短墙，君骑白马傍垂杨。墙头马上遥相顾，一见知君即断肠。[2]"

她忽然便沉了心思，抬起眼，正望见他也含了一缕笑，沉沉望住自己。就是这般，遥遥相顾，一见知君即断肠。仿佛是暮春里迟迟未开的花苞，忽然一阵春风至，便张开了重重心瓣，露出一点杏色的蕊。

身边有花朵熏然的陶陶气味，好像一整个春天，都留在了身边，迟迟不去。

为着这个，她便肯了。肯只是一个侧福晋的地位，肯按下一颗欲比天高的心，肯容忍他的身侧枕边，眼底心间，还有旁人。

那便是一颗初见的痴心了。

而到了如今，她还能如何呢？位分也罢，恩宠也罢，一直引以为依靠的，不过是他口中常说的三个字：你放心。

可原来，到了放心的时候，却彻底没有让她放心过。

还不如海兰，从来不深爱，所以不看，不听，不信，倒安安稳稳，平安富贵了。

如懿一副柔肠百转千回，正凝神间，却见蕊心匆匆转进房里道："小主，海兰小主刚让人从圆明园递来的消息，老爷他——过世了。"

---

[1] 《墙头马上》是元代著名戏曲家白朴的作品。尚书之子裴少俊，奉命到洛阳购买花苗，巧遇总管之女李千金。二人一见钟情，私订终身，但为裴少俊之父所不容，后历经坎坷终于夫妻团圆。该剧歌颂了对自由婚姻的追求，虽以爱情为题材，却别具一格。

[2] 出自唐代白居易《井底引银瓶》诗。《墙头马上》即是根据此诗改编而成。

第二十章
心志

　　这一惊真当是非同小可。如懿还没将这句话在心里过一过，便觉得一个闷雷在脑中轰炸开来，彻底晕了过去。

　　良久，也不知过了多久，她悠悠醒转，睁开眼看着窗外清冷的星光，那星子微白的点点寒光，冷得透到了心底。

　　她的父亲，竟就这样死了？

　　惢心傍在她床边，啜泣着道："小主，老爷死的时候府里已经很困窘了。小主是知道的，就着孝敬皇后母家承恩公的恩典，这些年传下来，到咱们这儿已经是内囊都上来了。又因着景仁宫皇后的事，其实很多亲眷都不来往了，田庄上的收成也断断续续的一年不如一年。多少还是倚靠着小主在宫里的位分，日子还能将就着过些。如今……如今小主进来这两年，府里的一大家子人不知道多难过呢。如今是树倒猢狲散，听说老爷临终的时候，床前只剩下夫人和小少爷、二小姐三个了。"

　　热泪流过肌肤有刺痛的感觉，她的魂魄早已飞到了旧日的闺阁，只听着自己的声音空洞地问："乌拉那拉氏有那么多亲眷，难道都死绝了么？"

惢心含着满眶热泪，低低道："小主难道不知道么？所谓亲眷，都是烈火烹油锦上添花时的热闹。真正到了有难的时候，一个一个逃得比八竿子还远。如今府里只剩下个虚名，老爷死了宫里只赏了二百两银子，里里外外连个丧事都弄不周全，还是海兰小主想尽了办法，送了五百两银子出去，这才勉强像个样子办起来了。"

曾经朱门绣户的乌拉那拉府邸，历代后妃辈出的豪门大族，原来轰轰烈烈之后，也不过是人丁凋零，家财散尽，落得个高楼轰然塌的结局。

她的幼弟不过十岁，她的妹妹更小，才八岁。而母亲已经老了，四十多岁的年纪，身上长年病痛不断，需得延医请药。家中境况好的时候，每常还有太医出入问安，那不仅是医术高明，更是一份荣耀的象征。

非得皇亲国戚，不能如此。

而今呢？而今只怕连请个寻常大夫抓服药都不能了吧？她虽然知道父亲的身体一日不如一日，渐渐颓败，可如今骤然离去，未尝不是世态炎凉刺激着他日渐老弱的心啊。

如懿睁着眼，任由泪水蒙住了眼睛："阿玛到底是什么病？才会走得这样快？"

惢心道："听来报信的人说，从去年秋天就不大好，断断续续地痰里带血，到了今日早起一口痰涌上来堵住了喉咙，还来不及请太医，就过去了。听说这之前，也求爷爷告奶奶请了许多大夫，但不是拿不出银子请好大夫，便是人家瞧不上咱们的门第不肯来。所以老爷的病，是拖坏了的。"

如懿挣扎着起身，扑到门外，哭着道："惢心，我要去见我阿玛，见我阿玛最后一面！"

惢心忙拉住她道："小主，小主，您别伤心坏了。咱们出不去，咱们一辈子都出不去的呀！"

热泪汹涌而出，像是要刺盲了眼睛。她原是被困在了这里，如同夜莺失去了啼声，鸟儿被折断了翅膀，生生困在了这里。

即便是最困窘痛苦的时候，她都没有这样痛恨过，痛恨过自己身在冷宫，终身不得自由。

心志

她哭得精疲力竭，伏倒在门边，墙根下阴冷的青苔几乎抵着她的脸，湿腻腻的冰冷，融着她的泪："他老人家便这样去了，我……我却连最后一面都见不上，连想要给他磕个头都不能。"

如懿跪在地上，朝着南面家中的方向连连叩头不已："我阿玛走之前，有没有什么话留下？"

蕊心欲言又止："老爷只有一句话，是说完了这句才咽气的，府里说，一定要落进您的耳根子里。"

"什么话？"

蕊心皱紧了眉头，为难着道："老爷最后一句话是——青樱，你没用！"

额头触地冰冷而坚硬，砰砰地令人发昏。呵！真的是自己没用呵！拖累了自己，拖累了家人，拖累到父亲临死，都不能咽下这口怨气。如懿心头发颤，身子一仰，几欲晕去。

蕊心忙扶住了她，抱着她的身子道："小主，小主您要保重。您若再伤了身子，咱们府里便真是一点指望都没有了。"

如懿的头贴在生冷的泥地上，以此来凉自己的心目。"指望？"她自嘲地失笑，落泪道，"还有指望么？"

从她进冷宫的那一天起，她便知道是没有指望了。一息尚存，百般求生，只是不愿意就此平白死去而已。没有炭火的冬日里，只能拿一床床被子衣物厚厚地盖住自己，恨不能如蛇鼠般冬眠度日。偏偏只能醒着，咬着牙抵御着寒冷，吞下冰冷难咽的食物，苟延残喘。风湿的痛楚在四肢百骸里蔓延的时候，连肢体都仿佛不是自己的了，只好像看着有人切骨磋粉，一点点磋磨着。她都一一忍耐了下来。

可是她却忘记了，以为能求得彼此的平安，却疏忽了因了她的失宠被废，本已没落的家族，更是一切散如烟云。

是她忘了，是她疏忽。家族的荣辱全都系于她一身，她怎可在冷宫继续忍耐下去，没有出头之日？

这一夜，她几乎难以成眠。七月时节雨潇潇，风萧条，雨亦萧条，原本暑热的天气被骤然而至的冷风冷雨裹卷在一起，吹得身上一阵热一阵凉，如同她在沸油与冰屑里翻滚烹炸的一颗心。她听着夜雨敲打青瓦，扑簌扑簌的冷硬声，茫茫漫漫，仿佛是无数低低的哭泣，来自遥远的幽冥世界。

这样翻翻覆覆的两夜，她自己都觉得倦极了，可是偏偏睡不着。外头的雨无尽地下着，仿佛是替她滴着眼泪似的。终于在迷迷瞪瞪之中，她倦极，闭上了眼睛。

却还是不安稳，往事影影绰绰恍惚在眼前。阿玛老实，不过是个佐领，却极疼爱这个长女。额娘的性子虽然厉害些，到底也是妇道人家，每日所研习的，不过是如何做顿好饭菜，让全家欢喜满意。幼妹憨稚，幼弟文气，而她，在管束弟妹之余，不过只懂得针黹刺绣，闺阁游戏罢了。和和睦睦的一家人，欢声笑语还在耳边不曾散去。然而，那一日黄昏，是姑母找她入宫，那时的姑母，雍容华贵，总有着不褪的恬淡笑意，执着她的手语重心长地与她相谈。

乌拉那拉氏虽然出了她这个皇后，但底下的家道已经渐渐日薄西山。

乌拉那拉氏再没有适龄的年轻的女儿，只有你，青樱，年龄合适，又与姑母最亲。

如果没有女眷入宫，或者成为皇亲国戚，乌拉那拉氏的荣耀如何延续？

乌拉那拉氏的男人都不中用，只有女人，只有靠女人了。

那年的自己，还是那样的懵懵懂懂，但姑母执着她的手那样用力，她没得选择，因为她是乌拉那拉氏的女儿。

陡然间，姑母的脸色转成了无限的凄厉，满头华发，发髻间的珠翠只是越发衬出她的衰老与凄苦。她穿着皇后的衣冠，那衣冠却旧得透透的了。

姑母声色俱厉，逼视着她：

"当年孝恭仁太后告诉我，乌拉那拉氏的女儿是一定要正位中宫的，如今我一样把这句话告诉你。你，敢不敢？"

"宠妃？除了拥有宠爱，还有什么？宠妃最大的优势不过是得宠，一个女人，得宠过后失宠，只会生不如死。咱们乌拉那拉氏怎么会有你这样目光短浅之人？"

"等你红颜迟暮，机心耗尽，你还能凭什么去争宠？姑母问你，宠爱是面子，权势是里子，你要哪一个？"

她被逼迫不过，只得道："青樱贪心，自然希望两者皆得。但若不能，自然是里子最最要紧。这一路虽然难，但青樱没有退路，只能向前。"

心志

167

姑母终于欣慰："青樱，你要明白，当一个人什么都可以舍弃之时，才是她真正无所畏惧之时。"

她还有什么可以失去？荣华与权位，夫君的信任，家族的前途，所有的都已失去，她还有什么可以害怕？

有阴冷的风层层逼近，姑母穿着一袭黑衣，披头散发，恍若厉鬼，她气得红了眼睛，大力地扇着自己的耳光。她只隐约记得，姑母死了，已经无名无分地死了很久。

姑母一壁狠狠扇着她的耳光，一壁厉声斥责道："乌拉那拉氏已经出了一个弃妇，再不能出第二个弃妇了！为什么你还能在冷宫安于做一个弃妇？做一个成为门第之羞的弃妇？你为什么不记得，你是乌拉那拉氏的女儿？你好好活着，并不是为了你一个人，而是整个家族荣辱！"

姑母的耳光打得又狠又准，一下一下激烈地落在她的脸上，亦抽动她已经蒙昧的一颗心。姑母的身后，是老迈的阿玛，老泪纵横，无奈而软弱。

如果是家道中落逼得阿玛早早离世，那么自己，何尝不是罪魁祸首之一？因为她没有本事保全自己，所以只能眼睁睁看着家中人——衰落，无计可施。

她的冷汗涔涔而下，姑母说得对，她如何配做乌拉那拉氏的女儿？

她自昏聩的睡梦中被自己惊醒，落得满头满身的大汗，靠在粉末簌簌落下的墙壁上大口喘息。

生的感觉如此美妙，哪怕呼吸到口中的空气带着潮湿的霉味，中人欲呕。但，好歹是活着，还要好好地活着。

惢心不安地替她擦拭着，却又不敢惊动旁人，只得低声道："小主，小主，您是不是梦魇了？"

如懿紧紧攥着惢心的手，哑声道："不是梦魇，而是我的梦魇应该醒了。"她抬眼看着被水迹霉湿的墙壁，青苔丝生的墙角，永远湿答答潮腻腻的泥土地面，冬冷夏热的屋子。受够了，真的都受够了！

惢心会意地握住她的手，懂得地点点头，只道："海贵人不在宫里，纸钱什么的不大好弄进来，只好咱们自己随意折一点，尽一尽心意。"

圆明园中连续下了几日的雨，越发多了几分清爽凉意。皇后坐在"天地一家春"的暖阁里，看着廊下的青瓷大缸中新开的几朵碗莲，盈盈巧巧的一朵并一朵，粉润的色泽如桃花宿雨，盈盈欲滴。皇后赏着碗莲，逗着手边铜丝架上的一只彩羽鹦哥儿，问道："皇上真的让慧贵妃一个人搬进了韶景轩居住？"

赵一泰弓着身子恭声道："可不是？皇上住在九州清晏的乐安和堂，慧贵妃的韶景轩松柳环绕，景色绝佳不说，与皇上的乐安和堂隔岸相对，最近不过。反而是皇后娘娘与其他小主都住在九州清晏这儿的天地一家春，既拥挤繁闹，又与皇上东西相隔，来往实在是不方便。"

皇后取过一支玉簪，笑吟吟调弄着鹦哥儿："那按你的意思，本宫该怎么办？"

"皇后娘娘是后宫之主，理应离皇上最近，少不得也得住得清静些。而且您……"赵一泰赔着笑，抬头看了看皇后的脸色，"您也应该尽快添一个小皇子了。否则慧贵妃如今这样得宠，连皇上新宠的庆常在和慎贵人都被撂到了后头呢。您不怕她赶在您前头有了位皇子……"

皇后冷冷剜了他一眼，旋即又是泰然温和的面容："自从进了圆明园，皇上的几个新宠就一直想尽办法霸着皇上。慧贵妃诗书敏捷，能重新得皇上喜爱是好事，本宫去讨这个嫌做什么？只要皇上不是专宠那几个年轻狐媚的，便也罢了。"她微微挑眉，摸着细白如玉的手腕，冷笑一声道："只要慧贵妃有生皇子的福气才好呢。"

赵一泰忙道："娘娘圣明。"

皇后婉然笑道："不是本宫圣明，太后让咱们进圆明园，就是指望那么多嫔妃能好好侍奉皇上，给皇上添个一男半女，本宫又怎可去干涉？倒不如做一个安静贤惠的皇后，由着她们争风吃醋去便罢了。"

赵一泰接过皇后手中的白玉莲花簪，替皇后端端正正簪在丰盈的宝月髻上，笑道："奴才明白了。难怪皇后娘娘从不屑与那些小主似的花枝招展，原来便是这个淡极始知花更艳的意思。皇上看腻了她们的弄巧心思，自然会回到皇后身边来的。"

皇后淡淡笑了一声："你方才说，乌拉那拉如懿的阿玛那布尔死了？"

赵一泰忙道："是。刚得的消息，因是晦气的事，也不算要紧人物，所以消息递进来慢了些。"

皇后"哦"了一声，扶了扶蝉翼似的鬓角，轻声道："虽然慢些，但到底是要紧的事。也是乌拉那拉氏可怜，家族衰败，阿玛又去了。你想办法托人送些纸钱冥器给她，让她烧一些给她阿玛尽尽心。"

赵一泰怔了怔："可是宫规严令，宫内是不许烧这些东西的……"

皇后的笑意温和，拨了拨那鹦哥儿鲜红的喙："宫规是宫规，难为她在冷宫里的孝心了。你好好去办吧。"

这一夜月落乌啼，正好逢着七月十五的中元鬼节，又是如懿阿玛的头七之日。天不黑日头就落了，那斜阳带着凄厉的血红色，像是谁把一整桶血都泼在了天上，任由它四溢滑落，渐渐天色亦昏暗下来，那血亦成了枯涸的血痕，黑红黑红地黏在了天边。宫中林木蓊蓊郁郁，无数宫鸦黑羽纷腾，如乌云遮蔽月色，回旋于天际，映着这昏沉天空，像是融入了这无尽的黑暗之中，唯有"啊啊"哀戚鸣声一层层遥遥散落，悸动阴气渐深的宫阙。

到了戌时一刻，远远听得鼓钹齐鸣，佛号喧天，如懿知道是宫中中元节水陆道场放焰口的仪式了。因着太后笃信佛教，宫中分别请来法源寺的僧人、白云观的道人和妙应寺的喇嘛举行法事做道场，表慎终追远，追念故人之意，以平息亡魂，祈求宫中安泰。不仅是宫中嫔妃，连宫人们也可参与。便在昨日，如懿折了一叠纸莲花，趁着凌云彻当值时送给他烧了追念亲人亡魂，云彻倒也十分感激。

往年此时，如懿也会在嫔妃之中放荷花灯表达故人追思。而今时今日，她便只能在院子的廊下偷偷地烧一点纸，寄给九泉之下早逝的父亲。冷宫中的人多半疯疯癫癫，或是早已浑浑噩噩，平日里住得远，自是无人来理会她们。倒是吉太嫔过来取饭食的时候看见，冷笑着几声道："果然是活腻了，居然偷偷找纸钱来烧。如今太后那老妖婆一个人在宫里，她可最忌讳这些。你可仔细着点。"说罢也不理会，便自顾自走了。

如懿蹲在那堆烧着的纸边，火光暖烘烘地熏在她身上，才觉得暖和了好些，不像父亲刚去那几日，她总觉得冷津津的。

蕊心道："这些纸钱是好不容易送进来的，说是海贵人的意思，给小主略表哀思的。"

如懿点点头："难为她了，塞在送饭的门洞里送进来的，神不知鬼不觉。"

蕊心道："小主放心吧。嫔妃们都不在宫里，太后肯定去看法事了，没人会察觉的。"

话音未落，只听得外头一声尖利的冷笑道："真没人察觉么？你们也太胆大妄为，无法无天了！"

如懿骤然听得声音，手中握着的纸霍地全掉进了火堆里，火越发烧得高高的，差点烧到了她的衣角。还来不及反应，冷宫的门霍然开启，只见太后身边的成翰公公领头进来，趾高气扬道："真是一群不要命的东西，宫中严禁焚香上供烧纸钱这三大样，你们居然还敢躲在后宫里偷偷烧纸钱！真是罪该万死！"

如懿和惢心陡然见了成公公进来，吓得脸色都变了，只懂得跪在一旁，默不吭声。

成公公正呵斥着，只听一把女声慈蔼道："冷宫是宫中禁地，她们烧纸钱固然是不对，可成翰你在冷宫喧哗，也未免太不懂规矩了。"

成翰听得这一声，忙吓得弯腰守在路边，伸手搭住一只保养得宜、戴着各色珠宝戒指的手，诚惶诚恐道："冷宫污秽，皇太后仔细足下。"

皇太后扶住他的手缓缓踱进来，淡淡笑道："想本宫年轻的时候，也不是没有来过冷宫，就当故地重游罢了。"她目光宛然一瞥："宫中有人向哀家举报，中元鬼节，居然有人敢擅自在后宫烧纸钱违禁，实在是大胆。"

如懿与惢心久未见太后，只觉得她气色越发好了，一袭绿纱绣夔龙牡丹金团寿镶领纱氅衣配着满头赤金与和田玉的钿子，更显得她精神奕奕。

如懿见了太后，那份畏惧之色尚未从脸上褪去，倒先含了满眼热泪，仿佛就是不见人烟的孤魂骤然见了故人，一双眼只落在太后面上，俯首叩了三个响头，道："奴婢被关在冷宫多时，太后是第一个来看奴婢的人。虽然奴婢明知要受太后责罚，但见太后精神旺健如旧、一切安好，奴婢便愿受任何责罚。"

太后见她如此情真意切，也不免生了几分感慨："你这孩子，在冷宫里居然还这么惦记着哀家。"

惢心伏在如懿身边，大着胆子道："回皇太后的话，我家小主虽然身在冷宫，心中却无时无刻不在挂念太后，每日必临窗祝祷，祈求皇太后身体安康，福寿延年。"

太后微微一滞，眼中闪过一丝动容，继而环视着四周道："哀家还以为你安安分分待在这儿了。既有这份心意，怎么竟然敢违反宫中禁忌，在这儿烧纸钱这么晦气。"

惢心吓得一凛，忙道："太后息怒，太后息怒。小主的阿玛，乌拉那拉家的那布尔老爷过世，到今日正好是头七了，小主不是有心冒犯宫规的。还请太后体谅小主一片孝心。"

太后的神色看不出一点端倪，仿佛平静的湖面，波澜未惊："孝心是私，宫规为公。怎能为了私心而枉顾公理。成翰，按照宫规，该当如何处置？"

成翰扬了扬嘴角，皮笑肉不笑道："擅自烧纸钱，有违宫规，该赏步步红莲之刑。"

太后慢慢拨着手上的赤金嵌和田玉护甲，沉声道："宫规大如天，那就赏吧！"

所谓步步红莲，乃是取尺把长的铁蒺藜抽打脚心，一顿责打下来，脚心脚背没有一块好肉，筋骨尽现。受刑之人一双脚自此便废了，被扶起行走时骨头触地，踩下血红痕迹，宛若红莲绽放，乃是慎刑司七十二酷刑之一。

如懿一听，不免冷汗涔涔而下，瞬即蔓延到了脖颈处，濡湿了领子。

惢心差点没昏厥过去，忙拼命磕头道："太后，太后娘娘，求您饶了小主，饶了小主。"

太后微微摇头，淡然道："凡事一旦做下，必得承担后果。你接受便是吧。"

第二十一章

玉镯

太后一声令下，成翰努了努嘴，便有几个小太监取过铁蒺藜，一边一个按住了如懿和惢心。

如懿满头冷汗，像是无数的小虫子从皮肤的缝隙间一点一点钻出来，慢慢地爬行着，又痛又痒。那几个小太监力气极大，按得她动弹不得。

太后在成翰搬来的紫檀椅子上坐了，慢条斯理道："哀家也不想动用酷刑。可是如今皇帝和皇后都不在宫里，只剩下哀家一人掌管着偌大的后宫。若是眼皮子底下出了这样大的事都不顾，旁人多少双眼睛盯着，还以为哀家这个老婆子不中用了呢。少不得你自己做下的事情自己担着了。"

成翰扬了扬下巴，拖着太监特有的尖细嗓音，道："事有主次，就从乌拉那拉氏起，打到皮肉脱尽为止。"

那铁蒺藜上有数十根寸许长的铁刺，刺尖上闪着锈黑色的光泽，让人不寒而栗。小太监一下正要下去，如懿忙伏在地上道："太后！太后明鉴！奴婢烧的不是纸钱，不是纸钱啊！"

太后扬一扬脸，福珈便侧身过去，捡起一枚还未来得及烧的纸张展开一看，浑圆的纸片上画着万字不到头的图案，中间却是一句藏传佛教的六字真言。

福珈忙双手捧过给太后一看，果然每一张上都只是六字真言而已。太后微微蹙眉，继而一笑："怎么是这个东西？"

如懿忙磕了头，恭恭谨谨道："请太后听奴婢一言，圆纸为圆满，与万字不到头的图案相衬，是同一道理。六字真言乃是当年妙应寺的喇嘛大师所授，大师说六字真言是藏传佛教中最尊崇的一句咒语，当初传授时便要奴婢循环往复吟诵，才能功德圆满，消除业障，得大解脱。"

成翰轻哼一声道："可是今日是鬼节，又是你阿玛那布尔的头七。连伺候你的丫头也说是你的一片孝心。"

如懿不慌不忙，眼中澄澈如镜："奴婢是一片孝心，但这一片孝心不是对死去的阿玛的，而是对皇太后的诚挚祝祷。奴婢知道今日是中元节，宫中请了雍和宫的喇嘛大师开坛祝祷，心想大师一定会诵读六字真言为太后祈福。奴婢无能，困锁冷宫之中，不能朝夕向太后请安，所以只好趁今日大师入宫祝祷，奴婢也跟随大师功德，念动真言。大师开坛后要将法器经文经幡送上法船焚烧，奴婢自知不能参与，所以只好在这里将亲手所写所诵的真言焚化，只当是放在法船上烧了，一尽心意。"

福珈沉吟着道："回太后的话，奴婢也觉得，若是烧纸钱就该有纸钱的样子，否则烧给了那布尔大人也是无用的。至于七月十五的鬼节，烧这个倒是应景的，无非是没跟着太后和各位太妃太嫔放在法船上烧罢了。"她婉转看了如懿一眼："倒也不算很违反宫规呢。"

太后的唇角略微浮起一点冷淡的笑意，望着成翰道："你巴巴儿地跑来告诉哀家说冷宫有人暗烧纸钱违反宫规，如今你可看看，这是什么？"太后的笑容似一朵冰花凝在面上："还劳动哀家到这种地方来，你可越来越会当差了。"

太后的语气并不严厉，恍若家常闲话一般。成翰却似受不住似的，膝下一软，即刻跪下了道："奴才无用，奴才妄听人言。"

太后向着福珈微微一笑，神色淡然："你是妄听人言，不过你是听了谁的话呢？哀家的身边，居然有人不把哀家当主子，而是一心窥伺旁人的心意，想要两面讨好。哀家看他是错了心思。"

福珈低眉垂首，淡淡道："慈宁宫只有一心侍奉太后的人，没有敢和太后耍心眼的人。成公公，你可是聪明反被聪明误了。"

太后望一望天色，盈然起身："乌鸦都归巢了，咱们也回去吧。成翰，你就不必走了。"

成翰吓得大惊失色，连连磕头道："太后，太后饶命！"

太后笑道："今日是中元节，哀家不会想要谁的命。只是你那么喜欢为人做嫁衣裳，辛苦奔波，那哀家就把步步红莲的刑罚赏赐给你，让你折了双脚，也折不了为旁人尽忠的心。"

太后话音刚落，斜刺里忽然冲出一个人来，举起一把匕首便直刺太后心口。院中地方狭窄，随侍太后的太监宫女都守在门外，成翰吓得早瘫在了地上，身边只有一个福珈，根本是无法防备。

太后吓了一跳，本能地侧身一避，正好避开那劈向心口的一刀。太后毕竟是个养尊处优的女流，更兼有了年纪，躲开了这一刀，下一刀夹着凌厉的风劈面而来，根本是挡无可挡。如懿这一下心慌意乱，若是太后在眼前出了事，那可真真是……她下意识地扑了上去，一把推那近乎疯狂的身影，护在了太后身前。

那人却似疯魔了一般，也不避讳如懿，挥起一刀又扑了上来。如懿死死挡在太后跟前，半分也不退让，眼看着那刀尖已经逼到了下颌，直直地要刺到咽喉里去。太后紧紧攥着她的肩，如懿只觉得自己都要撑不住了，加上雨后地上湿滑，她脚下一滑，整个人斜着向后倾去，又避开了几分。

趁着这点空隙，福珈和蕊心都赶了上去，拼了死力攥住那人，才拖开了尺许。太后穿着花盆底的高鞋，兀自站立不稳，如懿紧紧扶住了她，连忙问道："太后，您没事吧？"

太后惊魂未定，一手扶着她的手，一手紧紧按住心口，清白了脸色，道："如懿，方才那刀尖就在你咽喉底下了。"

如懿大口喘息着，努力平息着胸口的紧张与慌乱，忙欠身道："太后……太后无恙便好。"

趁着福珈和蕊心拉住那人的工夫，外头的侍卫们一哄而上，立刻死死按住了那人。太后已经沉稳下来，扶着椅子坐下，喝道："敢谋刺哀家，哀家倒要看看，到底是冷宫的哪位故人，有这么个好本事！"

玉镯

福珈应声上去，劈面就是两个耳光，硬生生托起她的下巴来，仔细分辨片刻，道："回太后的话，真是故人呢。"

太后微眯了双眼，冷笑道："吉嫔？是你！"

吉太嫔满脸狰狞，声嘶力竭道："我居然杀不了你！居然还是杀不了你！"

太后清朗一笑，指着天道："不只你，许多已经上了天下了地府的人都想杀了哀家。可惜呀！"太后抚着身上精心绣制的夔龙牡丹纹样，朗声笑道："成得了龙的始终是龙，蹦跶得再厉害想要翻龙门的，翻不过还是一条鲤鱼，一辈子困在水里！你从前在外头的时候斗不过哀家，被哀家发落来的冷宫，你以为进了这里反而能斗得过哀家了么？"

吉太嫔的眼底闪过一丝仓皇，态度却依旧强硬："是吗？刚才要不是有人救你，你早就死在我的刀下了。"

太后仰天一笑，抚着鬓边一朵赤金莲花，轻蔑道："在冷宫外年轻貌美的时候斗不过哀家，在这里关了这么些年就有指望了么？凭你这点本事，不过就是用蛮力伤人罢了。看来你不管长了多少岁，脑子却一点都没长进！哀家要是折损在你这点微末伎俩里，那才叫天亡哀家也！"

吉太嫔气得脸色发黑，徒然地伸手挠着，却也不过只在泥地上划出几条划痕而已。太后朗然一笑："福珈，处置了她。别忘了成翰还等在那儿呢。"

福珈答应了一声。太后起身扶住小宫女的手，走了两步回头道："好好惜命，留待来日吧。"

如懿的身体被蕊心紧紧撑着，几乎是要喜极而泣，她的手在衣袖里紧紧攥住蕊心的手，两个人手心里全是冷汗，连她自己也不能分辨，是欢喜过后的惊觉，还是劫后余生的痛快。她只知道，唯有握着蕊心的手，一个活生生的人的手，她才觉得自己也是活着的。不是冷宫的一块墙皮，一抹青苔。

太后施施然离去，仿佛方才的种种生死惊险，不过是谈笑间一抹云烟。如懿暗暗生出几分羡慕，何时何日，才会有太后这番定力呢？然后未及她细想，福珈已经扬了扬脸，由着几个侍卫将吉太嫔拖进了一间偏殿里。

如懿忙拉住福珈道："福姑姑，吉太嫔是发了疯了，才会冒犯太后。她只是发疯，不是有意的。"

福珈拍了拍她的手道："小主，别怪奴婢多嘴。太后的性子便是如此，饶了她一次不死，再敢有第二次，就必死无疑。只怕现在太后心里，正后悔当年留了她一条生路呢。您哪，好好看着，就当太后亲身指点您了。"

她说完，再不发一言，走到偏殿里，看着太后的近身侍卫将吉太嫔用一根粗粗的麻绳吊在了梁上，由着她双脚狂乱地挣扎，喉中发出呜咽的兽般的嘶叫，很快便没有了任何声息。

如懿靠在窗棂上，只觉得冷汗逼透了一层又一层衣衫，依稀恍惚，是她刚到冷宫的时候，那个吊死在悬梁上的不知名的女人。原来熬在这里，不过是这样凄惶地死去，死在自己手里，抑或是旁人手里。

她不知道自己是怎么走回去的，回到空落落的房里，也不顾壶中的水是热是凉，一股脑儿倒在了口中，好像唯有如此，才能安抚自己一颗慌乱的心。外头小太监们责罚成公公的声音渐次低了下去，一开始是惊痛的呼号，哭爹喊娘地求饶，到了最后，只有出气没有进气，彻底没有了动静。

良久，两具肉体被拖出去的声音也彻底消失了。蕊心满脸是泪，看着如懿道："小主，咱们没事了，没事了！"她起身从床底翻出一大包纸钱与冥纸，"还好小主没用这样莫名其妙送进来的东西，否则今天半死不活在那儿受刑的人，就不是成翰，而是咱们了。"

如懿转过脸去，成翰双足留下的血痕在灯笼黯淡的光影下越发显得如朵朵绽放在污泥地上的红莲，一步一血，步步触目惊心。如懿努力地抓着门框，因着被废不戴护甲，手指上留得寸许长的指甲抠在木质的门缝里，有轻微的嘶啦声。她轻声道："是。差点就中了旁人的计，那么双足残废的人，就是我们自己了。"

蕊心静静道："还是小主警觉。"

如懿蹲下身，取过那包纸钱全部烧了，火光熊熊地染红了她苍白如纸的面颊："蕊心，如果是海兰送东西来，会不通过凌云彻的手自己这样塞进来么？而且送了那么多，好像浑然忘记了上回烧给端慧太子的纸钱还剩下许多。海兰是不会那么粗心大意的。"

蕊心犹有余惊："那小主怎会知道太后会来？"

"有人设了这个局，就是要引出大事来。宫里只剩下太后这个一家之主，冷宫里出了这样违反宫规的事，即便她自己不来，也会让跟前最贴身的人来。那么只要有人来，这个事儿就不怕了，就必定要让人知道，太后身边有为别的主子做事的人。太后岂能容得下身边有这样的耳目，咱们就能脱身了。"

惢心轻轻拍着胸口："好险好险！奴婢还生怕出了什么差池呢。"

如懿沉下脸，看着微弱下去的火光最终化作了暗黑的灰烬，薄薄地散开，道："若是不走在刀尖上，如何能走出一条血路来。也是吉太嫔处心积虑报仇，顺手给了咱们这样一个机会。太后既知道了咱们的忠心，又能替她除去不干不净的人，到用人之际，她会想起咱们的。只要有太后惦记，便多了一分出去的指望。"

她站起身，将烧完的纸钱灰烬一路洒在成翰双足留下的血迹之上，喃喃道："阿玛，女儿不孝，只能料理完这些事之后才烧一点纸钱给您。您在九泉之下，一定要保佑女儿，保佑乌拉那拉氏，不要再受凌辱，不要没有出头之日。"她回望着吉太嫔被吊死的偏殿，闭上眼睛："吉太嫔，我一定不会像你这样胡乱报仇，枉死他人手中的。"

她抬起头，天边墨云依旧，唯有几只昏鸦，啊啊地拍着肩膀，振翅飞走了。

这一阵安稳沉寂，便到了乾隆五年夏末的时候，楚粤苗瑶勾结滋事，皇帝念着苗瑶之事颇为要紧，牵涉亦广，留在圆明园处置到底不便，便下旨回了紫禁城中。而亦如皇帝和太后求子所愿，御驾回銮时，海兰已经怀孕三个多月了。

皇帝继乾隆四年四阿哥永珹出生后，一年之后又再闻喜，怀孕的又是这两年来颇为宠爱的海兰，如何能够不喜。加之太医说海兰的身体不够壮健，需得满四月后才能经得起舟车劳顿，皇帝便布置了下来，将延禧宫好好休整一番，再让海兰搬进去住。这一拖，便又得延迟半个月才能回銮了。

海兰有孕，原本也是不动声色，到了三个月胎气稳定才肯告诉皇帝。如此自然是合宫惊动，玫嫔与慎贵人犹自尚可，皇帝新宠的庆常在也不过一时的兴致，早被冷落了下来，也没得说什么。最伤心的莫过于慧贵妃，这一年来在圆明园，自是她恩宠最盛，却半点怀孕的动静也没有，只见别人一个个腹中有了骨肉，如何能不伤怀。皇帝虽然也极希望这位得宠十数年的爱妾能有孕身，然而亦是无奈而已。

而这边厢，如懿只盼着上回太后之事可以稍稍助力，却整整一年毫无动静，只是送进来的饭食略有好转，常常一荤一素，不再都是寒湿之物了。因着愁思缠身，因着饮食不思，如懿渐渐地瘦下来。这种瘦是无知无觉的，只是皮肉一分分地薄下去，薄下去，隐隐看得出筋脉的流动。待到夏末秋初的时候，身上因着屋子暑热的痱子褪了下去，手腕却比昔年细了许多，翡翠珠缠丝赤金莲花镯戴在手上，已经能一骨碌地滚到手臂上。她想了想还是取下来搁在了妆台上："到底是皇后赏的，别摔坏了。"

惢心微敛愁容："当年皇后娘娘一人赏了一串，另一个戴着的人在外头得尽恩宠，小主呢，偏偏被困死在这里。"

正说着，江与彬进来，躬身施礼道："小主万福，微臣奉旨来给小主请平安脉。"

如懿笑着伸出手腕："我本以为太医是治病救人的，可是你每每来请平安脉，旁人知道我平安，岂不是给人添堵？"

江与彬淡然一笑，两指隔着纱绢落在如懿手腕上，感觉着她脉搏的跳动："微臣的责任，只是管照小主的安好，其余的微臣都不必理。"

如懿掰着指头一算，玩笑道："来得比往日勤，可是冷宫里有什么人牵着你来？"

江与彬看了惢心一眼，面上都有些珊瑚之色。惢心不好意思，便转身去添茶。

江与彬素来是温和的神色："太后的嘱咐，知道微臣管着冷宫的差事，嘱咐微臣，别让小主七灾八难地难受。"他向着在廊下烧水的惢心微微一笑："惢心姑娘可以闲些了，除了旧疾，小主一切安好。"

惢心脸上一红，旋即淡然道："可是奴婢觉得小主瘦了许多。"

"清瘦是福，若过于丰腻，反而引发种种病端。"他笑意潺潺，"后宫最近添了一桩喜事，想来小主听了也会喜悦。"

如懿含笑道："什么？"

"海贵人在圆明园有了身孕。"

如懿大喜不已，却被更多的担忧覆没："你要她万事小心。"

江与彬唇角含了一缕笃定的笑意："海贵人的胎都落在微臣身上，如今快四个月了，胎像已经稳当，别人要做什么，怕也难了。"

如懿按着心口，露出一丝欣慰的笑容："那就好。"她想一想，取过妆台上的翡翠珠缠丝赤金莲花镯："我身边再没有比这更贵重的东西了，这还是当年皇后赏的，替我送给她，留在身边，当个念想。"

惢心劝道："小主总有出去的日子，要被皇后知道拿这个送了人，怕是不好。"

如懿凝神片刻，笑道："这串东西算是跟了我最长久的。只别让人瞧见就好。"

江与彬伸手便要去接，哪知手上一个不稳当，那赤金莲花镯便落在地上。那镯子本是用大颗的翡翠珠子串成，因着翡翠易碎，每颗珠子两头皆用打成莲花形状的赤金片护住，翡翠珠身上绕以藤蔓形状的绞金丝。谁知堪堪落在砖地上，其

玉镯

179

中两颗便落了个粉碎。

蕊心心疼得直念佛，忙蹲下身捡起来道："可惜可惜，这碎的两颗拆下了，戴在手腕上就会觉得紧了。"

如懿道："也罢了。反正咱们出不去，碎了也没人看见会怪罪。"

正说着，蕊心轻轻"咦"了一声，掰开那珠子碎裂的地方，里头竟掉出一颗小指甲盖大小的黑色珠子。蕊心对着光线一瞧，奇道："有很淡很淡的香味，只不知是什么？"

如懿接过一看，自己也是全然未识。

蕊心只撇嘴道："皇后娘娘也太节俭了，说是赏的翡翠珠子手镯，结果里头大半不是翡翠的，竟是旁的东西，枉咱们还一直宝贝似的戴着。"

如懿道："这种外邦进贡来的东西，有什么缘故还真不好说。"

江与彬见主仆二人皆是茫然沉吟，便道："小主若放心，请给微臣一瞧。"

如懿递到他手中，笑道："女儿家的东西，江太医也都识得么？"

江与彬仔细看了看，放在鼻端嗅了一会儿，又取过蕊心掌心那些碎了的翡翠珠片看了，敛容正色道："女儿家的东西微臣不一定都识得，但这种医家的东西，却是一看就明白了。"

如懿听得这话不大好，心中陡然一沉，便道："江太医不是外人，有什么话不妨直说。"

江与彬将摔碎的翡翠珠取过拼成完好的形状，道："小主可以看见，这颗翡翠珠子是事先雕琢好空心的，然后将想塞进去的东西塞好风干，再按着眼子留下穿孔的线，从外面看它就只是一颗翡翠珠，而非其他。"

蕊心道："你这话说得不明不白的。这到底是什么东西？"

江与彬的神色有些难看："有一种草木叫零陵香，《嘉祐本草》中说零陵香味辛，温，微毒。多用则壅关节，涩荣卫，令血脉不行。气为血之帅，血为气之母。尤其女子，若气血滞缓，便不易有孕。零陵香香气浓烈，可煅烧后研磨成粉，除去异香，再制成稠厚的黑褐色软膏状，可随意挤入物体之中，待到风干硬化，便成了这一件天衣无缝的东西。这翡翠珠两孔之外都封着孔眼更小的金莲花片，又在珠子上缠以金丝，表面看来是为增其华丽美观，其实是保护翡翠珠不摔碎，不让里面的东西露出来。这般的心思，的确是比能工巧匠更厉害上百倍了。"

第二十二章

重阳

如懿怔怔的，唇上的血色慢慢褪了去："零陵香？所以我一直未能有孕，是么？"

江与彬神色沉重："气血滞缓，手腕上脉象起伏最厉害。若未见此零陵香丸，微臣也会以为是小主本身体质的缘故。这零陵香日积月累缓缓侵入肌理，牵一发而动全身，不知小主戴了多久了？"

如懿木在当地，觉得嘴唇都不是自己的了，麻木地微微张合："我嫁与皇上为侧福晋那一年，安南国进贡的贡品，皇上送了富察皇后，皇后再转赠给我和慧贵妃的。算来，也已经十来年了。"

江与彬语中带了沉沉的叹息，道："这十来年，小主无一日不戴在身边？"

如懿只觉得头有千斤重，艰难地点下："是。福晋所赠，她后来又贵为皇后，这是她所赏赐的最贵重的物品，也一向被皇上视为是妻妾和睦的象征，怎会不戴着？"

江与彬面色极为难看："零陵香最早出于西南，当地人常用此物或佩戴或煎服，有娠者可断胎气，无娠者久难成孕。此物本就不多见，又藏得如此精巧，难怪小主不知。"

心中像被无数利爪撕挠着，一道道血淋淋的印子淋漓而下。是她蠢，蠢到那样的地步，被人算计了十来年，却懵然其中，迟迟未知。

惢心咬着唇，唇上几乎要沁出血来："这东西是安南国的贡品，总不会送来的东西就有不妥吧？"

如懿的声音极低，像是虚弱到了极处，自己强撑着自己一般："你也知道这是安南国的贡品，贡品是给先帝的，最后落到谁的手里谁也未知。安南国的人怎会费这种无的放矢的心思。我却是记得的，当年皇上把这串镯子给了富察琅嬅，富察琅嬅自己留了几日才给我和慧贵妃的。"她心头一滴滴坠着血，那艳红一色，原是十来年日夜期盼，心思枉费。她低低冷笑一声，那声音如清碎的冷冰，划破了自己的腔子，划碎了心肝肠肺，涂然一地。

也好，也好，她混在海兰和纯妃身后，杀了皇后的孩子，皇后也让她的孩子一直来不了人世。后宫倾轧，生死相拼，当真是一报还一报。

如懿死死咬着牙，滚热的泪烫在眼眶里煞煞灼烧着，她拼命仰起脸，忍住，再忍住。已经失去的，何必再为之落泪，眼泪落下来不过是湿了自己，还不如让它流回去，灼伤了心，记得那痛，便不会再心软。

如懿忍住泪，缓缓道："慧贵妃多年来顺从皇后，一心依附，可怜她竟和我一样，膝下空空。也枉费了她屈居人下，看人颜色。"

江与彬露出几分踌躇之色，还是道："小主要听微臣一句实话么？"

如懿道："你说就是。"

江与彬叹道："若细细论起来，慧贵妃可比小主可怜多了。"

"可怜？"如懿叹了一声，死死掐着自己的手指，"活在算计之中，刀锋之上。后宫之中，何人不可怜？"

江与彬的脸色并不大好看，道："慧贵妃一直身有旧疾，时时离不开太医。一则是因为和小主一样，手上戴着这个东西。另一则，慧贵妃求子心切，曾经召集太医院所有太医为她诊脉。微臣就是那一次为贵妃搭过一次脉，贵妃的脉象是气虚血瘀之症，而且非常严重。"

"严重？"如懿疑道，"不是一直有最好的太医为她调治么？怎么反而不见起色？"

江与彬道："小主这样想便是了。为什么贵妃一入冬就那么怕冷，夏天又易出虚汗，面色淡白，身倦乏力，气少懒言，烦躁易怒，胸肋疼痛如刺，月事也紊乱不调，每每月事至，则绞痛不已。皆因淤血不去，新血难安，血不归经而发。长此以往，如何会有胎气凝聚？"

如懿微微一滞："你是太医，才诊了一次脉就发觉了，齐鲁为太医院判，素日为贵妃调理，他会不知？"

江与彬的面上闪过一丝意味深长之色："小主所言，才是最值得斟酌之处。病症显而易见，积累多年，却越治越病，当中的缘故……"

如懿瞿然变色："齐鲁没有这么大的胆子！"

江与彬满面恭谨，平静道："娘娘所言甚是。但是那一回会诊，太医院所有太医却都长了同一条舌头，慧贵妃的病是胎里带来的，如今虽然见好，但根子还在，一时未能清除。而那日所有太医一起开的那张药方，更是一张要紧的药方，但凡按着那个方子服药，表面看着症状会有所减缓，其实就像在寒冰上面泼热水想化了那冰，外面看着冰是化了些，但耐不住慧贵妃的体质便是个大冰窟，再多的水扑上去，一会儿就冷住了，反而冻得更厉害，等到哪一天受不住了，便冻得元气大伤，那便无疑是饮鸩止渴了。"

如懿心头狠狠一抽，一阵爽利的快感过去，亦是凄凉。其实比之皇后，这些年来她与贵妃高晞月的明争狠斗才最是厉害的。一路从潜邸过来，争着荣宠，争着位分，此消彼长，你进我退。虽然此时此刻，她身在冷宫朝不保夕，可是在外备受恩宠的高晞月，也并没有好到哪里去。

那恨意慢慢地积在胸腔里，积得久了，便成了一把利器，钝钝的，带着铁锈，一下一下割着。从前，是她无用；可是往后，断断不能再无用下去了！

待得皇帝回銮时，海兰已经有四个月的身孕，因着初初回宫忙碌，皇帝之前又连着折损过两个孩子，对海兰的胎便万分看重，身边足足添了一倍的人伺候，动辄便是一群人跟着。之后又正逢着皇帝的万寿节并中秋、重阳三节，节下热闹，海兰也不宜多出宫，越发见不得如懿一次了。

这一日正逢着是重阳，皇帝自登基后便待太后十分亲厚，孝养有加，又兼太后掌着后宫之事，所以这一年的重阳节过得格外热闹。按着宫中的规矩，九月重

重阳

阳的正日，皇帝亲自陪着太后到万岁山登高，以畅秋志。这一日，皇宫上下要一起吃花糕庆祝。那花糕是各宫嫔妃亲自做了进献太后的，自然各出奇招，大致有糙花糕和细花糕两种。糙花糕的皮上粘了一层香菜叶，中间夹上青果、山楂、小枣、核桃仁之类的糖干果；细花糕层数颇多，每层中间夹着较细的蜜饯干果，诸如苹果脯、桃脯、杏脯、乌枣之类，都做成金钱大小，十分精致。到了夜间，太后兴致颇浓，便按着皇帝外赏百官花糕宴的规矩，也在重华宫宴请帝后嫔妃，皇帝生性爱热闹，自然更加凑趣。夜宴以重阳花糕做成九层宝塔状，上缀两小羊以合重阳（羊）之意，与诸人插茱萸，饮菊花酒，欢欣畅饮。

酒过三巡，歌舞之乐也沉沉缓下去，静夜的凉风一重重拂上身来，多了几分蕴静生凉，摇曳得满地黄花灿烂，亦生了几分消瘦憔悴之意。皇帝添了几分沉醉的酒意，望着墨玉般的黑沉天际，一轮昏黄的弯月寂寞地别在黑色幕布上，连星子亦光彩黯然。皇帝唇角带了一抹淡薄而倦怠的笑，道："年年月月便是歌舞，也实在是无趣得紧了。"

皇后笑道："那一曲《桃夭》，臣妾记得是皇上最喜欢的。常说妙龄女子素颜红裳，恰如桃之夭夭，灼灼其华，令人赏心悦目。"

皇帝轻轻一嗤，喝尽盏中的酒，道："宫中宴饮常用梨花白，今日饮菊花黄，才有新意。这歌舞朕虽然喜欢，可是看多了也生腻烦。皇后不明白其中的道理么？"

皇后脸上微微一黯，很快还是笑道："皇上总喜欢别出心裁。"

太后抚了抚鬓边的祖母绿赤金凤缕珠步摇，摇头道："别出心裁也罢了，若能新颜常在，侍奉君王之侧也是好的。"她看向皇帝道："皇帝，哀家去岁赐予你的新人陆氏伺候了你才一年，一直还是常在之位，是不是不合皇帝你的心意啊？"

皇帝微微一笑，只是不置可否："皇额娘垂爱，儿子心领了。"

皇太后微微垂下眼睑，很快朗然笑道："皇额娘本想你身边有个可心可意的人好好伺候你。若是陆氏不好，就在常在的位分上慢慢熬着吧。身为嫔妃，不能讨皇帝欢心，那就是多余！"

这话说得不轻不重，可是落在在场的嫔妃耳朵里，却是俱然一凛，不觉收敛了神色。太后笑得和颜悦色："如今是秋日里了，再舞春日桃花盛开时节的《桃天》，未免不合时宜。皇帝，咱们便换一支歌舞吧。"

皇帝奉起一杯酒："但凭皇额娘做主。"

太后澹然一笑，抚掌两下，却听丝竹声袅袅响起，幽然一缕如细细一脉清泉蜿蜒，如泣如诉，慢慢沁入心腑。却见满地各色菊花丛中，悠然扬起一女子纤细翩然的身影，踏着丝竹轻缓而来。那女子玉色纻罗缦衫，淡淡云黄色长裙飘逸如轻云明月，清素衣衫上只绣着朵朵秋菊，也不过寥寥清姿，并不用繁复的绣线堆簇，她堆起的高高云髻上只簪了银色绞丝菊流苏，不细看，还误以为是月光将花影落在了她身上，风吹起她衣衫上的飘带，迤逦轻扬，灼烁生辉，转袖回眸间凉风暗起，身姿空灵。她的嗓音柔缓，伫立在这静好的月色之中，侧身依依念道：

"薄雾浓云愁永昼，瑞脑销金兽。佳节又重阳，玉枕纱橱，半夜凉初透。东篱把酒黄昏后，有暗香盈袖。莫道不销魂，帘卷西风，人比黄花瘦！"

那是一阕李清照的《醉花阴》，待她念到最后一个"瘦"字时，余音袅袅飞扬而去，几乎是飞到了遥远的碧海青天，被流云遏住，幽绝缠绵处，不必知音如李清照，也早湿了半幅青衫，为之戚然。她的身子慢慢地低旋下去，低旋下去，成了袅袅的藤蔓轻缠，一直落在了散开的裙裾之间，像是捧出一朵玉色晶莹的花朵，盈然招展，风姿眷眷。

银瓮潋滟浮红颜，翠袖殷勤捧玉钟。原来满目繁华，只为衬得伊人遗世而在。

皇帝忍不住抚掌笑道："舞低杨柳楼心月，歌尽桃花扇底风。朕原以为歌舞曼妙已经极佳，不承想凌波微步、踏歌吟诗更是清新隽永，只是这样好的才情，这样美的舞姿，不知长相如何，是否曾与朕梦中相逢？"

太后微微一笑，唤道："皇帝吩咐，还不走近来？"

那女子缓步上前，施了一礼，抬起头来。皇帝触目处，只见那女子神色清冷，却有一番艳绝姿态，修蛾曼睐，貌殊秀韵。

慧贵妃蹙了蹙眉头，似是赞叹，似是嫌恶，冷冷道："蛾眉玉白，好目曼泽，时睐睐然视，精光腾驰，惊惑人心也。"

皇帝赞许地看她一眼："这是王逸的《楚辞》注，贵妃好才学。"皇帝的赞叹不过一声，甚是潦草，旋即被那女子吸引。那女子盈盈笑时嘴角微微扬起，似乎是新月般的笑颜，却没有丝毫温度。但若说她是冷淡，偏偏那眼波流转，又觉得她眉目绚然，是在含羞顾盼着你。

皇帝侧首笑道："皇额娘精心挑选的人，念的是李清照重阳思君的《醉花阴》，果然很合时宜。"

太后眉心微微凝了一丝笑色，缓缓道："合不合时宜，哀家说了不算，皇帝说了才算。"她凝声道："这丫头是侍郎永绶之女，满洲镶黄旗人，出身亦算贵重。"

皇帝颔首，柔声道："上前来吧。"

慧贵妃眉头一锁，旋即含笑娇怯怯道："皇上，重阳喜日，歌舞娱情助兴才好。念什么诗词，冷冷清清的。"

皇帝恍若未闻，只看着那女子道："今夜歌舞甚好，为何只念诗词？"

那女子垂着脸，声音却不卑不亢，毫无献媚或畏惧之意："臣女不喜太过热闹的歌舞，倒觉得古人的诗歌有蕴藉，须细细品味才得意趣。臣女素闻皇上秉圣祖文心之质，善于吟咏，以为会得知音之感。"

皇帝眉梢眼角都是舒展的笑意，问道："你叫什么名字？"

那女子低垂眼眸，柔声道："意欢。"她停一停："是心意欢沉之意。"

皇帝的目光如春日沉醉的晚风，绵绵道："古人男女相悦，女子对情人的称呼便是欢。这个名字，很有情致。"

意欢有星子般的眼眸，此时眸中如寒夜里明灿的星，骤然亮起，情意宛然，低低道："是，皇上博学。臣女平生最喜《相见欢》一词。"

"朕与你便是相见欢了。"皇帝的笑如清亮的阳光，无遮无拦洒下，他停一停道，"你姓什么？"

慧贵妃撇嘴道："这样的名字，多半是个汉军旗的出身姓氏罢了。"

嘉嫔掩口笑道："还是慧贵妃最明白什么是汉军旗的出身了。"

慧贵妃脸色一冷，转脸不顾。

意欢沉沉道："叶赫那拉氏。"

皇帝微微一怔，唇边的笑意如遇上了寒雨微凉。皇后已然带了一抹意味深长的笑："叶赫那拉氏？"

嘉嫔"哎呀"一声，以袖掩口，惊奇道："叶赫那拉氏？可是被我建州女真所亡的叶赫那拉氏？"她盈盈望住皇帝，娇声道："皇上，臣妾虽然来自李朝，却也听说当年叶赫部为我太祖努尔哈赤所灭，叶赫部首领金台吉临死前悲愤不已，曾说道叶赫那拉即使只剩下一个女人，也要灭亡建州女真，不知是不是真的？"

慧贵妃见意欢脸上有不豫神色，不觉拈起绢子笑道："嘉嫔虽然来自李朝，可是对咱们爱新觉罗家的典故还知道不少呢。"

嘉嫔扬了扬唇角，颇有得色道："可不是？既然身为皇家儿媳，自然事事以皇家为重了。"

皇后含笑颔首："嘉嫔生下了皇子，果然越发懂事得体了。"

太后不以为意地笑笑："往日传闻，你们倒是听得有心了。只是叶赫部被我建州女真灭了那么多年了，早已臣服。意欢的阿玛好好地当着皇帝的侍郎，她一个女孩子家，哀家倒不信能成了精了？皇帝，你说呢？"

皇帝微笑着伸手向她，语气柔缓温存："朕记得，太祖的孝慈高皇后便是叶赫那拉氏，还替太祖生下了太宗，可谓功传千秋啊。"

太后眉毛微微一扬，和缓笑道："意欢，还不谢恩？"

意欢盈盈下拜："臣女多谢皇上夸赞。"

皇帝笑道："朕倒不是夸赞，叶赫那拉氏出身满蒙贵族，却不想将汉人的诗词念得这样婉转动听，真是难得。朕记得宫中通晓汉家诗文的，除了慧贵妃，便是……"

他微微一滞，并没有再说下去，只是自斟自饮了一杯，向海兰道："海贵人，你有着身孕，拣自己爱吃的多吃些吧。"

海兰知道皇帝想起了谁，便作不知一般，笑道："旁人不说，如今这位意欢妹妹，也是极通诗书的。"

意欢眸若秋水，盈盈一荡："皇上通晓满蒙汉文字诗史，难得在皇上跟前伺候一次，不能做了什么都不懂的人。"

皇帝笑着挽过她的手："既然你如此有心，你便也留在朕身边，做个贵人陪伴吧。"

皇后先起身举杯道："皇上自登基以来，册封的嫔妃大多是从答应、官女子做起，如今叶赫那拉氏一举得封贵人，可见皇上钟爱，臣妾敬皇上一杯，贺皇上新得佳人。"

嫔妃们虽有不甘，亦只得跟随起身，贺道："恭喜皇上。"

皇帝一饮而尽，嘱咐了叶赫那拉氏伴在身边。那叶赫那拉氏对诸人神色都是冷冷的，唯独对着皇帝时温柔凝睇，一笑如冰上艳阳，冷清中自有艳光四射。

皇后微微使一个眼色，慧贵妃起身娇声笑道："皇上看腻了旧歌舞，咱们这些做旧人的不能不胆战心惊，臣妾只好就想些新鲜法子希望皇上不要厌弃了。"

皇帝笑盈盈望着她，眼底尽是温然的情意："又胡说了，朕怎会厌弃你？"

慧贵妃嫣然一笑，百媚横生，指一指天上道："今天新人且歌且舞，咱们地上尽够热闹了，臣妾的父亲从外头送来各色烟花，咱们且看一看天上的热闹吧。"

皇帝颔首道："烟花不错，只是怎么想起这个来了？"

慧贵妃温柔凝眸，鬓边的一支并蒂海棠花步摇安静垂落，道："臣妾往日读《少年游》，记得有一句'雨晴云敛，烟花澹荡，遥山凝碧。驱车问征路，赏春风南陌[1]'，可不是应了如今的景么？"

皇帝颔首道："还是你最解情致，一点小玩意儿，都能答出那么多细腻心思来。"

慧贵妃扬一扬脸，身边的双喜赶紧下去了。不过片刻，只见乌沉沉的墨色天空，忽然划过一道流星般的白光，仿佛一声尖锐的呼啸，五颜六色的烟花旋即绚烂飞起，整个夜空几乎被照得亮如白昼。

慧贵妃一一指着道："那红的是天女散花，黄的是武松打虎，金猴献果，这几个五彩的是八仙过海、金辉齐鸣、铁树开花、百花齐放。皇上看那个，最别致的杨贵妃观牡丹，还有白蛇仙女、百鸟朝凤、金龙腾飞。"

慧贵妃说一句，众人便赞一句，那烟花似颗颗明珠在空中绽放，朵朵变化绚丽，如彩蝶飞舞，纷纷飘然。正喧腾间，只见一朵硕大的烟花绽放在空中，散出满天云霞，金芒似的火星四散飞落开去，远处歌姬们的管弦声以及嫔妃和宫人们的叫好鼓掌声，熙熙攘攘混在一起，将今夜的喧哗热闹推到了最高处。

待到烟花尽了，唯剩了满天空的寂寞与宁静，空气里散着淡淡的硝烟味，微

---

[1] 出自宋代女词人孙道绚的《少年游》。全词为："雨晴云敛，烟花澹荡，遥山凝碧。驱车问征路，赏春风南陌。正雨后、梨花幽艳白。悔匆匆、过了寒食。归家渐春暮，探酴醾消息。"孙道绚，号冲虚居士，建安（今福建建瓯）人。少聪明，颖异绝人。

微有些呛人。

皇帝回首见叶赫那拉氏只是淡淡的神色，便道："怎么？不喜欢么？"

叶赫那拉氏为皇帝斟了一杯酒，浅浅笑道："烟花好看是好看，热闹也热闹。只是做人若只是热闹了这一刻，便要回归寂寥，还不如清清静静，做天上一点星子，虽然是微光，却永远明亮。"

皇帝眼中闪过一丝明亮，看向太后道："果然是皇额娘调教出来的人，见识卓然，与众不同。"

太后眼底精光一闪，和言道："哀家放她在身边，能调教的不过是规矩罢了。心思，还是她自己的。"

皇帝闭目片刻，含笑道："叶赫那拉氏的心性，倒是和皇额娘亲生的两位公主一样，让朕想起远嫁的大妹妹端淑长公主了。"

太后神色微微一滞："端淑长公主在皇帝登基前便已许嫁了蒙古，只剩下柔淑长公主还待字闺中，一直交给庄亲王夫妇教养。哀家也不能常常得见。"

皇帝沉吟片刻道："那是儿子不孝了，未能顾及皇额娘母女情深。"

太后一凛，旋即笑得柔和："皇帝何必自责？庄亲王夫妇忠于皇帝，又是皇帝的亲叔叔，必然会替哀家好好教养公主。何况，庄亲王福晋又是出了名的贤德淑女呢。"

"儿子也这样想。皇额娘身边有儿子和这些媳妇，都会孝顺皇额娘的。逢着大年节，公主也会随着庄亲王夫妇进宫，拜见皇额娘，皇额娘一切放心就是。"皇帝恭谨一笑，转头看着叶赫那拉氏，颇为欣赏，"你说话很能让朕舒心，朕便赐你封号为舒，赐住储秀宫。往后，你便是朕的舒贵人了。"

叶赫那拉氏笑意浅浅，神色平和如镜："臣妾谢过皇上隆恩。"

皇帝执过她手，相看不厌。却见皇帝身边的小太监进保一脸惶然地急匆匆进来，打了个千儿道："皇上，不好了，不好了！冷宫走水了！"

第
二
十
三
章

火
焚

　　如懿并没有想到火会突然一下烧起来。一开始，她不过是和冷宫那班妇人一般，站在各自的廊下，看着烟火满天，缭乱夜空。这一夜的风正好是吹向冷宫的方向，把原本遥远而璀璨的烟火在空中带得更近她们一些。真是现世的繁华，虽然越发衬出她们的孤清寒苦，可还是忍不住去看，去向往。

　　如懿自嘲地笑笑，哪怕被禁闭在此这么长的时日，但红尘万丈，浮世虚华，她从未自心底放下过。

　　第一年的心如死灰，第二年的隐忍后激发的心志，到了第三年，她反而有些和缓。虽然，走出这个困笼的念头日复一日地强烈，可是她明白，一切急不来。

　　就如冬日里手上脚上的冻疮，夏日里满背的痱子与蚊包，知道必须得过了这个季节，才会好起来。

　　蕊心走过来，嗔着道："小主，今晚本来是凌云彻和赵九宵当值的，奴婢还想叫他们一起看烟花呢。谁知道那俩偷懒的家伙，不知道跑哪儿去了，连个人影也没有。"

如懿笑道："每逢佳节倍思亲。也难为他们年年岁岁都守在这儿，由得他们去吧。"

那火苗，就是她在说完这句话的时候"嗤"地燃起来的，毫无预警地，几乎是整个屋顶，都轰地燃烧起来，那火势之快，几乎是窜到哪里哪里就烧了起来。冷宫里阴湿霉冷，那火势却毫不受阻，燃起一股焦霉的味道。忢心大惊，立刻将如懿护在了身后，大呼道："来人哪！来人哪！失火了！"

满宫里的女人们都着了慌，有几个聪明的，便先抢到了院子里，赶紧去看水缸里有没有积着的水。宫中为防失火，也为了蓄积天雨，总是在院子里和殿前的廊下放置些铜缸，女人们被这愈演愈烈的大火吓坏了，忙不迭伸手捞起缸中的瓢舀了水一勺一勺泼出去，奈何地上墙上都已着了火，加之许久不曾下雨，缸里本来就没多少水。如懿冲到门前，大力拍击着宫门道："救人啊！救人啊！有人在吗？有人吗？"

她喊了几句，便被滚滚的浓烟呛住了嗓子。凌云彻远远站在庑房门外，和赵九宵、张宝铁、包圆一起垂着手跟在头领李金柱身后。

赵九宵看着火势越来越大，踌躇着道："头儿！这火烧成这样，咱们真不去救人吗？万一那帮女人全烧死在了里面……"

李金柱一脸肃杀，按着腰间的长刀，道："她们活着的时候就是先帝和当今厌弃的女人，吃着食粮，费着衣着，活得也不体面，倒不如一把火烧死了，一了百了。咱们哥儿也落得清静，不必在这冷宫外受罪熬苦了。"

包圆道："头儿的意思是……"

李金柱瞥了包圆和张宝铁一眼："冷宫都没了，还要咱们这些冷宫的侍卫做什么？自然有更好的去处了。"

赵九宵仍是有些害怕："可是若上头怪罪下来，冷宫失火丧命，也是不小的罪名啊！"

李金柱仰头看着这火势，沉着脸道："在宫里当差久了，你们好歹也有点眼色，长点见识。你看看这火起的样子，要不是有人先预备下的，冷宫这地方，能起这么大的火么？你再想想这宫里，有几个人敢烧了冷宫的。便是那样的身份，咱们就得罪不起，若再坏了别人的好事，这脑袋就不在自己脖子上了。"

赵九宵有些怯怯的，听着冷宫里惊惧的哀号声越来越凄厉，忙用袖子堵住

了耳朵，不敢再听。凌云彻双手紧紧握着刀把，下意识地往前走了一步，因为他分明听见，有人在唤他的名字，向他呼号求救。他紧紧攥着刀把的手，手背上青筋暴突，那是小主的声音，还是惢心？他一时辨不出来，只知道她们一定是怕极了，才会这样喊着自己的名字求救。他忍不住又走上前一步，李金柱横了他一眼："上次被人打成那样，还不记得教训么？在这宫里待着，多一事不如少一事。何况是你惹不起的主儿。"

凌云彻咬了咬牙，跪下道："头儿，您仔细想想。咱们不能不去救人哪。冷宫里的女人不多，就那十几二十个，没人看得上她们。可真要是死了，头一个罪名便是落在咱们五个人身上。哪怕您说的主儿咱们惹不起，但宫里任何一个主儿怪罪下来，咱们更惹不起。到时候冷宫一把火，再加上咱们兄弟五个的脑袋，就真的是死无对证了。"

张宝铁看了看凌云彻，再看了看李金柱，有些拿不定主意："头儿，小凌说的好像也有几分道理。毕竟这事不是上头吩咐下来不要咱们理会的。那个……"

凌云彻恳求道："头儿，旁人也罢了。最近进来的那个，是孝敬宪皇后的侄女儿，虽然是失宠了皇上不要她了，可到底是皇亲国戚，真出了事儿咱们也扛不起啊。"

李金柱显然也是被说动了，却迟疑着不肯再发话。凌云彻听着里头的叫声越来越惨烈，再也忍不住，起身抱了一桶水便冲了出去。赵九宵犹豫片刻，也跟着闯了出去。

张宝铁一惊，张了张嘴："头儿……他们……"

李金柱摇头道："他不听劝，也没办法。只是今晚是他们俩当值，要真出事了他们是首当其冲，去便去吧。这样也好，万一得罪了哪一边，咱们都不会死绝了。"

凌云彻好容易打开了冷宫的大门，一闯进去几乎是吓了一大跳。因着廊下堆着草垛，门窗又朽烂了，烧得最厉害。浓烟滚滚中，他绊倒了几个人，衣角头发都着了火了，他吓得半死，赶紧把那桶水洒了点在她们身上，一边咳嗽着呛着烟，一边往里头搜寻如懿和惢心的踪影。他寻了半日，只见如懿和惢心所住的屋子烧得最厉害，大半已经烧毁了，人影也没一个。他心底一慌，难不成当真被烧死在里头了。他有些不甘心，不由得唤道："小主！惢心！小主！"

有微弱的呻吟从附近传来，凌云彻听得声音熟悉，不觉直闯过去，那一间是素日吉太嫔所住的殿阁，自她死后，便已荒废了。眼下看来，却是那里火势最小。凌云彻抱着最后的一丝希望直冲进去，只见殿门后的角落里，两个浑身湿透的人瑟瑟缩缩躲在那儿，已经被烟呛得快要昏迷了过去。

凌云彻看清了是她二人，心头大喜，正见赵九霄寻了进来，忙招手唤了他过来，一人一个背了出去。才背到冷宫的门边，只见前头灯火通明，两队侍卫架着水龙急匆匆过来，对着冷宫的火便架起水龙直喷上去。凌云彻累得精疲力竭，却忍不住微笑出来，大大地松了口气。

如懿闻得干净清新的空气，脑中稍稍醒转，触目便见云彻焦灼的脸，她心头微微一松，仿佛整个人都落在了实处，情不自禁道："如懿……谢过。"

凌云彻拿手帕绞了替她擦着被烟熏黑的脸，低低道："我还以为你的名字就是小主，原来你叫如意，是万事如意么？"

如懿吃力地摇了摇头："嘉言懿行，是美好的意思。"

凌云彻嗤笑道："能把你们俩全须全尾地救出来，就已经很美好了。"

如懿看着昏沉沉的惢心，伸手将她搂在怀里，感泣道："多谢你，肯来救我们。"她看着喷起的水龙，犹疑道："只是这火起得太奇怪，你贸然过来救我们，会不会连累你？"

凌云彻看着远处忙碌的侍卫们一个个将冷宫的女人们搬出来，眉宇间微微松弛："我也很捏了把汗，不知道该不该救你。但看到皇家的水龙过来，就知道没有救错你们。"他看看周围，低声道："我和九霄去帮忙，你们好好歇着。"

如懿点点头，看着他离去，仰面深深呼吸片刻。这是她三年来第一次走出冷宫，哪怕她知道片刻后自己还是要回到那困地里去，可是多么难得，外面的星光看着和里头也是不一样的。她深深地吸了口气，紧紧地握住了自己的手。

随着火势消减，她靠在墙边，看着明黄色的九龙仪仗渐渐逼近，一颗心忍不住突突地跳了起来，几乎要蹦出自己的腔子。泪水迷蒙了双眼，她是认得的，那再熟悉不过的九龙明黄仪仗，是他，是他来了。

不只是皇帝，还有皇后，他们远远地站着，看着火苗被水龙压得一分分低下去，方才松了一口气，却是皇帝身边的李玉也发觉了她，轻声道："皇上，那墙根底下靠着的，好像是……"

他乖觉地没有再说下去，却足以让皇帝注目。皇帝沉吟片刻，还是向她走来。那一刻，如懿说不上是喜是悲，仿佛所有的爱恨与积怨都一一淡去，他依旧是当年的翩翩少年，策马兰台，向她缓缓走来。

泪水模糊了双眼的一刻，她拥着蕊心，紧紧蜷缩起自己的身子，靠在泥灰簌簌抖落的墙根脚下，想让自己尽量缩成让人看不见的一团物事，哪怕是墙根底下不见天日的苔藓也好。是，她是自惭形秽，他的身边，是风华正茂、懿范天下的皇后，而她，却如此狼狈，落魄可怜。

她拼命低着头，终于，在一步之外的距离，分明地看到他明黄色袍襟下端绣江牙海水纹的图样，那是所谓的"江山万里"，她已经许久许久没有看到过了。

那人如一幢巨大的阴影停留在她面前，遮挡住所有的光线。不远处的一切都淡淡地模糊下去，成了虚幻而遥远的浮影。她隐隐听得皇后焦急的声音在唤："皇上——"那声音却是让所有人都无动于衷。

通明的火光在他身后，映照在被风鼓起的翩然衣袂上，浮漾起一种邈远而虚浮的光泽。他静默着走上前，如懿亦静默着蜷缩成一团。只有甬道内的风，无知无觉地穿行游荡，簌簌入耳。

他俯下身来，将身上的赤色缂金披风兜在了她身上，手指轻柔地替她拂开脸上湿腻腻的碎发，轻声道："入秋了，别冻着。"

那样轻柔的口吻，清越宛若天际弯月，仿佛是带着花香的月光，静谧而安详地散开四周难以入鼻的气味，静静弥散。仿佛还是昔年初见的时候，他也用那样的语气唤她："青樱妹妹。"

她微微点了点头，别过脸去："别看我，给我留一点颜面，别看到我这样狼狈的时候。"

他亦颔首："无论过了多少年，你在朕心里，还是那个好强的妹妹。"他仰起身，轻声而郑重："青樱，保重。"

这一刻，他唤她"青樱"，而不是"如懿"。是往年欢好如意的青樱，彼时，他们都还年少，心意沉沉而简明。而不是"如懿"，那个在后宫中极力自保，出尽谋算的小小妃嫔，那个受尽委屈，被他发落至冷宫的失宠女子。

青樱，弘历，那是他们最好的一段年岁。

可惜，都已经过去了。

他转身便走，没有丝毫留恋，到了皇后身边，淡淡道："人员无伤，回去吧。"

皇后口中答应着，忧心忡忡地看着他先行离去的背影，回头瞥一眼无比狼狈的如懿，将一丝怨恨深深地掩在了眼底。

　　这一场大火来得突然，冷宫虽无人烧死，却烧伤了好几个。幸而也算发现得早，但冷宫一半的房屋也被烧毁了。太后和皇帝为着重阳失火，几乎是大发雷霆。然而查来查去，也不过是那日的风势太猛，吹落了烟花所致。慧贵妃急切难耐，又怕皇帝怪罪，在养心殿外跪着脱簪待罪。皇帝倒也不肯责怪她，安抚了几句便也罢了。

　　江与彬来时将这些话说与如懿听，如懿只是嗤地一笑："冷宫阴湿，即便着火，火势也不会这样大，何况怂心醒来后和我查看过，最先烧起来的地方是我的屋子顶上，那里还留有些许油迹，像是被人泼了油才会这么快烧起来。"

　　江与彬冷冷嗤笑："是么？幸而只是烧伤了几个人，没得烧死什么，否则也难以掩盖这件事了。"

　　如懿笑笑："敢做这样事情的人，绝对能有本事掩得过去。"

　　江与彬道："只不过皇上最近嫌后宫里烦，不大进后宫，进了也不过是去看看海贵人就完了。连新封的舒贵人都没宠幸，一直撂在那儿呢。"

　　如懿有些迟疑，还是沉吟道："皇上……不高兴？"

　　"重阳这样的大节庆出了这样的事，也难怪皇上不高兴。"

　　如懿缓一缓气息，关切道："那海兰如何？"

　　江与彬微微踌躇，斟酌着道："胎象倒好。只是怀着第一胎，又出了头三个月不思饮食的时候，这些时日一直胃口大开。"

　　如懿放心地含笑："吃得下是好事，海兰从前也太瘦了。"

　　江与彬亦笑："是好事，就是胖起来快点，微臣总叮嘱海贵人得多走动。否则到时生产便要吃苦。"他往四周看了看："小主原来的屋子烧了，如今住着吉太嫔从前的屋子，稍稍将就吧。"

　　如懿倒也淡然："住哪里不是住着，左右也离不了这里。"

　　江与彬看见榻上搁着一件赤色绛金披风，用珊瑚和蜜蜡珠子缀着万字不到头的花样，另用金色的丝线绣成玉藻图案，万字不到头的连绵。这是御用的图案，他自然是认得出的，不觉含笑拱手："看来冷宫失火，意在小主，反而让小主得了意外之喜。"

火焚

195

如懿扶一扶松散的发髻，道："你若得空，替我拿出去还给皇上。若是留在这儿，反生了是非。"

江与彬道："好。不过微臣有一物，是给蕊心的。"他打开药箱，取出一包点心："这是万宝斋的酸梅糕，蕊心最喜欢吃的。微臣特意带给她的，以安慰她受火困的惊吓。"

如懿摸着糕点外的包纸，感叹道："日久见人心，蕊心跟着我这样的主子，落魄到这种地步，你对她的心意还是依旧，这是最难得的了。"

江与彬脸色恳切，道："微臣与蕊心都出身贫寒，何必彼此嫌弃呢。纵然她要在冷宫陪着小主一辈子，微臣也是不会变心的。"

如懿起身将皇帝的披风包好，递给江与彬道："那日冷宫的侍卫为了救咱们这些人，冒着火冲了进来，不知有没有受伤？或者皇上有没有责罚？"

江与彬道："只是被烟火呛着了，没有事。皇上也看到他们尽力救人了，并没有怪罪。小主的意思是……"

如懿看着外头的天光晦暗，忧心道："我怕他们贸然救人，得罪了人也不知。虽然一时之间皇上没有怪罪，但若被人暗算……"

江与彬胸有成竹地笑道："那也好办。想个法子让他得个病避一避风头就是了。这个微臣会安排。至于蕊心，她被烟呛得厉害，一时起不来床，微臣会多留几服药在这儿，小主按时喂她吃下就好。"

如懿颔首道："你下回来，替我带一包要紧东西来。这东西除了你，旁人弄不到的。"听完如懿这几句低语，江与彬脸色一沉，闪过一丝惶惑，但仍是答应了："但凭小主吩咐。"

江与彬到了延禧宫请脉的时候，皇帝正与海兰坐在暖阁的榻上。时近黄昏，殿内有些偏暗，只有长窗里透进一缕斜晖，初秋的寒意如清水一脉，缓缓透骨袭来。

江与彬请了个安，皇帝兴致阑珊的，随口吩咐了起来。江与彬请过脉，道了"胎气安稳"，便将如懿托付的那件披风双手恭谨奉上："微臣刚去了冷宫请脉，如懿小主托微臣将此物转交给皇上，说冷宫不洁，容不下圣物。小主已经清洗干净，请皇上收回。"

皇帝微微出神，倒是李玉机警，赶紧接过了道："倒是难为如懿小主了，冷宫那种腌臜地方，还能把皇上的衣物清洗得这么干净，都不知道她小心翼翼地洗了多少遍。"

皇帝伸手道："给朕瞧瞧。"李玉忙奉上了，皇帝伸手仔细地抚摸着，缓缓道："那是火起那日朕看她全身湿透了，特意给她披上的。她便那么不喜欢么？急急便送了回来。"

海兰梳着家常的发髻，头上点缀着如意云纹的玉饰，一支如意珍珠钗斜斜坠在耳边，清爽而不失温婉。她婉声道："姐姐的意思，怕是近乡情更怯，触景反伤情。她已经是皇上的弃妃了，怎么还能收着皇上的东西。姐姐她……"

皇帝摆手道："罢了。朕明白。"

李玉忙仔细捧过收下了。皇帝便问江与彬："如懿在那里都好么？"

江与彬忙跪下道："微臣若说实话，皇上必定怪罪。"

皇帝笑了笑："是朕问错了你。冷宫那地方自然不好，朕是问她，身体还好么？"

"其他都无碍，就是人熬瘦了好些。整日和那些疯妇在一起，能清醒便是好的了。"

皇帝微微点头："海贵人举荐你为她安胎，朕一开始是不放心的。太医院比你有资历的人多得多了，你又只在冷宫当差。可海贵人说你做事老到，也不是挑三拣四欺凌主上的人。朕看你伺候海贵人和如懿都尽心，倒也能放心少许了。"

江与彬道："在微臣眼中，冷宫的小主与海贵人并没有分别，都是微臣要尽心照顾周全的小主。"

正巧敬事房的首领太监徐安捧了绿头牌进来道："皇上，该到翻牌子的时候了。"

皇帝看着乌黑的紫檀木盘子上一排的绿头牌，轻嗤一声道："拿下去吧。"

徐安苦着脸道："皇上，您好些日子没翻牌子了。别的不说，舒贵人眼巴巴地盼着您去呢。"

皇帝斜睨了他一眼，淡淡道："你的差事越发当得好了。朕召幸谁还得听你的吩咐？"

徐安慌得跪下道："奴才不敢，奴才不敢。"

海兰忙劝道："舒贵人是皇上新封的，结果还没召幸就扔在一边了，面子上是不大好看。好歹还有太后呢。"

"朕今日没有兴致。"皇帝摇了摇头，将牌子推开，温和道，"海兰，你好好歇着，朕先回养心殿了。"

海兰忙起身送了皇帝出去，眼看着皇帝上了辇轿，方才慢慢走回去。

皇帝坐在辇轿上，看着前后乌泱泱的人群在暮色中沉稳而迅疾地走动，几只鸦雀扑棱着翅膀飞过染着墨色的金红天空，无端便生了几分寂寥之情。他将手探入怀中，取出一方薄薄的丝帕，上头只绣了几颗殷红荔枝，并几朵淡青色的樱花。他慨然片刻，紧紧地握在手中，像是握着一方失而复得的温暖，再不肯松开。

第
二
十
四
章

双
毒

　　海兰的病症，是在怀孕六个月的时候出现的。与怡嫔和玫嫔当时的情况并无
二致。一开始，她只是发胖得厉害，因着是头胎，还以为是浮肿，喝了许多去肿
的冬瓜汤还是不见起色，才知道是真的胖了起来。第一条粉红色的纹路出现在身
上时，她还不以为意，直到第二条第三条第无数条出现在她身上时，她才害怕得
哭起来。然而还来不及哭多久，她便发现了自己更大的不对劲，嘴里的溃疡接二
连三地冒出来，时不时地发热、大汗、心悸不安，自己也控制不住似的。并且一
夜一夜失眠多梦，她从梦魇里醒来，慌乱之下请来了玫嫔，并在她惊惧失色的面
孔上，探询到了一丝可能的意味。

　　彼时，皇帝的心境已经平复不少，盛宠舒贵人之余很少再顾及到后宫诸人。
在听闻海兰的病症之后，皇帝亦是由舒贵人陪同着来到延禧宫。海兰哭得梨花带
雨，怯怯地拉住玫嫔的手不放。玫嫔亦是触动了情肠，二人相对垂泪，俱是伤心
不已。

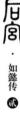
皇帝自嘉嫔生育了四阿哥后，以为一切顺遂，只盼着海兰能再生下一个阿哥来，更好释怀当年怡嫔与玫嫔腹中之子被害之事，却不想一进延禧宫，太医还是那番旧话。太医神情难看到了极点，道："回皇上的话，海贵人的确是中了朱砂与水银之毒，种种迹象，与当日玫嫔娘娘与怡嫔娘娘无二。所幸的是，海贵人细心，发现得早，所以一切还无大碍。"

太医倒也谨慎，令人查了又查，验了又验，回禀道："皇上，微臣已经检验了海贵人的饮食与所用的蜡烛炭火，此人毒害海贵人龙胎的手法与当年毒害怡嫔和玫嫔两位娘娘的如出一辙。万幸的是，天气刚冷，所用炭火不多，而海贵人又不喜鱼虾，吃得少，所以毒性只入发肤，而未伤及肌理心脉。"

皇帝握住心有余悸的海兰的手不断抚慰："别怕，别怕，朕已经来了。"

玫嫔的神色十分激动，一张脸如同血红色的玫瑰："是谁？是谁要害我们？"她"扑通"跪下，紧紧攥住皇帝是袍角，哀泣道："皇上，会不会是乌拉那拉氏？是不是她又要害人了？"

海兰的神志尚且清明，含泪道："皇上，乌拉那拉氏尚在冷宫，一定不会是她。"

倒是舒贵人提了一句："皇上，臣妾也曾听闻当日乌拉那拉氏毒害怡嫔与玫嫔，祸及龙胎之事，只是她人都在冷宫里了，怎么会有人用和她一样的手法再毒害旁人？到底是当日乌拉那拉氏尚有同谋留在宫中，还是乌拉那拉氏是为人所冤，而真正害人的人因着这手法得意，所以一再用来谋害皇嗣？皇上若不查清，只怕玫嫔与怡嫔之后，海贵人还有其他妃嫔都会受人所害。"

舒贵人一向淡淡地不爱与嫔妃们来往，此时娓娓论来，也只是置身事外的清冷语气，恰如她耳边的一双冷绿色的翡翠耳环轻轻摇曳，清醒而夺目。

李玉服侍在皇帝身边，轻声道："奴才倒记得，当日乌拉那拉氏被人力证以水银和朱砂谋害皇嗣，她拼命喊冤，却是人证物证俱在，反驳不得。如今细细想来，若她真是被冤，那岂不得意了那真正谋害皇嗣之人。奴才想着，真是心惊后怕。"

玫嫔沉吟片刻，睁大了眼道："皇上，当日臣妾一心以为是乌拉那拉氏谋害了臣妾的孩子。可按着今日海贵人的样子，只怕乌拉那拉氏真被冤枉也未可知。"她眸中清泪长流，悲戚不已："皇上，乌拉那拉氏被冤也不算第一等要事。可是皇嗣含冤而死，皇上却不能不留意了。"

海兰亦是垂泪不已，她唇角长着溃疡，每一说话便牵起痛楚，带着"咝咝"

的吸气声，听着让人发寒："皇上，当日之事若乌拉那拉氏有同谋，就不会不供出来，落得自己一个人去冷宫的下场，可见必定是另外有人主谋，手法才能如此娴熟。可是……"她迟疑片刻："臣妾也不能不疑心了，当日所有的人证里，别人也还罢了，最要紧的一个却是皇上的慎贵人，乌拉那拉氏昔日的贴身侍婢阿箬，她的话不能让人不信。所以此事的真伪……"

玫嫔原本就不喜阿箬得宠后的轻狂样子，轻哼了一声不语。

舒贵人冷冷道："慎贵人凭着出卖主子才当的贵人，可见品性也不怎样！要是乌拉那拉氏真的是被冤的，我瞧她便是被真正的主谋收买了也未可知。"

这一语便似惊醒了梦中人一般，玫嫔即刻变色道："皇上，慎贵人甚是可疑，不能不细察。"

皇帝轻轻"嗯"了一声，仿佛全没把这些话听在耳朵里，只替海兰掖了掖被子，温言道："你且安心养着，朕把太医院最好的太医都留给你好好调治。别胡思乱想，一切交给朕就是了。"

皇帝潇然起身，向着玫嫔的泪眼温情脉脉道："已经伤心了那么多年，别再哭伤了眼睛，赶紧回宫去歇着吧。舒贵人，你也跪安吧。"

皇帝说罢，扶了李玉的手出去，一直上了辇轿，到了养心殿书房坐下，一张英挺面容才缓缓放了下来。李玉深知皇帝的脾气，努一努嘴示意众人下去，自己倒了一杯热茶放在皇帝手边，轻声道："皇上，喝点茶消消气。"

皇帝端起茶冷笑一声："消气？朕的后宫这么热闹，沸反盈天，连一个孩子都容不下！朕看热闹还来不及呢，哪里来得及生气！"

李玉吓得不敢言语，皇帝一气把茶喝尽了，缓和了气息道："海贵人被人毒害的事，你便替朕传出去，顺道把当年力证如懿的人都提出来，再细细查问。"

李玉答了"是"，又为难道："可是其中一个，是慎贵人呀！"

皇帝正沉吟，却听外头敬事房太监徐安请求叩见，李玉提醒道："皇上，是翻牌子的时候了。不过，您若觉得烦心，今日不翻也罢。"

皇帝便道："那就让他进来吧。"

徐安捧了绿头牌进来，恭恭敬敬跪下道："恭请皇上翻牌子。"皇帝的手指在墨绿色的牌子上如流水滑过，并无丝毫停滞的痕迹，他似是随口询问："从前娴妃的牌子……"

徐安忙道：“娴妃被废为庶人，她的绿头牌早就弃了。”

皇帝轻轻"嗯"一声：“那重新做一个绿头牌得多久？”

“很快，很快。”徐安听出点味儿，忙赔着笑，抬起头觑着皇帝的神色，眨巴着眼睛道，“皇上的意思，是要重新做娴妃的绿头牌么？”

皇帝摇头道：“朕不过随口一说罢了。”他的手指停留在"慎贵人"的绿头牌上，轻轻一翻，那"嗒"一声余韵袅袅，晃得李玉眉头一锁，旋即赔笑道：“皇上有日子没见慎贵人了呢。”

皇帝重又坐下，看着外头渐渐暗下来的水墨色天光，懒懒道：“是啊。这些日子都在舒贵人那里，是该六宫里雨露均沾，多去走走了。”

李玉有些不解：“皇上方才让奴才查当年与娴妃娘娘有关的事，那么慎贵人……”

皇帝淡淡道：“奴才是奴才，慎贵人是慎贵人。”他想了想：“慎贵人的阿玛桂铎治水颇有功绩，今秋的洪水又被他挡住了不少。如果南方的官员都会了治水之道，朕该省下多少心思。”

李玉笑道：“皇上不是一早吩咐了慎贵人的阿玛将治水之法整理成书么？今儿一早成书就已经搁在御案上了，想是折子太多，皇上您还没看到呢。”

皇帝眸中微微一亮，旋即微笑道：“朕得空会看的。你去吩咐慎贵人准备接驾吧。”

李玉躬身告退，皇帝从堆积如山的折子底下翻出一本《治水要折》，仔细翻了两页，唇角带起一抹浅笑，无声无息地握在了手里。

连着数日，皇帝都歇在阿箬宫里，一时间连得宠的舒贵人都冷淡了下去，人人都云慎贵人宠遇深厚，长久不衰，是难得一见的福分。而另一边，宫中却开始隐隐有谣言传出，说起皇帝又再提起娴妃，恐要把她恕出冷宫也未可知。

消息传到冷宫的时候，如懿不过置之一笑，从请脉枕上收回自己的手腕，笑道：“真的大家都这样疑心么？”

江与彬微笑道：“宫中本是流言聚散之地，自然会有人在意。”

“那我岂不凄惨？又卷入是非之中？”

江与彬淡然含笑道：“是非何曾离开过小主？越是凄惨之地，越是有生机可寻也未可知。”他将一包药从药匣中取出递给她：“这是包治百病的良药，小主大可一试。"

如懿含笑接过："那便多谢了，只当借你吉言吧。"

这一日午后，是难得的晴好天气。时近暮秋，也难得有这般秋高气爽的日子，天空是剔透欲流的蓝色，晶莹得如一汪上好的透蓝翡翠。蕊心从墙洞里取过最后两份菜式不同的饭菜，端过来与如懿同食。

送来的是简单的素食，不沾荤腥，主仆俩虽然吃得习惯了，但这一日送来的菜色是如懿素来不爱吃的苦瓜与豆芽。她夹了几筷便没什么胃口，蕊心也吃了两口，摇头道："都快入冬了，还送这么寒凉的苦瓜和豆芽来，吃着岂不伤身么。"说罢只扒了几口白饭，便要起身将盘子依旧送出墙洞去。

蕊心才站起身来，只觉得胸中一阵抽痛，呼吸也滞阻了起来，像是被一块湿毛巾捂住了嘴脸，整个人都透不过气来。她心里一阵慌乱，转回身去，却见如懿一副欲吐而不得的样子，面色青黑如蒙了一层黑纱。

蕊心心知不好，一急之下越发说不出话来，还是如懿警醒，虽然痛苦地捏紧了喉头，却借着最后一丝力气，将盘中的碗盏挥落了下去。

凌云彻和赵九宵酒足饭饱，正坐在暖阳底下剔着牙。赵九宵看凌云彻靴子的边缘磨破了一层，衣襟上也被扯破了一道丝儿，不觉笑他："你的青梅竹马小妹妹这么久不来了，你也像没人管了似的，衣裳破了没人补，鞋子破了没人缝，可怜巴巴的。"

凌云彻蹭了一脚，想起鞋子里垫着的鞋垫是如懿给的，便有些舍不得，缩了脚横他一眼："可怜巴巴？还不是和你一样。"

赵九宵摇头道："那可不一样。我不做梦啊。宫里的女人哪里是我能想的，一个个攀了高枝儿就不回头了，比天上的乌鸦心还黑，我可招不起惹不起。"

两人正说话，却听得里头碗盘碎裂的声音哐啷响起，都是吓了一跳，赶紧起身问了两声"什么事"，却无人应答。九宵亦觉得不对头，忙打开锁道："你进去瞧瞧，我在这儿守着。"

云彻听得声音是如懿屋里传出来的，一时顾不得避嫌，忙闯了进去，只见地上杯盘狼藉，碗盘碎了一地，到处都是碎瓷碴子。主仆二人都伏在桌上，气喘不定，脸色青黑得吓人。如懿犹有气息，虚弱道："太医……江太医……救命！"

双毒

云彻吓得脸色发白，也不知她们吃坏了什么，不管三七二十一，先给两人各灌了一大壶温水，用力拍着她们的后背。如懿虚弱地推着他的手，喘着气催促道："快去！快去！"

消息传到养心殿的时候，皇帝正午睡沉酣。李玉得了消息，望着里头明黄色帘幔低垂，却是慎贵人陪侍在侧，一时也有些踌躇，不知该不该进去通报。正犹豫间，却见两个延禧宫的宫人也急匆匆赶了过来，道："李公公，不好了，海贵人出事了。"

这一下李玉也着了慌，顾不得慎贵人在侧，忙推门进去。慎贵人见他毛毛躁躁推门进来，已有几分不悦之情，便冷下脸道："李玉，你可越发会当差了，皇上睡着呢，你就敢这样闯进来。"

李玉忙道："回慎贵人的话，延禧宫出了点事儿，让奴才赶紧来回报。"

阿箬原就忌讳着海兰与旧主如懿要好，此刻听了，便撇嘴冷笑道："能有什么不得了的大事，若身上不好，请太医就是了，皇上又不是包治百病的神医。我可实话告诉你，这两夜皇上睡得不是很安稳，好容易午后喝了安神汤睡着了，现在你又来惊扰，我看你却有几个胆子！"

李玉听着帐内的人呼吸均匀，显然睡得安稳，忙磕了个头，神色怯怯而谦卑，口中声音却更大了几分："慎贵人恕罪，慎贵人恕罪。不是奴才胆子小，实在是事出有因，冷宫里来报，乌拉那拉氏中毒垂危，延禧宫也说海贵人的香料中又被加了水银和朱砂，伤及玉体。宫中屡屡出事，奴才实在不敢不来回报啊。"

阿箬招了招手里的绢子，盈然轻笑一声："你也太不会分是非轻重了。冷宫里的乌拉那拉氏，死了也就死了，值什么呢，只怕说了还脏了皇上的耳朵呢。至于海贵人，传太医就是了。这天下能有什么比皇上更尊贵的，你也犯得上为这点小事来惊扰皇上！"

李玉沉默着擦了擦额头的汗，把头垂得更低，却并无退却的意思。片刻，明黄色五龙穿云绣帐被撩起一角，皇帝的声音无比清明地传来："李玉，伺候朕起身。"

李玉的唇角扬起一抹淡而稳妥的笑意，嘴里答应了一声，手脚无比利索地动作起来。慎贵人神色微微一变，忙堆了满脸笑意要去帮手，皇帝的手不动声色地一挡，慢慢道："你跪安吧。这些日子都不必到朕跟前了。"

阿箬慌忙跪下，眼神慌乱："皇上恕罪，皇上恕罪，臣妾不知做错何事，还请皇上明言。”

皇帝嘴角蕴着一抹冷冽的笑意，眼中寒凉如冰渊："许多事，你一开始便错了，难道是从今日才开始错的么？"

阿箬只觉得背上一阵阵发毛，仿佛是衣衫上精心刺绣的香色缎密织嫣红月季的针脚一针针戳在了背脊上，带着丝线的糙与针尖的锐，逼向她软和的肉身。不，不，这么多年了，皇帝如何还会知道。果然，皇帝带着不豫的语气道："冷宫的事好歹也是条人命，何况海贵人怀着的是朕的皇嗣龙裔，你竟也对人命皇嗣这般不放在心上？朕原以为你率真活泼，心思灵敏，却不想你的心底下还藏了这许多冷漠狠毒！"

阿箬被骂得双膝发软，瘫软在地上，心中却漫过一层又一层惊喜，原来，不是为那件事。幸好，不是为那件事。

皇帝由着李玉替他穿上海蓝色金字团福便服，扣好了玉色盘扣，厌弃地看阿箬一眼："出去吧！"

李玉只是含了一抹恭顺的笑意，目送着阿箬扶着宫女新燕跌跌撞撞地出去，不由得钦佩地望了皇帝一眼。伺候皇帝这么些年，他不是不知道皇帝的脾性，也比旁人更清楚，慎贵人这些年的盛宠之下，到底是什么。皇帝这一抹今日才肯流露出来的厌弃，实在是太晚了。

他于是恭谨问："那么皇上先去哪里？"

皇帝的眉目微微一怔，便道："自然是延禧宫。"

延禧宫中乱作了一团，海兰畏惧地缩在床角，嘤嘤地哭泣着，拒绝触碰一切事物。宫人们跪了一地，皇帝从人群中走进去，一把搂过她，温言道："到底怎么了？"

叶心跪得最近，便道："皇上，自从上次的事，我们小主已经足够小心了，饮食上都派人仔细查验过，谁知今儿奴婢想去倒了香炉里的香灰时，发现里头有些异物。奴婢不敢怠慢，请太医看了，才发现了是有人把朱砂混进了小主的安息香里。"

皇帝的神色难看得几欲破裂，冷冷道："查出来是谁干的么？"

海兰呜咽着伏在皇帝怀里，哭得鬓发凌乱，几枚散落在发丝间的粉色小珠花越发显得她形容憔悴，不忍一睹。

皇帝惊怒交加，安抚地拍着她的肩道："别怕，朕一定彻查清楚，不会让人再伤害你。"

海兰啜泣着道："那人存心陷害皇嗣，臣妾宫中已经有所防备，她还敢换着法子下毒，实在是胆大包天。皇上，您告诉臣妾，到底是谁要害咱们的孩子？是谁？"

皇帝柔声道："还好你身边的侍女发现得早，只是你孕中不宜操心，这件事，朕会交给李玉去细查。"

李玉响亮地答应一声："是。奴才一定会尽心尽力去查，给皇上和海贵人一个交代。"

皇帝好生安慰了几句，便道："后宫出了这么多事，朕得去见见皇后。六宫不宁，也是她的过失。"

海兰正要起身相送，皇帝忙按住她道："你好好歇着，别劳累了自己。朕晚上再来看你。"

宫人们送了皇帝出门，皇帝见已无延禧宫的人跟着，方才低声道："冷宫里是怎么了？"

李玉忙道："据太医回禀，是中了砒霜的毒，还好乌拉那拉氏庶人和惢心午膳用得不多，所以中毒不深，除了太医江与彬，奴才还派了两个太医一同去盯着，以防不测。"

皇帝赞许道："你做得不错。如懿中毒，这边厢海兰就出事，两者几乎是同一时间，看来不会是如懿指使人做的。"他冷笑道："看来朕才放出点风声，便有人沉不住气了。只是朕没想到，她们竟沉不住气到这地步，居然要杀人灭口。"

李玉看着皇帝的神色，小心翼翼道："皇上也觉得，这些年……她是受委屈了？"

皇帝眼底添了几分焦灼之色，口气倒还沉稳："朕去瞧瞧她。"

李玉忙道："冷宫忌讳，皇上金尊玉贵，可去不得。"

皇帝淡淡笑道："旁人可以去冷宫杀人放火，朕连瞧一瞧也去不得么？上回冷宫失火朕也去了，这次不过是再往里走一步，那便怎么了？"

李玉情知劝不住，只得扶了皇帝上轿，向冷宫去了。

第二十五章
复生

如懿躺在床上，只觉得胸口烦闷难安，呕吐的感觉挥之不去，脑中也一阵阵晕眩，仿佛身体轻飘飘的，堆在一堆浮絮之上，四肢百骸半点力气也无。

江与彬已经灌了如懿和惢心许多浓盐水，催她们呕吐出来，又拿烧焦的馒头研磨成粉给她二人服下吸附毒物。他一个人正手忙脚乱，又来了两个太医院的太医，看来地位在江与彬之上许多，三人商议了用药，才把如懿和惢心从鬼门关扯了回来。

如懿躺着，薄薄的破旧被子盖在身上，像有千斤重似的不能承受。可是，她还有什么承受不住的呢？她怔怔地想着，看着另一张床上面色雪白如纸的惢心，想着自己此时此刻，也是一般的容色吧？幸好，他是不会来这里的，上次失火，她是那么狼狈，在狼藉不堪中见了他一眼，那一眼，她便明白了自己的在意，明白了自己的舍不得。所以，情愿他不要来。

正胡思乱想着，却听外头脚步声肃然有序响起。如懿在晕眩乏力中看着一抹明黄渐渐逼近，和着泪水模糊了她的双眼。

盼他来，怕他来，他终于还是来了。

皇帝的身影凝在如懿床边，他的声音是那样熟悉而邈远，轻缓柔和："朕来了。你还好么？"

好么？这么些年，他不是不知道她身陷在这苦牢里。这个"好"字，她已经不会写，也不懂得写了。如懿并不背过身，只是在默然中以泪眼寂静相对。

她没有别的了，委屈、辛酸、苦痛、悲与冤，都尽数化作了眼底缓缓流淌的泪，一如她的心绪，没有激荡，只有沉缓，预料之中期待之外的沉缓。

皇帝似乎被她的泪所感染，亦多了几分沉郁之色，不自禁地想要伸出手握住她的手。如懿望着自己枯瘦得青筋暴现的手背，将它缩回被中，淡淡道："贱妾鄙薄之身，怎可由万圣之尊触碰？"

皇帝看了看周遭，抑制住自己的神色，道："娴妃是怎么中的毒？"

江与彬听得皇帝这一声称呼，只觉得心头大石都松懈了下来，他急忙抑制住唇角将要泛起的笑意，沉声道："娴妃娘娘是中了砒霜之毒，所幸发现得早，娴妃娘娘与蕊心姑娘进食也不多，万幸没伤及五脏六腑。"

"没事就好。你们好好替娴妃治着。"皇帝长吁一口气，俯下身，望着如懿一双泪眼，低沉欷歔，"你的性子一直坚毅倔强，却不想也有这样泪水长流的时候。朕与你那么多年，都未见过你那么多泪。"

"性子倔强坚毅，不代表没有委屈冤痛。但即便有，知道申诉无用，也唯有长泪而已。贱妾流泪，不足以入皇上之目。冷宫卑贱之地，也不宜皇上久留。还请皇上尽早离开吧。"

两望的泪眼里，皇帝默然片刻，极力收拢眼中的动容之色，转身向江与彬道："好好照顾娴妃。"

江与彬躬身道："是。只是冷宫湿寒，怕不宜养病。"

皇帝温然而坚决："朕知道冷宫不是久留之地。待娴妃能起身了，朕会即刻复她位分，带她出冷宫。"

这话是说与江与彬的，亦是对她。

如懿闭上双眸，感受着热泪在眼皮底下的涌动，终于背过身握紧了双手，露出一分淡然的笑意。

六宫之中任何消息都难以被瞒住，人的耳朵和嘴是最好的传递之物。皇后与慧贵妃站在廊下，望着一蓬新开的绿菊闲话家常，却见赵一泰匆匆进来打了个千儿道："皇后娘娘万福，慧贵妃万福。"

皇后很看不上他急三火四的样子，扬了扬纤纤玉指，蹙眉道："这样不稳当，是怎么了？"

赵一泰看了两人一眼："皇上方才去了冷宫，亲呼乌拉那拉氏为娴妃，说不日便将释放她出冷宫。"

慧贵妃一个踉跄，差点没站稳，声音也不觉高了几分："乌拉那拉如懿毒害皇嗣，证据确凿，已被废为庶人，怎还会被放出冷宫？皇上还称呼她娴妃？"

皇后脸色白了几分，倒也还镇定："为何是不日放出冷宫，而非即刻？赵一泰，你把话说清楚。"

赵一泰稳住了神道："乌拉那拉氏中了砒霜之毒，一时未能好转，皇上嘱咐待她能起身时再出冷宫。"

皇后挥手示意他下去，转身进了内殿。慧贵妃急急跟进，见无人在侧，忙道："皇后娘娘，咱们好不容易才把乌拉那拉氏拖进冷宫，如果此刻容她出来，之前的工夫岂不白费了吗？"

皇后平静地目视她片刻，亦缓和着自己突如其来的心绪，慢慢道："你鬓边的凤钗歪了，扶一扶正吧。"

慧贵妃急切道："皇后……"

皇后深吸一口气，柔缓道："仪容端正有肃，是贵妃应有的仪表，任何情况下都不容失了分寸。"

慧贵妃有些羞赧，忙扶正了垂珠凤钗，缓声道："娘娘，她既然中了砒霜的毒，虽然咱们不知道是谁下的手，但是顺水推舟，总是不难的。"

"你是说……"

慧贵妃含了一缕隐秘的笑容，笃定道："既然已经中毒，那么再给她追加一点儿，毒发身亡就是了。"

皇后慢慢拨弄着纤白如玉的手指上翠浓的碧玺戒指，摇头道："来不及了。皇上已经去看过她，也下了旨意，此时再动手，实在是太点眼了。无论得手失手，都把她之前中了砒霜毒的黑锅自己背去了，太得不偿失啊。"

慧贵妃秀眉紧蹙，拧着绢子恨声道："也不知道是谁下的毒，也不下准点儿，要了她的命就好了。"

皇后思忖片刻，看着她道："会不会是慎贵人？"

慧贵妃摇头道："她没那样的胆子，敢不跟咱们知会一声就去做这样的事。出了事没人替她兜着，她都不知道死了多少回了。"

皇后淡淡一笑："当日只想着借她一把力气，谁知道倒成全了她的平步青云。"她漫然扬了扬手中的绢子："也好，留着她在，她也容不下乌拉那拉如懿。"

慧贵妃会心一笑，起身道："皇后娘娘圣明。"

江与彬的医术颇为精到，不过三四日，如懿和惢心便能起身了。她披衣坐在廊下，看着被略作修缮的屋子，道："惢心，即刻要走了，何必再收拾？"

惢心微微咳嗽两声，满面含笑道："奴婢是心里高兴，内务府的太监们知道咱们只在这里养几日就要走了，都还巴结着来打理修缮，那是他们知道小主出去后便不一样了。也好，咱们费了这许多心思，终于能够离开这里了。"

如懿靠在廊下破旧的廊柱上，定定道："出去不过是第一步，要活得好，不再像从前一样任人欺凌宰割，才是最要紧的。否则今日出去，不知哪一日还会被送回来，又有什么意思？"她转过头："你身子才好，万不要太劳累了。"

惢心出来，笑着替她披上一件外袭，道："奴婢没事，奴婢为了小主，怎样都是快活的。"

如懿握住她的手道："惢心，还好万事都有你在我身边。"

"我与小主之间，不说这些。"惢心看着如懿，眼底微有泪光，想了想道，"小主嘱咐奴婢做的靴子奴婢都做好了。"她指着里屋木箱上的一双男靴道，"奴婢见过凌侍卫的靴子，尺码应该是不会错的。奴婢按着小主的吩咐，鞋边上又拷了两层线，这样就不容易破了。"

如懿道："你的手艺自然是不错的，拿来我瞧瞧。"

惢心即刻捧了过来，如懿仔仔细细看了一遍道："我也没什么好谢他的，他的鞋磨坏了，就让你做双鞋谢他吧。"

惢心道："可不是呢？若没有凌侍卫三番四次救咱们，哪有奴婢和小主的今日。"

如懿抚摸着簇新的靴面，心中亦不免触动，感叹道："虽然他是收了海兰和咱们的银子办事。可许多事，原是在他的本分之外，他还愿意这样帮忙，那便是雪中送炭的情谊了。"

惢心叹息道："也是。锦上添花易，雪中送炭难。凌侍卫的心意算难得了。"

如懿低头看了看靴子道："既是送他的，你在靴筒的里面绣上一朵云纹以作辨别吧。等下黄昏用饭时分，请他瞅着方便过来瞧一瞧就是了。"

惢心答应着，便道："廊下风冷，小主进去再睡一会儿吧。"

皇帝午睡起来，倒也不像寻常那样便去书房批折子，只是一个人坐在窗下，慢慢地收拾着棋盘上的残子，似是动着什么心思。

李玉不敢让人打扰，亲自捧了茶点上前，道："皇上，皇后宫里新制的酥酪茶，请您尝尝。"

皇帝头也不抬，便道："搁着吧。"李玉望了望窗外："皇上，从您睡下后慎贵人就一直跪在养心殿外，说前两日服侍不周惹您生气，求您宽恕。"

皇帝将手中的黑子往棋盘上一撂，含了一缕鄙薄的笑意："她还来求朕宽恕？这些年她做了什么，她自己都没数么？"

李玉低头道："皇上天意圣裁，奴才哪里能懂得。皇上说慎贵人是什么，她就是什么。"

皇帝淡淡一笑："这些年来她是怎么侍寝的，你是朕的贴身太监，你会一点也不知？"

"皇上不许奴才知道，奴才就不知道。皇上许奴才知道了，奴才也只能心里知道，嘴上可不敢胡说。"李玉将手中的点心一色儿排开，利索道，"这八宝玫瑰花卷是慧贵妃敬献的，奶白枣宝是纯妃敬献的，白果栗子松是玫嫔娘娘的手艺，花盏龙眼是嘉嫔娘娘亲自做的，还有一味桃花百合糖渍凉粉和羊脂菠萝冻分别是舒贵人和慎贵人的进献。皇上想尝尝哪一道？"

皇帝看他道："你不是做事谨慎又不爱言语么？那朕问你，这会子朕觉得看了这些东西都甜腻腻的，你觉得给朕上什么点心好？"

庭下有凉风拂进空落繁丽的大殿，带进殿外菊花的清苦香气。李玉心中一动，便道："从前娴妃娘娘在的时候，有一道菊花佛手酥是最擅长的。御膳房虽不能做出一模一样的，但也可以试试，算是应季的美食了。"

皇帝这才露出几分笑意："跟在朕身边久了，算你懂事。朕问你，六宫里知道朕要放出娴妃来，可有什么动静？"

"能有什么动静，也不敢动到皇上跟前来。左不过是议论纷纷，流言四起罢了。"

皇帝思忖片刻："这就流言四起了？李玉，朕吩咐你把翊坤宫收拾出来，可怎么样了？"

李玉道："翊坤宫与皇后娘娘的长春宫并列，紧跟在皇上的养心殿之后。坤为女阴之首，翊为辅佐，除了皇后娘娘大婚所用的坤宁宫，翊坤宫算是最华丽紧要的所在了。皇上吩咐把翊坤宫收拾出来给娴妃娘娘居住，奴才不敢不用心，一应挑的都是最好的东西。"

皇帝颔首道："翊坤宫尊贵，朕就是要给如懿这份尊贵，好弥补她这些年在冷宫的委屈。对了，如懿一向挑东西最精准，你看看内务府选了哪些东西去布置，都列份单子给朕先过目。"

李玉看着皇帝抿了口茶，躬身道："皇上心系娴妃娘娘，顾虑周全，奴才万万不及。只是皇上如此看重娴妃娘娘，一心要弥补她的委屈，怎不晋一晋她的位分，更示恩宠。"

皇帝随手取过一块点心尝了，道："许多事，不在位分上。娴妃家世不够显赫，的确不如慧贵妃。至于后宫这么介意娴妃出冷宫，你便再下一道旨意。娴妃出冷宫之日，晋封贵人叶赫那拉氏为舒嫔。"

李玉道："是。奴才遵旨。"皇帝扬脸看了看朱红格栏窗外跪着的慎贵人，凛凛秋风之中，她衣衫单薄，盈然飘飘。皇帝淡淡笑道："她喜欢跪，便让她跪着吧。"

海兰独自卧在床上，床帐上绣满了多子多福的石榴葡萄纹样，为着吉祥如意的好彩头，特意用橘红和深朱的缂丝绕了银线的彩绣，连铜帐钩上悬着的荷包都是和合如意的图样，看着便是洋洋的喜气。叶心端了汤药进来，海兰忍不住掩鼻道："一股子味儿，真是熏人。"

叶心见没有旁人在，方才劝道："小主好歹忍一忍喝了吧。这药是去朱砂和水银的余毒的。还好小主中毒不深，太医嘱咐再喝两天就好了。要是余毒未清伤及腹中的小皇子，那可怎么好呢？"

海兰轻呀一口气，抚着肚子道："我知道，左不过都是为了姐姐罢了。"

叶心轻轻地吹着药，叹道："小主待婉妃娘娘，那真是比亲姐妹还要亲了。"

海兰理了理松散的鬓发，道："冷宫里不比外头更安全，同样是死，怕姐姐是怎么死的都不知道了。这个宫里，只有她一人真心待我好，我也真心只待姐姐好。"

叶心将药递到海兰唇边，海兰一仰头喝了，皱眉道："真是苦。"

叶心服侍她漱了口，忙取了酸梅放在她口里，道："小主这话就是泄气了。小主有皇上的宠爱，眼看着就要生下皇子，有什么可担心的。"

海兰抚着帐上垂落的鸳鸯流苏，神色淡得如一抹寒冰："皇上？皇上是个男人，一个男人三妻四妾，有什么值得依靠的？我腹中的孩子，也不过是他的孩子之一，能有什么前程？凡事只能指望这个孩子自己，我还能指望皇上？后宫里朝不保夕，唯一能够依靠的，不过是一场姐妹情谊，才能相伴数十年。其他的，都是浮梦一场，梦过便算了。"

叶心见她盛宠之下却如此灰心冷淡，也知道不好再劝。海兰想了想问："剩下的那些不干净的东西全清出去了么？不许留下一点痕迹。"

叶心忙道："全清理干净了。小主放心就是。"

海兰望着外头昏黄的霞光映照在一格格的窗棂上，神色默然："等到姐姐在我身边了，我才真正放心。"

暮秋初冬时节的天色容易暗得早，若是逢上晴天，便有极好的晚霞招展，仿佛一匹上好的流霞锦自天际伏曳而下，虾红、宝蓝、云青、米黄，倾倒了一天一地，兀自灿烂，流丽万千。

换作往日，如懿并没有这样好的心情细赏落霞，但是此刻，她有，也愿意。笃定地看着晚霞倾于碧瓦琉璃之上，才能明白，自己将要走回去的地方，是何等繁花似锦，就如这晚霞一般，绚丽之后，只余下无尽的黑暗与凄冷，要她独自面对。

凌云彻是借着送饭的机会进来的。他比往日更多了几分恭敬，行礼过后才道："恭喜小主，次日午后便可出去了。"

复生

213

如懿回望向他笑："同喜。你也终于少了我这样一个麻烦。"她取过那双靴子："我手艺不佳，只好让蕊心缝制了一双靴子给你。双脚不受风霜苦侵，才能走得远，走得好。"

凌云彻抚摸着那双样式普通的靴子，不知怎的，竟想起了久未相见的嬿婉。从前，也是嬿婉，只有嬿婉，会这样待他好，关心他的一点一滴。如今，嬿婉怕是早成了枝头婉转滴沥的黄莺儿，飞得越来越高了吧。竟是如懿，拿这个来回报他。

他抑制住心头情绪的起伏，慨然道："多谢小主。"他望着如懿唇边一点甘甜如露的笑容："小主仿佛很高兴。"

"今日有期待，所以高兴。明日身在其中，或许发现自己期待的并无预想中好，便无今日这般高兴了。"

"那小主还是一心想出去？"

如懿嫣然一笑："留在这里，和你一样隔着一堵墙，数着今日的青苔又长了几寸，墙上的霉灰是否沾染了衣衫吗？困坐这里是死，出去也未免是死，但我还是想争一争，试一试。"

凌云彻听她婉声道来，不知怎的，心下却生了一股豪情壮志，这么些年被人冷眼瞧低，这么些年不得出头，他的心思，何尝不是和如懿一样。不搏一搏，试一试，岂不辜负了自己，辜负了一生？

他捧着那双靴子，心意只在电转间便落定了。他诚恳请求："若是小主愿意，可否带我离开冷宫，觅一份前程？"

如懿清简的薄薄衣衫被风微微卷起，她微眯了双眼："你想离开这里？为什么？"

他抬眸，坦然道："与小主一样，心中不甘，心中有所求。"

如懿淡然一笑，望着天际升起的一抹淡淡月华，怡然吟诵道："竹院新晴夜，松窗未卧时。共琴为老伴，与月有秋期。玉轸临风久，金波出雾迟。幽音待清景，唯是我心知。这首白居易《对琴待月》虽然合了眼前之景，但少了琴音也不够风雅。我却只喜欢'幽音待清景，唯是我心知'这一句。你救了我许多次，我一直无以为报，许你一个好前程，就当是谢你吧。"

凌云彻心下欢悦，一时也不知说什么，只是深揖到底，默然含笑。

如懿望着满院清亮月光，亦不觉含笑。

次日午后，李玉带着皇帝身边进忠、进保两个小太监一同前来迎候，服侍梳妆更衣的两位姑姑都是皇帝跟前积年的老嬷嬷了，手脚最是利索，也会做事。按着妃位，如懿本该穿金黄色立龙戏珠配八宝寿山江牙立水、立龙之间彩云纹的貂缘朝袍，戴镂金饰宝的领约，颈挂朝珠三盘，头戴朝冠。如懿望了那一袭金光灿烂的衣裳，笑道：“本宫是回家去，而非年节庆贺。怎么本宫离开这里，还要欢天喜地大鸣大放才能出去么？”

李玉忙赔笑道：“娴妃娘娘的意思是？”

如懿含笑道：“本宫回去见自己的夫君，何必穿戴成这样隆重辉煌，免得叫人笑话。便是穿家常衣裳就是了。”

李玉会意，即刻吩咐人换了一身新衣裳来，便退到门外由着嬷嬷们替如懿梳妆。梳的是垂云髻，中间以扁方绕成如云蓬松，两端微微垂落至耳边，越发显得饱满而不失小女儿娇态。乌黑的云髻挽成，饰以玉环同心七宝钗，金镶玉步摇，紫莺花合欢圆珰，飞翘的燕尾上坠着鸳鸯莲纹金蝶白玉压发，玲玲一动间，便有细碎的金玉珠子轻轻摇曳，合着正落在眉心的红珊瑚垂珠，越发添了面颊一抹艳色。

惢心伺候她换上真红色金华紫罗面织锦长袍，在领口别上一枚赤金凤流苏佩。衣襟和袖口都密密绣上缀满细密米珠的“金玉满堂”纹花边。一色的九鸾飞天金丝暗绣折枝花卉图，映着裙角舒展的兰花花饰，以五颗镏金镂空银质扣将琵琶如意纹钮绊住，再配着底下鸳鸯百褶凤罗裙，丝滑缎面在阳光下折出亮光，上面的鸳鸯暗纹，也随着光线一丝一丝透显成痕，几欲展翅飞起。嬷嬷们替她戴上乳白色三联东珠耳坠，尾指上套的金护甲上嵌着殷红如血的珊瑚珠子。如懿对镜自照，整个人仿似新雨当中枝烈艳艳的初绽蔷薇，灼艳而夺目。

待到一切停当，惢心蹲下身替她穿上胭脂红缎绣竹蝶纹花盆底鞋。胭脂红的底子上，钉缀着玉石做的万字不到头图案，并着蝙蝠和彩带等纹样，谐寓“万代福寿”；鞋帮上绣制纷繁细巧的竹蝶纹，镶以金线盘成的曲水纹绦边，精巧无比。李玉忙恭恭敬敬伸手，如懿扶着李玉的手站起身来，知道自己要穿着这双鞋，一步一步走到来时的地方去。

复生

第二十六章

娴妃

如懿打扮稳妥，扶着李玉的手徐徐起身："这身衣裳是你挑的？选的是鸳鸯纹饰。"

李玉堆了满脸的笑意："奴才哪里会挑这个，是皇上选的呢。"

如懿低头，细细看着那精致的鸳鸯暗纹。是呢，"鸳鸯于飞，肃肃其羽。朝游高原，夕宿兰渚。邕邕和鸣，顾眄俦侣[1]"。

鸳鸯，原是相伴终老的爱侣，可是又有几人知道，雌鸟辛苦受难之际，雄鸟便会另觅新欢，做另一对爱侣。那天长地久，合欢月圆，原是世人自己蒙骗自己的。

她无言，只是由着李玉扶着她的手，缓步踱出这住了数年的冷宫。宫门深锁的一刻，她忍不住再度回首，那破朽灰败的回廊屋阁，积满了蛛网与尘灰的角落，终年长着潮湿青苔的墙壁，她都不会忘记。可是此时此刻，再看一眼，是要

----

[1] 选自三国魏嵇康《赠兄秀才入军》。

自己牢牢记住。

再不能回来，再不能落到这样的境地里。

如懿决然转身，扶着李玉的手稳步踏出去。她一直生活在这后宫里，哪怕发落到冷宫，都从未离开过这里。可是走在旧日熟悉的甬道长街上，周遭东西六宫的殿宇辉灿依旧，钦安殿、漱芳斋、重华宫、储秀宫，都跟往日没有半分差别。连地上青砖的花纹，都是熟悉透了的。

她一步一步稳稳踏在上面，似是踏着自己的心潮起伏。她终于，又走了出来。两边的宫人们见她稳然前行，忙一个接一个地跪倒在地，不敢直视。

如懿含了一缕气定神闲，暗自庆幸原来自己已经那么快适应了重出生天的生活。待走到储秀宫门前，却见一个容色极明艳的女子领着侍女站在门外，轻轻向她一福致意："娴妃娘娘万福金安。"

如懿见她长眉深目，首饰只以绿松石、蜜蜡与珊瑚点缀，明艳不可方物，衣着打扮也格外的明丽华贵，只是十分陌生，便矜持道："这位是……"

李玉忙道："储秀宫主位舒嫔叶赫那拉氏见过娴妃娘娘。"

如懿微微颔首："舒嫔妹妹有礼了。只是天气冷了，妹妹怎么还守在风口上。"

舒嫔微微一福，神色却是淡淡的："妹妹今日与娴妃娘娘同喜，所以怎么也要来贺一贺娘娘，迎候娘娘入主翊坤宫。"

原来这一日是如懿出冷宫复位娴妃之日，皇帝亦册封了舒贵人叶赫那拉氏为舒嫔。这一下激起千层浪，倒比如懿出冷宫更引了众人注目。骤然封嫔在后宫是极为罕见之事，金玉妍生育了四阿哥后恩宠甚厚，也不过被封为嫔；海兰有孕，也只是贵人。可见这叶赫那拉氏是如何善承圣意了。偏偏她的性子，对着皇帝妩媚婉转，冷热相宜，对着旁人却冷冷地不爱理会，所以与后宫诸人都不甚亲厚。

此刻她迎候在外，特意向如懿请安，也不知是何用意。李玉只得借口天色不早，先陪了如懿回翊坤宫。

翊坤宫为东六宫之一，与皇后富察氏所居的长春宫并驾齐驱，相互辉映。绕过影壁便是极阔朗疏爽的一座庭院，正殿五间与前后走廊都绘制着江南娟秀绮丽的苏式彩画，一笔一画都是皇帝素日所钟爱的江南风韵。台基下陈设铜凤、铜鹤、铜炉各一对，一看便知是新添设的。李玉推开万字锦底五蝠捧寿的朱门，步

步锦支摘窗上垂着银翠色霞影纱。正殿中间设着地平宝座、屏风、香几、宫扇，上悬皇帝御笔"有容德大"匾额。东侧用花梨木透雕喜鹊登梅落地罩，西侧用花梨木透雕藤萝松缠枝落地罩，将正殿与东、西暖阁隔开，越发显得殿内疏朗有致，清雅成趣。

如懿见殿中的摆设虽不奢华，却件件别致典雅，显然是用了一番心思的。李玉忙道："小主一路过来辛苦，西暖阁中已经备好了茶点，请小主先用吧。"

如懿在正殿中向外张望，发觉李玉安排的都是往日在延禧宫中伺候的旧人，一应都是三宝在外头照应，她便放下心来，往西暖阁中去。转过花梨木透雕藤萝松缠枝落地罩，垂落的明绿色松枝纹落地浅纱被风拂得轻扬起落，一缕淡淡的茶烟袅袅升起，却见一人背身向她坐在榻上，缓缓斟了一杯茶在紫檀芭蕉伏鹿的小茶几上，缓声道："你回来了？"

那种口吻，仿佛如懿只是去御花园中散了散心，去看了春日的花朵、秋日的黄叶回来。仿佛，她一直在他身边，从未这样被抛掷，从来未曾远离。

隔了三年的岁月，他却还是这样的口吻，转过身看着一步步艰辛走来的她，斜坐在明晃如水的日光下，带着闲和如风的笑意，向她缓缓伸出手来。

如懿有一瞬间的迟疑，不知该不该伸出手回应他。皇帝穿着玉白色长衫，仅以一条明黄吩带系住腰身，越发显得长身玉立，翩翩如风下松。周遭的人都退了下去，四周静得像在碧莹莹的潭底，湖水的翻光轻曳摇荡，让她晕眩着睁不开眼。皇帝在迷蒙的光晕里站起身来，上前轻轻拥住她："朕知道你受委屈了。"他静一静声："朕一直知道你受了委屈。朕的如懿，不会做那样的事。"

她的泪在一瞬间无可遏制地落下来。他知道，他居然都知道。心底多年的委屈骤然成了无限的愤恨，如懿用力挣扎开皇帝的怀抱，恨声道："为什么？皇上明明相信我，还要把我关进冷宫！"

皇帝安抚似的拍着她的背，柔声道："朕就是因为信你，才要把你放在冷宫里，绝了那些人继续害你的念头。所以朕故意不闻不问，故意对你在冷宫的境况毫不理会，就是希望所有人能淡忘了你，至少保得住你一条性命。可是如懿，到了最后，朕还是发现，冷宫也庇护不了你，唯有在朕身边，你才最安全，最稳妥。"

皇帝的话，似是无理，却也字字入情入理，她没有办法去推敲，去细想。

是他送自己进冷宫，也是他拉自己出来。也许他真是害怕，怕自己死在了砒霜之下，焚身以火，所以无论如何也要拉她出来，留在他身边。

如懿无声地呜咽着，把泪洇进他的衣衫他的肩。殿外枫叶烈烈，红得蒙住了她的眼睛，那把火，似乎要一直燃烧着，一直烧到她和他的心底去，烧尽所有的疑问与隔阂才好。

皇帝的下颌抵着她的额头，声音柔和得如一匹上好的绸缎："朕知道你心里有许多的不相信，毕竟这三年你都没在朕身边。你放心，朕会慢慢来，一点一点告诉你。"

皇帝似是明白她的生疏与不惯，略坐了坐便往养心殿去了。如懿被他拥住许久，只觉得如释重负。靠着榻上的鹅羽软垫坐了下来，神思尚且游走在对新居的翊坤宫的熟悉之中，她望着茶水中清亮的天光倒影，一时也不觉有些失神。只听得耳边一声熟悉的轻唤："姐姐，你终于回来了。"

如懿转过头，见海兰被叶心和绿痕搀扶着立在花梨木透雕藤萝松缠枝落地罩之后，大约是走得急，有些气喘吁吁的，脸上却挂着止不住的笑容，映着满眼喜悦的泪，盈盈望向她。

如懿才站起身，眼里便蓄满了泪，情不自禁地落下来，上前几步握住了她手道："你有着身子，怎么来了？我正要去瞧你呢。"

"我早来了，见皇上的辇轿在外头，所以一直守着等皇上走了才进来。"海兰握紧了如懿的手丝毫不肯放松，上上下下打量着她道，"姐姐清瘦了不少，是受苦了。都怪我无用。"

"你若还无用，是谁明里暗里照顾了我这些年呢。"心中积蓄多年的感动温然漫上，如懿含泪拉着海兰坐下，"快坐下说话，别累着了。"她边拉着海兰，边吩咐道："海贵人有孕不能喝茶，上红枣汤来。"

如懿已经三年没见到海兰了，可是见到的时候，仍是不免吓了一跳。虽然她也知道，女人有了身孕会胖起来，但她没有想到，海兰会胖得这么厉害，像吹的球儿似的，原本瘦削的身形变成了从前两个人这般大，一张巴掌大的脸儿也成了十五的银月盘一般，肚子高高地隆起，一旦挪步，就得两三个人搀扶着，像一座小山似的挪动。一身宽大的肉桂色折枝花卉百蝶纹妆花缎长袍也遮不住她发福得厉害的身体，紧紧地绷在身上，裹得她行动越发艰难。

海兰才坐下，似是想起了什么，扶着叶心的手盈盈便要行礼："嫔妾延禧宫贵人海兰，拜见娴妃娘娘。"

如懿吃了一惊，忙扶住她道："身子都这么重了，还行什么礼？赶紧坐下吧。"

海兰艰难地起身，微笑道："只有给姐姐行过礼了，我才觉得安心，知道姐姐是真的回来了。"

"你还不放心么？我已经活生生站在你眼前了，再不是要和你隔着门板说话，看着你放风筝报平安的人了。"如懿笑中带泪，看着海兰道，"听说你受了朱砂和水银的毒，都好了么？会不会伤及胎儿？知道是谁做的么？"

海兰抚着胸口的气喘，喝了口红枣汤道："也不知是谁要害我，总之能阴错阳差解了姐姐的困局就好。太医已经看过了，一切无碍。"她低头抚着自己的小腹道："若是连这点风霜都经不住，那便不是能养在宫里的孩子了，也不能做咱们的孩子。"

如懿微微吃了一惊："咱们的孩子？"

海兰含笑道："可不是？纯妃如今抚养着大阿哥和三阿哥，风头极盛，嘉嫔的四阿哥又得皇上钟爱，素日里无事也要去看几次的。看如今的情势，纯妃抚养得大阿哥很好，势必不会再还给姐姐抚养。那么姐姐，你如何能够没有自己的孩子？"

如懿心绪激荡，发髻边的紫莺花合欢圆珰垂落细密的白玉坠珠，玲玲地打在面颊边，一丝一丝凉。她一直没有自己的孩子，自然明白海兰语中的深意，不觉激动道："当真么？"

"你我姐妹，只不过差了一层血缘罢了，还有什么要分彼此的么？"海兰微微垂眸，叹泣道，"姐姐可方便么？我给姐姐瞧一样东西。"她看了看垂手侍立在外的叶心和绿痕，并不打算让她们进来帮手，径自牵着如懿的手入了寝殿。

如懿不知她打算做什么，一时也不便唤人，只见她解下凤毛围脖，一层层脱去外裳，中衣，解开最后一层小衣，露出浅青色绣水绿牡丹花兜肚。如懿起先只是不明，待看到她后腰与肚腹的肌肤，一时间吓得目瞪口呆，下意识地掩住了口。

海兰原本的肌肤便十分白皙，加之养在深宫多年，日日以花汁萃取的香粉敷体，一身的肌肤都养得细白如玉，触手生腻。可是如今一看，上面布满了深深浅浅粉红色或紫红色的波浪状花纹，简直像个白皮红纹的西瓜一样，可惊可怖，让人触目惊心。

如懿惊道："怎么会这样？你的身子怎么会成了这样？"

海兰无声地落下泪来，神色倒还平静："从第五个月的时候开始长出来，太医也不知为何我会胖得这样快，总说胃口好些对孩子是好事。我总是饿便吃得多，人胖得快，身上就长出了这些纹路。"

如懿极力压抑着自己平静下来道："没事，咱们有江太医，太医院有的是好药，问问他有什么法子或是用什么润体膏，一定能治好这些纹路的。"

海兰凄惶摇头，用小衣遮蔽住自己的身体："来不及了。姐姐，我已经问过专门侍奉生育的嬷嬷了，治不好的。哪怕日后生完了孩子，也总还会有白色的纹路在。如果他日侍寝，皇上看到我身上这样裂纹，会不会觉得恶心？"

如懿替她一件件穿好衣裳，道："不会的，不会。等你生下了孩子，咱们一定还会有别的办法的。"

海兰很快恢复了往日的镇定，将扣子一颗颗扣好，静静道："这宫里不过是以色事人，所以从那一刻起，我已经知道，我这辈子的恩宠已经完了。我位分低微，孩子生下来未必能养在自己身边。若是送去阿哥所，还不如放在姐姐身边抚养，也就等于是我自己看着他长大了。"

如懿抚着她的手安慰道："你若放心孩子在我身边，我一定视如己出。"

海兰挽着她的手出去："姐姐别只管担心我，左不过是我自己的缘故，孩子平安就好。倒是姐姐……"她看了看四周，压低了声音道："那些砒霜，没给姐姐留下余毒吧？"

如懿含笑道："有你和江太医把握着分寸，安心就是。若真毒坏了，我哪里还能站在你面前呢。"

海兰眼中闪过一丝沉稳笃定的笑意："有的时候为了活命，为了反击，只能兵行险招。只要姐姐没事，那就好了。"

如懿送了她回去，见她虽是笑着，心中却也不免担忧。整个后宫之中，只有海兰真心真意对她，那是日久见人心的情分。可是海兰，虽有了身孕的荣宠，但未来如何，实在渺不可知。自己能做的，也唯有替她尽力抚育孩子而已了。

这样想着，便也到了晚膳时分，如懿与惢心在冷宫中简衣素食了许久，骤然看到十数道菜色一一上桌，也不免有些慨然。她大病初愈，胃口并不太好，每样菜略略尝了一口，便都赏给了下人，方才留了三宝和惢心嘱咐道："仔细看着底下的人，断不能再出第二个阿箬了。"

三宝肃然道："都仔细盘查过了，李玉公公亲自挑的人，已经算小心了。不过奴才还是会仔细留意的。"

惢心亦道："从前吃过这样的亏了，咱们都会一万个小心的。"

如懿微微颔首，踱步到庭院中，看着清露寒霜，凝在月色金明的瓦檐上，遥望着宫殿楼阁起伏连绵。这样熟悉的气息，细腻的脂粉气中带着各色香料混合的甜香，那是宫中特有的气息，一丝一缕沁入心脾，她深深地吸了几口，将清冷的寒气缓缓透入肺腑之中，提醒自己要时时保有着这样的清醒。如懿凝神片刻，吩咐道："惢心，替我更衣。"

如懿换了清简寡淡的装束，通身一袭云紫色如意襟暗纹锦衫，发髻间的珠花也以银饰为主，颇有洗去繁华的素雅之意。她披上夜行的墨绿弹花藻纹披风，扶着惢心的手茕茕独行，直至慈宁宫门前。

前去通传的福珈没有半分惊诧之情，仿佛料定了她会来，只一福到底，道："小主请吧。太后已经备好了茶等您呢。"

如懿翩然入内，数年不见，慈宁宫中的布置越发大气精雅，看似都是极古朴的东西，可是一一细辨去，每一样都是名家至宝，是洗练后的奢华。那才是真正的天家富贵，旁人总说白玉为堂金作马，金堆玉砌繁锦绣，殊不知真正的华贵富丽，是洗褪的金沙隐隐，从不是显露于表面的珠光宝气。亦可见，这些年太后稳居后宫，过得并不错。

如懿深深福了一福，道："久未向太后娘娘请安了，太后万福金安，福寿延年。"她抬起头，只见太后笑吟吟的，便道："太后一向喜欢焚檀香，今日怎么不焚了？"

太后微微一笑："留了上好的茶给你，若用了檀香，反倒冲了茶香的好气味。坐下吧。"

如懿含笑往榻边坐了："太后知道臣妾今夜必定会来？"

太后抬手端起桌旁放着的定窑茶盅，用盖碗撇去茶叶末子，啜了口茶，袖子落下，露出一段手腕，腕上一只蓝宝石的镯子，蓝得像一汪深沉不见底的海水。她推了一盏给如懿："是上好的小龙团，原是宋朝的茶叶精品，如今已经很难得了。你尝尝。"她的眼神笃定而温和："你若不来，岂不辜负了哀家的好茶？"

如懿轻轻啜了一口，恭顺道："臣妾不敢辜负。"

太后盘腿坐着，胸前一汪琉璃翠的流苏佩长长地坠落，静静蜿蜒而下。那样的颜色，总是让人看了心静。半晌，太后才笑了一声："皇上没有白心疼你，哀家也没有白心疼你。你到底是熬出来了。"

如懿低首道："有太后挂怀，臣妾不敢自暴自弃。"

太后点点头道："你也算乖觉，知道一把火烧得你冷宫里待不下去了，便兵行险招拿自己作筏子。现在满宫里连着皇上都疑心是慧贵妃或是慎贵人给你下的砒霜，连皇后都逃不脱疑影儿，可是哀家却想知道，如果不是自己给自己下毒，哪里还能保得住命等人来救？"

如懿心中一沉，只觉得背心凉透，已然情不自禁地跪下："太后英明，臣妾也不敢欺瞒太后。"

太后瞟她一眼："你倒老实。"

如懿俯首低眉："臣妾敢欺瞒所有人，也不敢欺瞒太后。"

太后蔼然一笑，伸手扶她："好了，大病初愈的，别动不动就跪。也难为皇帝疑心她们，原是她们做得过了，一而再，再而三不肯放过你，否则也不会逼得皇帝立时把你从冷宫放出来。只是既然出来了，以后，你有什么打算呢？"

殿中漏声清晰，杯盏中茶烟凉去。如懿立在太后身旁，听着纸窗外冷风吹动松竹婆娑之声，仿佛自己也成了寒风冬夜里摇曳无依的一脉竹叶："臣妾本无所依靠，唯有凭太后一息怜悯得以苟延宫中。往后一切，还请太后垂怜。"

太后微微颔首："你既懂事，自然是好的。皇后富察氏出身满族显贵，有老臣张廷玉支持。慧贵妃的父亲高斌在朝中得皇上倚重，是汉臣中的翘楚；慧贵妃一向依附皇后，两人互为援引。哀家不喜欢宫中只有一蓬花开得艳烈，百花盛放才是真正的三春胜景。你若能明白这一点，便也能好好生存了。"

其实如懿也有一瞬的疑惑，太后已经位高权重，为何还要如此在意？念头一转的瞬间，她忽然想起一事，忙屈膝道："太后所出的端淑长公主已经许嫁蒙古，如今只剩了柔淑长公主养在庄亲王府中，臣妾无能，自居深宫，一定会替两位公主好好孝敬皇太后，侍奉太后颐养天年。"

太后闻得此言，似乎触动心肠，神色也柔和了不少："你既明白，哀家便收你这一份孝心。"

如懿闻言，亦放心不少，才起身告辞。

回到宫中，如懿也便歇下了。独居翊坤宫的第一夜，她梦到的人居然是自己已经逝去的姑母。她穿戴着皇后衣冠，鬓发花白却风姿不减，只是向她含笑不已。记忆中，那应该是她第一次得到姑母首肯的笑容，哪怕她一直畏惧姑母，害怕姑母，可是此刻，亦觉得她的笑如此亲切，带着乌拉那拉氏族特有的骄傲，意态清远。

或许这样骄傲而笃定从容的笑意，也是她此后半生，着意追寻的吧。

第二十七章
恩宠（上）

　　如懿回宫的第一夜，皇帝并未留宿在她宫中，只是如常召幸了新封的舒嫔，倒叫许多人松了一口气。第二日的定省，如懿也不敢疏忽，早早去长春宫中见过了皇后，皇后嘱咐了几句，细问了她饮食起居是否习惯，便也嘱咐众人散了。纯妃见她出来，自然是还高兴的。倒是嘉嫔与慧贵妃一向对她淡淡的，也不亲热。而阿箬，更是对她退避三舍，视而不见。

　　或许，这样也是好的。

　　如懿出冷宫后三日，皇帝倒也常常去见她，只是并未召幸，也不留宿，却让旁人也看不懂这恩宠如何了。这一日恰逢立冬，宫中备下了家宴吃饺子，除了太后畏寒不肯出慈宁宫，宫中的嫔妃倒是齐全了。

　　所谓家宴吃饺子，原本是因为立冬乃秋季与冬季的交子之时，宫中嫔妃长日无聊，便由各宫都自己做了饺子，凑成一宴，讨皇帝欢心而已。皇帝白日里去京郊察看了农桑，回来听皇后说起，倒也高兴，便在长春宫赐宴。嫔妃们自然是别出心裁，除了寻常的菜馅儿肉馅儿，又做了海鲜馅儿的，酸菜馅儿的。独独皇后和舒嫔最有心思，皇后的饺子是用过冬刚摘下的嫩白菜叶子做的皮儿，为的是京中人人都惯于在冬日囤积白菜过冬，也是勤俭而新鲜的吃食。皇帝对这样的心思自然是赞许不已的。而舒嫔的那一道，只逼着皇帝非咬了那一口，辣得皇帝眼泪都出来了，又好生敬了一杯酒灌足了，方才笑靥频生，道："这样的饺子吃过了，皇上往后再吃到什么饺子，都不会忘了臣妾的了。"

皇帝笑得不止，击掌道："皇后，你看她那个矫情样子，比慧贵妃往日如何？"

皇后温婉含笑，只是不语。慧贵妃饱含了醋意道："皇上不就是喜欢舒嫔这样的矫情样子么？何必拿臣妾来比呢。"

到了如懿时，她却只捧出了一壶醋来，含笑道："臣妾比不得各位姐妹的手艺，做不好饺子，特意用红玫瑰花瓣酿了一壶醋来。吃饺子少不得醋，臣妾就当略作点缀吧。"

皇帝薄薄的笑意却温煦异常："朕若要吃饺子，必少不得醋，否则也是食不甘味。你的东西虽不是最要紧的，却是最不能少的。"

皇后注目含笑道："你这点点缀，却是怎么也少不得的。娴妃，难怪皇上对你如此牵挂，连在冷宫里都要一意放你出来呢。"

如懿不卑不亢，只是略略含了淡薄的笑意："有皇后娘娘日夜挂怀，皇上与皇后夫妻一心，自然也是挂怀臣妾的。"她转过头，看着打扮清贵却神色郁郁的慎贵人道："阿箬，你也是一样的，是不是？"

此时阿箬已是皇帝的妃嫔，如懿仍以旧时称呼相对，显然未曾把她十分放在眼里。慎贵人眼中闪过一丝恼怒，强忍着不敢发作，只是闷头灌了一盅酒。

皇帝望着阿箬，和颜悦色笑道："慎贵人是该喝酒尽兴。如懿为慎贵人旧主，如懿脱离冤屈，终于让朕知道她不是谋害怡嫔与玫嫔皇嗣之人，沉冤得雪。慎贵人乃是如懿的旧仆，理应同庆。"

皇帝字字句句，呼阿箬为"慎贵人"，对如懿只以名字相唤，亲疏早已十分明显。阿箬最恨旁人提她是如懿的旧婢，早已窘得满面通红，握着酒盏的手轻轻发颤。皇帝却话锋一转，只笑道："为表你主仆二人同庆之意，朕便打算封你为慎嫔，你意下如何？"

这样骤然封嫔，比之舒嫔的恩宠万千，出身显赫，更是出人意料。且嫔位是一宫的主位，身份贵重，宫中已有玫嫔、舒嫔与嘉嫔，不是生子，便是家世显要，且获宠多年，仅次于抚养两子的纯妃和在潜邸便为侧福晋的娴妃如懿，地位不可谓不贵重。如此一来，不禁连皇后亦变色，还是嘉嫔忍不住道："皇上便这般喜欢慎妹妹么？慎妹妹与臣妾住在一起，岂不是启祥宫有了两位主位了？"

皇帝举了酒盏在手，唇边含了一缕俊美笑意："自然。若不喜欢，朕也不会亲自取一'慎'字为慎嫔的封号。"嘉嫔微微咬了咬唇，隐忍着怨怒。皇帝眼波一转，却轻笑道："正如嘉嫔你的封号，嘉为美好之意，朕也十分喜欢。所以，哪怕慎贵人封了嫔位，启祥宫的主位也只有你一个。"

如此，嘉嫔才稍稍平息醋意，却深深剜了阿箬一眼。阿箬逢了这样的恩赏，本该高兴不已，可那高兴也是损兵折将的，她只好撑着站起来，冷汗涔涔地行礼："臣妾多谢皇上厚爱。"

皇后一袭天水鹅黄的衣裳，耳边一对珊瑚红坠子摇曳生辉，笑得极柔和，道："方才敬事房的人来了，在外候着呢。看来皇上今夜是要陪慎嫔，不必再翻牌子了。"

皇帝握一握皇后的手道："果然皇后知朕心意。"

皇后向着阿箬温和道："那么慎嫔，你先回去准备着去养心殿侍寝吧。"

这句话恰到好处地解了阿箬的尴尬，她才起身，嘉嫔便道要回去看四阿哥，也起身告辞了。海兰有着身孕不便，如懿便也陪着她先回去，只留了舒嫔与玫嫔二人随侍在侧，皇帝倒也十分惬意。

如懿扶着海兰正转过长街，却见嘉嫔站在慎嫔跟前，冷笑不已："不要以为封了嫔位就目中无人，在启祥宫中主位只有一个，就是本宫。哪怕是嫔位，也有高低尊卑之分呢。你索绰伦氏不过是小姓出身，你阿玛再有治水的功绩，也不过是在慧贵妃父亲手下当差，小小知府而已。"

阿箬扶了侍女的手，倒也毫不退怯，只是笑吟吟道："姐姐是嫔位，我也是嫔位，我年纪比你小，自然该尊您为姐姐。至于别的，大家都是皇上的妾侍，平起平坐罢了，谁又比谁高贵呢。"

嘉嫔气得神色大变，却也自矜身份："平起平坐？且不说本宫是皇四子的生母，玫嫔虽然出身南府，好歹生过孩子，资历怎么也比你高些。舒嫔更不用说，叶赫那拉氏女儿，又是太后亲选赐予皇上的。若要论资排辈，本宫自然是嫔位中第一，玫嫔与舒嫔再次，你不过是屈居末流而已。"

嘉嫔的侍女丽心也是个口舌伶俐的，立刻道："还没恭喜慎嫔娘娘呢，为着您的旧主娴妃娘娘出了冷宫，皇上才赏您这个嫔位，口口声声还提着您与娴妃娘娘的主仆情分。其实想想也不对，当年是您揭发了娴妃娘娘毒害玫嫔与怡嫔的皇嗣，今日皇上却金口玉言说娴妃娘娘蒙冤。依奴婢看，这封赏嫔位竟是在打您的耳刮子呢。"

阿箬扶了侍女新燕的手，禁不住浑身乱颤，伸手朝着丽心的脸颊便是一掌，她手上戴着纯银的玳瑁护甲，那一掌用力极深，便在丽心白嫩的面颊上留下了两道血痕。

丽心到底有些害怕，纵然满眼里泪水乱转，却只能捂着脸不敢出声。如懿冷眼看着，笑道："这里风大，要不要先回去？"

海兰抚着肚子道："这样好看的戏，我肚子里的孩子合该多看看。长大了也不至于吃旁人的亏太多。"

如懿替她正一正风帽，二人相视一笑，便在暗处站定了不动。

嘉嫔看着丽心挨打，却换了和颜悦色的笑容，娇声道："哎呀，梅香拜把子——都是奴才罢了，何苦自己人打起自己人来了。丽心，好歹人家已经熬成了小主，你便受她这一掌，当受教了，也学学她怎么没日没夜爬了皇上的龙床。"

丽心捂着脸道："奴婢可不敢背着自己的主子偷偷勾引皇上这么没廉耻，更不敢背弃主子诬陷主子。不管挨了慎嫔娘娘多少巴掌，奴婢都是学不会这些下三滥的本事的。"

嘉嫔连连颔首微笑，骤然伸出手打了阿箬一个耳光。这一掌去得又快又狠，出乎阿箬的意料，她根本招架不住。嘉嫔脸上笑得悠然自得："这一掌，是教你学乖，尊卑自在人心。别以为得了位分，得了皇上的宠幸，旁人就忘了你是怎么使尽下作手段勾引的皇上。连奴才们都瞧不上呢！"

嘉嫔得意的轻笑声落在风里格外响亮，被宫人们簇拥着一摇三摆扬长而去。阿箬慢慢地抚着脸颊，自嘲似的笑道："新燕，你瞧，人人都瞧不起我。哪怕我封了嫔位，在她们眼里，我不过是个奴婢罢了，永远只能是个上不了台面的奴婢。"

新燕忙扶着她，好声好气道："小主别往心里去，嘉嫔不过是仗着自己生了个皇子罢了。她自己也不过是个贡品似的异族贡女罢了，小主可是纯正的满洲血统呢，来日若生下了一儿半女，岂不比她尊贵。本来呢，您还没有子息，皇上就那么宠爱您了。"

阿箬的笑声里带了几许哭腔："你也觉得皇上是宠爱我的？"

新燕奇道："小主，您这是怎么了？皇上常常翻您的牌子，赏赐也是最多。哪怕舒嫔新贵得宠，皇上也没忘了您呀。您看，嘉嫔再嚣张刻薄，也不过是妒忌您罢了。"

阿箬神色凄惶，连连点头道："是啊，她们都是妒忌我，她们都是妒忌本宫。可是是谁把我抬到这种人人妒忌刻薄的地方来的。我承宠这些年，除了皇后和慧贵妃，几乎没看过旁人的好脸色，连慧贵妃，偶尔也是冷嘲热讽的。到底是谁把我拱到这种人人为敌的地方来的？"她的哭腔越来越悲怆："皇上翻我的牌子最多，可是谁知道……"她说到这里，却捂着嘴不敢再出声了，只是畏惧地看着四周，怆然落下泪来。

新燕不解其意，只得道："小主别伤心了，今儿是您封嫔的大好日子，等下还要侍寝呢。奴婢赶紧陪您回宫，替您拿鸡蛋揉揉脸，别叫皇上看见了，可不好呢。"说着，连搀带扶陪着阿箬走了。

如懿听得有些疑惑，便问："皇上翻阿箬的牌子最多，难道有什么不对么？"

海兰也是疑虑重重："这些年阿箬可算是恩宠深厚，皇上对她颇为厚待，屡屡晋封赏赐，能有什么不妥？可是听她今日这话，怕是有些缘故在里头呢。也是，集了一身宠爱，难免招怨。偏她的根基又不够厚，自然谁都能撂脸色给她看了。"

如懿冷冷道："荣华富贵是她自己求的，自然了，这种羞辱欺凌，也是她自己求得的，还有什么可怨恨的？"她扶住海兰的手："我看你晚膳用了那么多，不过几个饺子而已，便这么开胃么？可别撑着了，还是传江太医来瞧瞧吧。"

海兰回到宫中饮了一盏消食茶，笑道："才喝了消食茶，又觉得有些饿了。叶心，你去瞧瞧，小厨房有什么可吃的？"

叶心答应着去了，如懿道："虽说过了四个月胃口会大好，但你也有六个多月身孕了，怎么还是这样开胃，吃得太多，旁的倒没什么，倒是你身上更见胖了。"

海兰苦笑道："我还能有什么办法，左右身上是不能见人了，若再不吃一些，怕亏了肚子里的孩子，更不值了。"

正说话间，叶心端了一叠豆腐皮包子并一碗虾仁馄饨上来。海兰才吃完，江与彬便进来请了安道："娴妃娘娘万福，海贵人万福。"

如懿笑着招手道："无事也非得叫你来看看，你看海贵人，怀着身孕一天吃许多顿，胃口好得教人害怕，到底是怎么了？"

江与彬搭了脉，看着桌上的空碟子道："海贵人胃口大开，无妨啊。不过看着，是比前几日又圆润了些。"

正说着，绿痕端了一盏药上来道："安胎药已经成了，贵人快喝吧。"

海兰端起碗正要喝，江与彬忽然止住，道："小主是按着微臣开的安胎药方子喝的么？"

海兰立时警觉，放下药碗："怎么？有什么不妥么？"

"味道似乎不太对？"江与彬立刻接过药碗一嗅，即刻吩咐绿痕，"把剩下的药渣拿来我瞧瞧。"

绿痕知道利害，立刻去了，不过片刻用盘子装了一把药渣。江与彬抓起药渣嗅了又嗅，又拣起一点放在口中仔细嚼了，奇道："奇怪，味道虽然不对，但居然加的不是害人的药。"

如懿急道："那到底是什么？"

江与彬道："微臣断然不会尝错，微臣开的安胎药里被人足足地添了别的东西，可这东西不是坏东西，是开胃的好药，可的确不是微臣方子里有的。"

如懿转念道："开胃的好药？是不是吃了会胃口奇好，不断进食，然后发胖。一旦发胖……"

江与彬道："孕中发胖，也是常见的，只是海贵人胖得比常人快，大约是跟这个药有关。孕妇胖得快呢，身上的肌肤承受不住，便容易开裂形成纹路。"

海兰已然明白，眼中哀戚愤恨之色大盛："而这种纹路，哪怕生产之后，也无法褪去，终身附着身上，让人不忍目睹，是不是？"

江与彬目瞪口呆："贵人这么说，难道……"

海兰紧紧握住手臂，恨声道："已然生在身上，无法根除了。"

江与彬凛然道："贵人放心，微臣一定尽心尽力，替贵人研习药性，力求除去。”

　　海兰紧紧握拳，含泪道：“你是有心了。只是我的药一直是绿痕照管着的，绿痕是信得过的人，这些开胃的药又是怎么加进去的？”

　　绿痕慌得赶紧跪下道：“小主明鉴啊小主，奴婢从太医院领了药来就小心谨慎，连着煎药到端到小主跟前，都没有旁人插手过啊。奴婢更不懂得什么药材能开胃，断断不敢擅自加在里头了。”

　　江与彬沉吟道：“药方是微臣开的，药材是太医院的人抓的，配好之后微臣看过了无妨。但太医院人多手杂，在交到绿痕姑娘手中前被人动了手脚也未可知了。微臣回去之后，必得细察。”

　　海兰忍着泪，脸色渐渐沉着，沉吟道：“这事细察出来是谁便可，不必声张。”

　　江与彬满脸疑惑，如懿含着恨意叹息道：“换了我，也决不能相信无端端加了这个药是为了你好。倒是出这个主意的人，借着与人无害的样子行阴毒之事，实在是可怕可恨。只是这事即便张扬了开来，皇上也只会以为那人是无心之失甚至是好意为之，倒成了咱们小人之心了。还是不说也罢。”

　　海兰双拳紧握，手背上青筋突起，仿佛一条条蜿蜒的青色小蛇，咝咝地吐着芯子：“这样会算计人，真当是厉害！我算是记住了，只当自己吃一堑长一智吧。只是江太医，以后得劳烦你多费心了。”

　　江与彬赧然道：“娴妃娘娘在冷宫时，微臣难免分心，不能面面俱到。说来，也是微臣失职。往后，微臣一定会格外小心的。另外，待贵人生产之后，微臣也会配好药膏，给贵人涂抹身体，以求消去纹路。”

　　海兰静静地望着外头漆黑如墨的天色，仿佛是望着自己望也望不见的前路。她眼中泪光一闪，终究是忍住了，轻声道：“姐姐，我只有你和孩子了。”

　　如懿安慰地拍着她，和她紧紧依靠在一起。她们的影子落在墙上，像一道单薄的剪影，若是哪一阵风吹得大些，便要一同吹去了似的。

　　阿箬裸露着身体，从被子底下一点一点努力地钻上去。黑洞洞的被窝里，她感觉到皇帝年轻的身体就在她身侧，隔着薄薄的丝绸寝衣，散发着热烈的气息。她熟门熟路地从被窝里探出头来，望着明黄色的宫样帐楣，密密的龙腾祥云绣花，帐外的烛火照在上头，混淆着帐上所绘碧金纹饰，华彩如七宝琉璃，璀璨夺目，直刺入心。

她紧紧地拥住皇帝，想要伸手解开他寝衣上第一颗扣子。皇帝一动不动，只是嗤地一笑，带着冷冷的余音，吓得阿箬赶紧缩回了手。

皇帝的口吻平静得没有一丝波澜："你在做什么？"

她鼓足勇气仰起了脸，望着皇帝如盛开的唐棣般炫目的面庞，低低哀求道："皇上允许奴婢侍寝，奴婢……奴婢是来侍奉皇上的。"

皇帝眼底全是薄薄如冰屑的笑意，随手抖开赤色捻金龙纹缎被，散漫看了一眼道："哦。已经脱得一干二净，是来侍寝了。"

阿箬面红耳赤："规矩如此，奴婢也是遵照祖制而已。"

皇帝微微一笑："你也知道你是奴婢。你侍寝三年了，自然学会了如何侍寝，还要按着敬事房那一套来么？"

深赤色的缎被上，以玄黑丝线绣着狰狞的五爪蟠龙，龙爪以金线刺绣而成，尖亮锐利宛如鲜活，似乎一爪一爪都要挠进她的血肉中去。阿箬顾不得害羞，以自己鲜活的肉体贴附在皇帝身上，想用自己的滚烫去温热他，婉声求恳道："皇上，皇上，求您疼一疼奴婢吧。奴婢侍寝三年，只有第一次……第一次您受了奴婢的侍寝。这么久了，就让奴婢再伺候您一次吧！"

皇帝斜靠在自己手臂上，一手漫不经心地拂过她的身体，脸上虽然带着那样疏懒的笑意，目中却只有清寒的冷薄："是么？朕第一次许你侍寝，是你求仁得仁，一心只想做朕的女人。朕许了你，也是告诉你，你这一辈子，既然侍寝过朕，那么生是紫禁城的人，死也是紫禁城的鬼，老死也出不去半步了。可朕之后每每翻你的牌子，召你侍寝，也赏赐你，给你荣华位分，但再没有碰过你，你却不知道为何么？"

阿箬又窘又羞，愧恨难当，只是无言："奴婢愚昧。"

皇帝的脸色慢慢冷下来："既然知道自己只是奴婢，而非臣妾，就不要妄想躺在朕的身边。"

阿箬满脸紫涨，殿中并无她的衣物，只得扯过床上的薄毯，匆匆披上起身。

皇帝淡淡道："从前怎么伺候朕过夜的，还是老规矩。"

第
二
十
八
章

恩
宠
（
下
）

　　阿箬赤着脚，跪倒在榻边。皇帝寝殿本是金砖墁地，那地砖油润如玉，光亮似镜，质地密实，脆若金石，虽然上头铺了厚厚一层锦毯，但她披着薄薄的毯子，仍是禁不住那寒意和坚硬逼迫上膝盖，一点一点触痛了神经。

　　皇帝闲闲地看着她，漫然道："朕一直留你在身边，给你这么高的荣宠位分，是有留你的作用。但是你别妄失了分寸，你永远是娴妃的奴婢，朕的奴婢。人前人后，你自要分得清楚。"

　　起初的时候，这样的言语也让阿箬觉得羞惭欲死，然后这些年下来，每每如是，她也渐渐惯了，只是麻木地道："奴婢知道。"

　　皇帝正欲转身，忽然察觉她脸上的红肿，便问道："挨了谁的打？"

　　阿箬愣愣地道："皇上宠爱奴婢，嘉嫔娘娘不忿，打了奴婢。"

　　皇帝打了个哈欠："打了就打了，哪有为奴为婢不挨主子的打的。你心甘情愿要得这些恩宠，就要心甘情愿受这些罪。"

　　皇帝床帐的帷帘内疏疏朗朗地悬挂了三五枚涂金镂花银薰球。那薰球镂刻着繁丽花纹，精雕细镂，缠枝纹样清晰可辨。球内盛有安息香，丝丝缕缕缠扰的香气喷芳吐麝，幽然隐没于画梁锦绣之上，仿佛她的前程，也这般无声无息地弥散殆尽了。阿箬愣了片刻，忽然生出一丝凄微的笑意，终于忍不住道："皇上，求您给奴婢一个明白。您既然宠幸了奴婢，也给了奴婢外人羡慕的恩宠，为什么您背过身要这么待奴婢？难道您是猫儿，当奴婢是一只卑贱的老鼠逗着玩弄么？皇上！"

皇帝转过身，伸手勾一把她的下巴，嗤嗤笑道："朕已经成全了你，你还要怎样？记得朕给你的封号是什么吗？慎，就是要你谨小慎微。这么多年你都这样侍寝下来了，怎么今天倒沉不住气了？"

阿箬披着单薄的毯子，浑身颤抖，眼底闪过一丝凄厉的微光，磕了个头道："皇上，求您给奴婢一个明白。您既然不喜欢奴婢，为什么要这样待奴婢呢？"

皇帝冷冷一笑："不这么待你，谁知道你又要做出什么事来？你也念着朕的好吧，没朕这样宠着你，你早折在谁手里也不知了。"

阿箬咬了咬牙，苍白着脸道："是不是因为娴妃娘娘的事，皇上觉得是奴婢冤枉了她？所以要这么折磨奴婢替她出气？"

皇帝的声音渐渐慵懒下去："出气？谁要出气自己出去，朕懒得理会。"他翻个身："好了。朕乏了，有什么话，往后再说吧。"

阿箬跪在那里，看着皇帝沉沉睡去，发出均匀的呼吸声。外头的梆子声一声远一声近地递过来，她瘫软在地上，无声无息地落下泪来。

这样一跪，便是大半夜。接她回去的太监是二更时分到的，按着规矩在皇帝寝殿外击掌三下，低低喊了声"时辰到了"，便由李玉带着人重新将她裹了起来，送入养心殿后的围房穿戴整齐，用一顶小轿抬回她自己宫中。

阿箬受了一夜的折腾，回到自己宫中也是睡意全无。新燕端了一碗安神茶上来道："小主侍寝，也累了半夜了，快喝了安神茶睡吧。"

阿箬含了泪冷笑道："侍寝？我倒是真累着了。"她转头打量着宫里的陈设，突然怒道："本宫已经是皇上亲口所封的慎嫔，为什么本宫宫里的陈设布置还是按着贵人的位分来的？内务府怎么这样惫懒不识好歹？"

新燕为难道："方才内务府的人已经来过了，说皇上皇后都力图节俭，左右小主还没行册封礼呢，所以嫔位该用的东西也不摆上了。"

"册封礼？"阿箬刻毒一笑，道，"皇上何时说过要给我册封礼？原来不过是让我白担一个虚名罢了。"她说罢，霍地起身，取过博古架上的琉璃花樽就往下砸，砸完了又把桌上几上能见到的瓶瓶罐罐都砸了个稀烂。新燕这一吓可非同小可，急忙拦下了道："小主，小主，您这是怎么了？今儿可是您刚封嫔位的大喜日子啊，怎么能动气呢？这若传出去，旁人可不知道要怎么议论您呢？"

阿箬发疯般地砸着东西，涕泪横流："我怕什么？我还怕什么？这样生生被人作践，砸几样东西还不能么？我是慎嫔，我是慎嫔，这几样东西还砸不起么？砸了谁又能拿我怎么样？"说罢，她举起一个青玉佛台便要砸下去。

新燕吓得魂飞魄散，赶紧拦下道："小主，小主，您可别糊涂了。这个佛台可砸不得呀，那是您封贵人的时候皇上赏的。小主，您要生气就打奴婢几下吧，可千万别砸了这个，更别气伤了自己的身子。"

阿箬满脸是泪，倒在床上哭泣道："皇上？皇上眼里还有我这个人么？我不过就是件玩意儿，砸了也就砸了，根本就是任人作践的。"

阿箬心酸地哭着，哭得久了，也累了，昏睡了过去。新燕看着满地狼藉，叹了口气，蹑手蹑脚地收拾了起来。

趁着阿箬闹累了没醒，新燕一大早便往慧贵妃宫里走了一趟。慧贵妃正在梳妆，由着宫女蘸了桂花水，一点一点篦着头发，听新燕说完，便有些纳闷："昨夜她刚封了嫔位，又被召幸，正是得意的时候，有什么沉不住气的，偏要这样回来闹？"

新燕一无所知，只得摇头道："奴婢也不知道，只是伺候了慎嫔这几年，只觉得她的脾气越来越暴躁，从前不过是动不动就打骂下人，有时候也问奴婢，皇上是不是真宠爱她？"

"皇上是不是真宠爱她？"慧贵妃疑虑地转过头，"自从娴妃进了冷宫，她的恩宠也算是多的了。如今即便娴妃出来了，她恩宠不衰，还想怎样？"

茉心一边替慧贵妃挽发髻，一边道："皇上虽然宠她，但到底也看不起她，昨日的立冬家宴上，一口一个主仆，分明是瞧不上慎嫔的出身。还说当年的事娴妃是蒙冤的……"她忽然闪了一下梳子，扯到了慧贵妃的头发，忙吓得跪下了。

慧贵妃回头，不悦地横了茉心一眼，怒道："做什么呢？你的爪子越来越不会当差了？"

茉心吓得直打寒噤："小主恕罪，小主恕罪。奴婢只是想到皇上说娴妃蒙冤，会不会翻查当年的事，牵连到咱们。"

慧贵妃努了努嘴，示意她起身继续梳好发髻，方懒懒道："如今娴妃放出来了，皇上自然要找个借口说她蒙冤，否则怎么让人心服呢。再说了，真要细细追究起来，反正当日反口咬定娴妃下毒的人，不是咱们。"

茉心还是有些害怕："小主说得是，可是慎嫔人不会咬出咱们来么？"

慧贵妃端详着镜中的自己金凤斜簪，云鬟半偏，翠钿疏散，取过一把透雕双凤纹玉梳斜插在脑后青丝上，看了看满意了，才道："她阿玛到底在本宫父亲手下当差，她有几个胆子连累家人？再说了，她连自己的主子都能背弃，安知不敢冤枉咱们。好了，新燕，你就回去好好伺候着吧，慎嫔有什么动静，记得随时来回报。"

新燕答应着退下了。慧贵妃看了茉心一眼，佩上一对翠绿水滴耳环，容色淡淡道："你有话要说？"

茉心道："奴婢只是看不惯慎嫔罢了，一时这样得宠，连小主都越过去了，一时又这样闹脾气，不知检点。"

慧贵妃轻蔑地撇撇嘴："也难怪她，娴妃出来了，她自然会怕。"

茉心道："其实奴婢一直都不大放心。当初小主罚她跪在雨地里，后来她怎么肯为咱们所用？且这些年，连皇后娘娘都那么抬举她。"

慧贵妃嫣然一笑，百媚横生："当初皇后娘娘亲自去笼络她，又将她阿玛调到本宫父亲麾下以作挟制，她才能安分效忠这么多年。不过从一开始，长春宫和咱们的意思都是一样的。阿箸，不过就是颗随时可弃的棋子。因为随时可弃，所以不在乎她如何得宠了。"

茉心满面堆笑道："小主远见，奴婢实在不及。"

慧贵妃唇角扬起一抹得意的笑意，很快又收敛了，叹息道："所有的远见，都是皇后娘娘的远见。本宫算什么，即便皇上抬旗，又倚重父亲，可本宫的出身到底摆在那里，永远也洗脱不去。"慧贵妃黯然道："而且本宫承宠多年，你闻闻，殿中的坐胎药气味浓得都散不去了，可本宫还是怀不上一儿半女。"

"可是皇后娘娘亲生的二阿哥也死了，不比小主好多少。"

"二阿哥死了，也被追封为太子。皇后娘娘好歹还生育过，好歹还有三公主。哪像本宫，本宫的肚子是空的，孩子一天都没有来过。"

慧贵妃越说越急，不觉泫然，茉心最怕她想到孩子，一想到便要伤心许久，忙劝道："小主就是心太急了，所以一直怀不上孩子。只要小主放宽心，皇上又常来，那股子运气一到，自然想什么有什么了。小主，时候不早，咱们也该去向皇后娘娘请安了。小主去长春宫不是一向最勤最准时的么？"

慧贵妃看了看天色，颔首道："是该走了。皇后再温柔谦和，到底也是满蒙显贵出身，本宫即便位分再高，也不能不依附她，才能在宫中站得更稳，走得更远。"

这一日宫嫔们齐聚皇后宫中请安，皇后看着如懿的手腕，温婉含笑若春水碧波："本宫记得昔日赏赐给娴妃妹妹一串翡翠珠缠丝赤金莲花镯，怎么这些日子都没见妹妹戴着，可是不称心了么？"

如懿心头一凛，恍若一根尖锐的芒刺被人深深刺入，又呼啸拔出，她维持着面容上清淡适宜的笑容："莲花镯上赤金丝有些松散了，得空得叫人去绞一绞才好。"

皇后颔首道："可不是，那原本是一双一对的，本宫独留给了你与慧贵妃。若是让人绞好了，总要时时戴着，才是咱们潜邸姐妹不同寻常的情分。"

慧贵妃笑道："皇后娘娘厚爱，臣妾日日戴在身上，一丝一毫也不敢松懈相待呢。"

如懿心中冷笑不止，却听皇后道："皇上兴之所至，突然想到要放娴妃妹妹出冷宫，连本宫这个皇后也是事后才得知。可见这些日子皇上有多想念妹妹了。"

慧贵妃插嘴道："只是说来也奇怪，皇上既然这样爱重娴妃，怎么娴妃出来这几日，皇上都没有召你侍寝呢，反而是慎嫔妹妹伺候得多呢。"

如懿只是淡淡含笑，宠辱不惊："若是以肉身相伴便为情爱珍重，那世人何必还要在意于情意呢？"

纯妃含笑道："数年不见娴妃，说话倒是越来越有禅意了。"

如懿以温和目光相迎，道："纯妃姐姐有所不知，冷宫清静，便于剔透心意。我只是觉得，有皇上牵挂，能得以重见天日已是难得，何必还妄求肉身贴近。"她转眸凝视皇后："何况即便夫妻日日一处，同床异梦，表面讨人欢喜，私下做着对方不喜不悦之事，又有何意趣呢？"

皇后浑然不以为意："娴妃这话本宫听着倒很入耳。皇上是一国之君，更是后宫所有人的夫君，只要皇上心里有你们，何必争宠执意，争夺一时的宠幸呢？

如娴妃一般淡泊无为，其实才是更有所为呢。"

嘉嫔哧一声笑道："咱们自然比不得娴妃娘娘的本事，连娴妃娘娘身边昔日伺候的人，都成了精似的厉害，抓着皇上不放呢。"

嘉嫔一向抓尖要强，皇后也不理会，只道要陪三公主习字，便吩咐各人散了。如懿扶了惢心的手才步出长春殿庭院，却听后头一声呼唤，"娴妃娘娘"，转头过去，却见阿箬扶着新燕的手急急上前，拦在她身前道："娴妃娘娘留步，我有一句话，一定要向娘娘问一个明白。"

惢心恭谨地向她福了一福，恪守着奴婢见小主的礼仪。阿箬的脸上闪过一丝凌蔑的得意。如懿不欲与她多费口舌，便问："什么事？"

阿箬逼近一步："听说娴妃在冷宫被下毒，皇上前往探望，出冷宫后皇上又见过你一次，你是不是对皇上说了什么？"

如懿抬一抬下巴，骄傲道："你以为本宫说了什么？"

阿箬的脸有些扭曲，急道："你是不是告诉皇上，是我给你下的砒霜？你是不是告诉皇上，当年的事是我陷害了你，冤枉了你？"

如懿清朗一笑，迫视着她道："本宫说什么很要紧么？本宫见了皇上几次，你侍寝侍奉又见了几次，这些年你常常陪在皇上身边，难道见的面说的话不比本宫多么？还需要在意本宫说了什么？皇上宠信你，自然会信你，你有什么好怕的？"

阿箬面色苍白，与她以粉珊瑚和紫晶石堆砌的鲜艳装扮并不相符，她跟跄着退了一步，强自撑着气势道："我有什么好怕的？我自然什么都不怕。"

如懿的目光从她身上拂过，仿佛她是一团空气一般透明无物："你能这般自信无愧就好了。人呢，疑心容易生暗鬼，你要坦荡就好，自然不会把你心里的鬼带到皇上心里去。可你要是自己把自己心里的鬼带给皇上了，那就不必旁人说什么，皇上自然也疑上你了。"

说罢，如懿正见纯妃出来，向她招着手，便笑吟吟上前，陪着纯妃一同走了。纯妃朗声笑道："你也是。和她费什么话，忘了当初她怎么害你的么？"

如懿浅浅微笑："我没忘，她自然更忘不了。"

纯妃亲热地挽过她笑道："大阿哥一直养在我宫里，可想着你了。你若得空，便去我宫里坐坐吧，也看看我待大阿哥尽心不尽心？"

如懿忙道："姐姐说这话便是寒碜我了。大阿哥养在姐姐宫里，那便是姐姐的孩子，自然没有不尽心的，我巴巴儿地跑去，算是什么呢。"

纯妃笑道："只是因为妹妹受了委屈，所以大阿哥暂时寄养在我宫里。如今妹妹出来了，迟早也是要还到妹妹宫里的。这样，嘉嫔有四阿哥，我有三阿哥，妹妹也有大阿哥，那大家都是一样的了才好呢。"

如懿见她说得半真半假，一时倒也不敢应对，只好笑着道："纯妃姐姐说哪里话？你到底是生养过三阿哥的，自然比我更会抚养孩子，不像我毛手毛脚的。且姐姐不知道呢，姐姐看方才阿箬对我的口气，我虽出来了，怕也是被人虎视眈眈，自顾不暇呢，哪里还顾得到大阿哥！"

纯妃打量着她道："那妹妹的意思是……大阿哥便一直养在我宫里了？"

如懿谦和微笑，推心置腹道："我本不是大阿哥的亲生额娘，如今姐姐养育得大阿哥这样好，我又怎敢腆着脸要了大阿哥去，便是皇上也不肯啊！"

纯妃不动声色地呼出一口气，拍着她的手关切道："如今妹妹先把身子养好，慎嫔那狐媚子魅惑皇上多年，又目中无人，得空必得好好料理了她，妹妹才能出当年那口恶气呢。"

如懿笑盈盈道："有姐姐这份心意，我便安心了。"

接连几日下去，阿箬便称病一直不出门了。如懿唤来江与彬一问，方知阿箬气急交加，是真病了。病的缘由无从得知，却总也叫人有点揣测，太医院的药轮番端进去，阿箬也不见得好，见过的人只说，人都干瘦了下去，是病得厉害呢。

如懿得知也不过轻弹指甲，她才刚出冷宫几天，阿箬便自己被自己弄病了，落在他人的口舌里，总以为阿箬是心虚，又禁不住去揣测，是不是给如懿下砒霜，是她的主意。趁着阿箬这样病着，惢心也有些沉不住气，私下里便对如懿道："小主若是不愿意，这样的腌臜事便交给奴婢去做吧。反正当年害小主的人实打实就是阿箬，咱们就算害她一回，也是有冤报冤，有仇报仇。"

如懿轻轻地啜着碧清的茶水，便道："那么你待怎样？"

惢心咬了咬唇，眼中却毫无畏惧之色："不过是找江与彬，给她下点好东西罢了。"

如懿取过桌上一枚香砌樱桃，慢慢含了道："不妥。我听着前几日阿箬的口气，越发觉得皇上待她并不是只像咱们看到的一般。既然皇上并不如表面这般待她好，说了我是蒙冤受屈还要对她的位分不降反升，一定有所道理。这个时候，倒不便咱们下手了。"

蕊心见如懿有了主意，也不好再劝。倒是江与彬来请脉时，如懿暗地里嘱咐道："阿箬的病既然是心病，那么不要治好了她，也不要治坏了她。"

江与彬抬眉一笑，似有千万把握："小主的吩咐，太医院上下都接到过了。每一位太医都心中有数。"

如懿闭目片刻，闻着殿外幽幽梅香，清寒入鼻："是皇上？"

"皇上，与皇后。"

如懿的心思却不在阿箬身上，问道："还有一件事，我一直想不明白。近日我见慧贵妃，看她的气色大不如三年前了，慧贵妃与我一样，都得过皇后那串掺了零陵香的手镯，为什么还有人要多此一举给她下那些让她身体病更重的药，是怕零陵香的药力不够么？"

江与彬沉吟道："或者有人防慧贵妃比之防小主更甚。更或者有人与皇后娘娘不谋而合。"

如懿微微沉吟，将锦匣中所藏的碎珠玉镯取出，交到江与彬手中："你去，找外头靠得住的人，将里头的零陵香丸取出，玉镯我如常戴上，也好让皇后安心哪。"

江与彬收过，眼中满是脉脉情意，看了一眼蕊心道："小主的吩咐，微臣自当尽心竭力。"

如懿点头："帮过我的人，忠心于我的人，我都不会忘记，自会一一还报。对了，凌云彻……"

"小主放心。按着小主的吩咐，已经调出了凌云彻。如今，他已经是戍守坤宁宫的侍卫了。"

本该是帝后大婚所居的坤宁宫，自顺治朝后便成了萨满敬神之地，既尊贵，又清静，果然是个好去处。

如懿仰起头，看着窗外澄碧的天空，暗暗想着，如此，也算是给了凌云彻一个好出路了。自然，往后如何，还是看他自己了。

人人，都只能由着自己走完这条路，无一例外。

第二十九章
事破

这一日冬雪绵绵初至，如懿贪看雪中白梅的景致，便扶了惢心一同出来。冬寒森冷，苑中白梅寂寥地开着。在这清寂少人行的午后，妖娆地绽放勃然的花瓣。惢心笑道："小主也真是的，旁人踏雪寻梅，都是寻的红梅，小主偏要去看白梅。奴婢倒不信了，白梅隐在白雪之中，只看得清黑压压的枝条，有什么好看的呢。"

如懿披着一件联珠锦青羽大毛斗篷，伸手接住一点纷飞的雪花，道："白雪红梅自然有艳烈清朗之美，为人赏叹。但白梅隐藏白雪之中，只凭花香逼人与清寒彻骨稍作分别，世间的美，若不细细分辨，轻易得来又有何意味？"

惢心目中闪过一丝顽皮笑色："奴婢倒觉得，小主是喜欢这种细细分辨的。"

如懿正了正领口绒绒的毛球，颔首笑道："很多事若不细辨，便只能看到雪压黑枝，自然不觉得美，只有走近细观，不被表象所迷惑，才知真美所在。"

她甫一说完，却听一把清婉女声在身后遥遥响起："娴妃娘娘这番话，倒是深得我心。"

如懿转身，却见白雪琉璃之中，一个穿着挖云鹅黄片金里大红猩猩毡披风的丽人盈盈站在梅树底下，却是舒嫔。她便含笑，客气道："原来是舒嫔妹妹。"

舒嫔兜下风帽，露出满头玉片与银器的点缀，在冬日寒雪中看来，越发显得高洁冷清，有着冰雪般寂寞高华的神情。也恰如她这个人一般，一眼看去是极艳丽鲜妍的，相处了才知道是那样孤清的性子，恰与这冬雪寒花一般。

舒嫔略略欠身道："娴妃娘娘若不介意，可以唤我的本名，意欢。我也可以称呼一句姐姐，不必'娘娘'来'娘娘'去，这般俗气。"

如懿见她说话直接，心下更喜欢，便道："那自然好。"

舒嫔澹然笑道："后宫人人都在说，皇上放了姐姐出冷宫，却一直很少前去探望，也不曾和姐姐一同用膳，更未曾召姐姐侍寝过一次。宫中诸人都在背后议论纷纷，不知皇上究竟把姐姐置于何地？"

如懿见她毫不掩饰，便也道："皇上天心如何，岂是我们可以揣测的。"

近处有大蓬梅花舒枝傲立，枝上承了脉脉积雪，花蕊花瓣越发显得冰清莹洁依然，不为尘泥所染。

舒嫔拨着鬓边一串银丝流苏，徐徐道："旁人这么认为，我却不是。我一直在想，慎嫔曾经那么得宠，如今病了这些日子，皇上也是不闻不问。而放了姐姐出来竟也未多亲近姐姐，是不是近乡情更怯的缘故。我倒觉得，皇上是更看重姐姐呢。"

如懿淡淡一笑："妹妹方才是从何处来？"

舒嫔道："陪皇上用了午膳。"她的笑容有点隐秘："午膳时皇上最爱一道梅花锅子，是以白梅入菜，烹制的清汤浓味。却不想我走到御花园中，却看姐姐也这么巧，独自细赏梅花。"

如懿心头微微一动，像是谁的手泠泠拨动心的琴弦，面上的神色却极淡："寒冬唯有梅花而已，想要凑巧也太简单了。"

舒嫔笑而不语，只是道："姐姐不觉得这白雪白梅极美，但那黑黢黢的枝条却实在是太点眼了么？若换作是我，一定用白漆将它全涂没了，那才干净呢。"

一簇梅枝簌簌当风，风吹影动，风姿绰绰，好似涟漪。如懿伸手折下一枝白梅在手："原来妹妹不只快人快语，更是心思果决。只是……凡事不急才能好呢。"

舒嫔浅浅微笑，起身离去。

惢心有些担心道："小主怎么和舒嫔说那么多话？咱们也不知道她的底细。"

"底细？"如懿看着白雪皑皑中她远去的鲜红背影，"舒嫔是太后举荐的人，又自恃清高，不愿与宫中嫔妃来往。这样的底细，即便多说几句也是无妨的。"她回转身，扶着惢心踱出园外，却见凌云彻捧着一束折下的梅花，守在外边不动。

如懿颇为意外："你如今不是在戍守坤宁宫么？怎么在这里？"

凌云彻行礼如仪："坤宁宫岁下清供，每日以梅花插瓶，所以都是微臣前来。"他悄悄望一眼如懿，仍是恭声道："今日听得娴妃娘娘在里头说话，所以特意在园外等候，希望能向娘娘请安。"

如懿含笑凝睐："梅苑出入只有这一道门，你特地守候，想来不是为了请安那么简单。"

凌云彻有些不好意思："还是被娘娘看穿了。"

"有话便说吧。"

凌云彻踌躇片刻，思量着道："花房有一个叫魏嬿婉的宫女，她来找微臣……"

如懿轻笑，打量着他道："自己才有点起色，就有那么多人找上你了么？要是一一帮过去，你能帮得了多少人？"

如懿虽是笑言，凌云彻却不免满面通红，嗫嚅着道："是。可是她……"

如懿忽然明白："可是当日让你为她酩酊大醉、意志消沉的人？"

凌云彻被说中心思，只得坦白道："嬿婉是我的同乡，和我一同入宫当差。她虽然心思高些，当日抛下我高飞，可是阴差阳错，最后被贬去了花房当差。花房不分日夜，劳作辛苦，她自己知错，一直不敢来找我。直到今日我在坤宁宫当差，见到她当着花房的差事送来清供的松枝，才知她原来受了这许多苦楚。她的手……全是冻疮，因为干的不是伺候人的活儿，所以穿得也单薄寒素。嬿婉……她是最爱美的。"说着，脸上不觉多了几分怜悯爱惜之意。

如懿打断他道："她一诉苦，你便忘了往日被她抛弃之苦了？"

凌云彻忙摇头道："娴妃娘娘明鉴，不是微臣心软。只是……只是看她太可怜罢了。嬿婉一直痛哭不已，她说她知道当日做错了，所以没有颜面来见我。

事破

243

她……"

"没有颜面来见你，终究也是见了，还说了那么多动人情肠的话。那么，你应承了她什么，又来求本宫？"

凌云彻很是不好意思："她不是存心让微臣来求娘娘的。只是偌大的深宫之中，微臣能求的，也只有娘娘。微臣只是想，娘娘能不能帮微臣一个忙，把她调离了花房，换个轻松点的差事。"

如懿沉吟片刻："你真的那么想？"

云彻道："嬿婉也不敢妄求，只求不要满手生满冻疮，她便满足了。"

"听上去，倒也只是个小小心愿，不难满足。"如懿仰起面，呼吸着清冷入肺腑的空气，"只是快到年下了，花房也缺不得人。你把本宫的话带给她，要她安心当差，等开春后，本宫会替她换个好去处的。"

凌云彻忍不住露了几分喜色，打了个千儿道："那微臣多谢娘娘了。"

如懿忍不住失笑："看你这么高兴，想来魏嬿婉今天说的话，很是力道精准啊。"说罢，也不看他，径自走了。

回到宫中，却见暖阁里供着老大一束绿梅。那淡淡凝玉般的颜色，晶莹剔透，呈半透明状，而花心又是洁白的。虽不若红梅艳美、白梅清素，但清芬馥郁，尤过寻常梅香。这时房中已被小太监们擦拭得窗明几净，花香与未干的水汽相融，加之殿中炭火洁净，暖气幽幽一烘，越发显得幽雅清新，中人欲醉。

如懿解下斗篷便问："是谁送来的绿梅，颜色这样好？"

小宫女菱枝仔仔细细地擦拭着供着绿梅的珊瑚釉粉彩花鸟纹瓷瓶道："小主才出去没多久，皇上便吩咐进保公公送来了。"

如懿凝视了一会儿，笑道："那你去换个素净点的白瓷瓶来吧。绿梅那么素雅，用个五颜六色的花瓶便太俗气了。"

菱枝不好意思地吐吐舌头："奴婢只是见这个瓶子喜气，色彩又热闹，所以用了。"

"你要用了这个瓶子插花，好看是好看，却是辜负皇上的一片心意了。"惢心见菱枝出去了，便笑道，"皇上对小主也算是有心的，只是这有心，咱们一时还看不透罢了。"

如懿抚着绿梅笑道："看不透便先别看，有这么好的绿梅，不细细欣赏，才是浪费了。"

新年过后便是元宵，到了二月里，最兴盛的节日"二月初二龙抬头"了。按着习俗，传说龙头节起源于伏羲氏时代，伏羲"重农桑，务耕田"，每年二月初二"皇娘送饭，御驾亲耕"。到了皇帝当政的时候，也极为重视。这一日便亲与皇后去先农坛祭祀。回来时皇后兴致颇高，便命人在长春宫中置办了家宴邀请皇帝一同迎春相贺。皇后自爱子早夭之后，一直郁郁寡欢，甚少有展露欢颜的时候，此次主动相邀，皇帝也觉得皇后难得有这样的情致，便也答允了，又让御膳房做了许多皇后爱吃的菜送去。皇帝如此重视，嫔妃们哪有不趋奉之理，于是便由慧贵妃起了个头，遍邀了宫中嫔妃一起为皇后迎春纳福，如此热热闹闹的，竟也成了一个小小的家宴。

皇帝素来爱热闹，自然没有不喜欢的。于是便连位分低微的秀答应，甚至是病中的慎嫔都一一叫来了。皇太后虽未亲至，却也让福珈封了一大屉子的阿胶核桃膏给皇后补益元气，并另赠了两把童子如意，以盼皇后早日再生皇子。

这样的心意，皇后自然是感激涕零。连着皇帝在座，亦不免触动了情肠，柔声道："皇后放心，以后除了初一十五，逢十逢五的日子朕都会来陪伴皇后，希望皇后能再为朕生下一个白白胖胖的小阿哥。"

如懿坐在西首第一个位子，抿酒入喉间早已字字入耳。皇帝深以自己是庶出为恨，一心盼望得个嫡子，所以虽然有了三阿哥和四阿哥，并且海兰有孕，还是不能弥补他一心的向往。所以失去端慧太子，于一向宠遇不多的皇后而言，可以说是大不幸，亦可谓是幸事。

皇帝赠予皇后的迎春礼是一盒东海明珠，皇后忙起身谢过道："明珠矜贵，何况是一盒之数，臣妾想到采珠人的辛苦，不敢妄受。"

皇帝握住她的手道："朕知道你一向节俭惯了，不喜奢华。可这一盒东海明珠再珍贵难得，也比不上皇后你在朕心中的分量。皇后又何必在意这区区一盒之数呢。"

这样的话，皇后哪怕一向注重仪容，也不觉触动了眼底的泪光，她含泪谢过，却看皇帝吩咐李玉将红色的小锦盒送到每位嫔妃手中。慧贵妃与纯妃率先打开，却见里头是一颗与皇后相同的东海明珠。纯妃尚有喜色，慧贵妃却娇嗔道："皇上好偏心，给皇后娘娘一盒便算了，给咱们的却只有一颗，小气巴巴的。"

皇帝笑道："给你们的虽然少，但也是朕待你们一样的心意。"

如懿打开锦盒一看，果然光华璀璨，硕大浑圆一颗，胜过烛火明灿。等到慎嫔打开时，她身边的嘉嫔忽然"哎哟"一声，掩口笑道："咱们的都是东海明珠，慎嫔你这锦盒里的是什么呢？"

话音一落，众人纷纷探头去看，只见鲜红一颗丸药样的东西。慎嫔本就病着，人成了干瘦一把，重重胭脂施在脸上，也是浮艳一酡，虚浮在面上。此时一见此物，脸色更是青灰交加，与面上的胭脂格格不入，人也有些发颤了。

倒是玫嫔先认出了此物，登时神色大变，立刻转头看着皇帝道："皇上！这个脏东西就是当年害死臣妾孩儿的朱砂！"

皇后一脸忧心地看着玫嫔，温和嘱咐："玫嫔，你别着急，且慢慢听皇上问话。"

慎嫔闻言一凛，立刻跪下，颤声道："皇上，朱砂有毒，您赐臣妾这个做什么？"她勉强笑道："是不是放明珠的小公公们错了手，错给了臣妾了。"

皇帝穿着红梅色绛金玉龙青白狐皮龙袍，袖口折着淡金色的织锦衣缘。那样艳丽的色调，穿着他身上丝毫没有脂粉俗艳，反而显得他如冠玉般的容颜愈加光洁明亮，意态清举如风，宛如怀蕴星明之光。他举盏在唇边闲闲啜饮，慢条斯理道："既然是给你的，自然不会错。朱砂有毒，遇热可出水银。这样好的东西，朕赏赐给你，端然不会有错，也最合你了。"

慎嫔吓得眼珠子也不会动了，勉强笑道："皇上怎么给臣妾这个？臣妾……实在是不懂。"

皇帝忽然将手中的酒盏重重捶落，喝道："李玉，你来说。"

李玉垂手肃然道："是。奴才按着皇上的吩咐，去查当年与玫嫔和怡嫔两位娘娘皇嗣受损有关之事。当日指证娴妃娘娘的小禄子已经一头撞死，另一个小安子一直发落在慎刑司做苦役，早已被折磨得只剩下半条命。奴才去问了他，才知道当日说娴妃用三十两银子买通他在蜡烛里掺了朱砂的事，是慎嫔娘娘暗中嘱咐他做的。另外，小禄子虽然死了，但他的兄弟，从前伺候娴妃娘娘的小福子还活着，只是被送出了宫。奴才出宫一瞧，可了不得，原来小禄子死了之后，他家里还能造起三进的院子，买了良田百亩。而这些银子，都是慎嫔娘娘的阿玛桂铎知府拨的。其余的事，便只能问慎嫔娘娘自己了。"

皇帝嘴角含着冷漠的笑容，声音却是全然不符的温柔："那么阿箬，朕且问问你，是怎么回事呢？"

阿箬浑身发颤，求救似的看着慧贵妃与皇后。慧贵妃只是一无所知般别过脸去，和嘉嫔悄声议论着什么。

皇帝悠悠道："当年除了小禄子和小安子，便是你指证娴妃最多，如今，你可有话说么？"

阿箬紧闭的双目骤然睁开，似是想起什么事，膝行到皇帝跟前："皇上，臣妾冤枉，臣妾冤枉！臣妾和小禄子本无什么来往，他家里买田地建房舍的事，奴婢更是一无所知。至于小安子，臣妾早听说他在慎刑司服役时哑了喉咙，再不能说话了，如何还能说是臣妾指使他的。"

她情急之下喊了出来，哪知话音未落，皇后已经厌弃地闭上了眼睛，搂过三公主和敬在怀里，唤过乳母道："和敬还小，听不得这些污言秽语，先把她送去太后那里吧？"

如懿扬了扬眉毛，缓声道："任何人入慎刑司，慎刑司自然有记档。本宫前些日子无意中翻阅过慎刑司的记档，并无任何你或者你宫中人出入的记录。本宫倒是很想知道，慎嫔你是如何得知小安子哑了喉咙再不能说话了。"

阿箬神色剧变，嘶哑着喉咙道："臣妾、臣妾也是听说。"

如懿饶有兴味道："那么慎嫔，你是听谁所说，不妨说来听听。"

阿箬怨毒而畏惧地看她一眼："我也只是听说而已。至于是谁，听过早就忘了。可比不得娴妃心思细腻，连慎刑司的记档都会去查来细看。"

如懿的目光徐徐扫过她的面庞，含笑道："本宫当然会看，也会去查。因为从本宫被冤枉那一日开始，就从未忘记过要洗雪冤仇。"

阿箬狠狠道："娴妃娘娘自己做的事自己明白。"

如懿澹然微笑："这句话说与你自己听，最合适不过。"

皇帝的语气虽淡漠，却隐然含了一层杀意："那么慎嫔，既然当年你自己亲眼所见娴妃如何加害怡嫔与玫嫔，自然日夜记得，不敢淡忘。那么还是你自己再说与朕听一遍吧，让朕也听听，当年的事到底是如何？"言罢，皇帝转头吩咐李玉："当年慎嫔还是娴妃的侍女，她的供词你们都是记下了的吧？朕也很想知道，时隔三年，慎嫔是否还能一字不漏，句句道来？"

阿箬急得乱了口齿，拼命磕头道："皇上，皇上，当年的事太过可怖，臣妾逼着自己不敢再想不敢再记得。奴婢只记得娴妃是如何在蜡烛和饮食里掺的朱砂，至于细枝末节，奴婢实在是不记得了。"

"荒唐！"玫嫔勃然大怒，耳垂上的红玉珠嘀嗒摇晃，"当年你口口声声描述娴妃如何害我和怡嫔腹中的孩子，细枝末节无一不精微。如何今日却都不能一一道来，可见你当日撒谎，所以这些话都没往心里去！"

海兰支着腰慢悠悠道："当年皇后娘娘派侍女素心带人搜查延禧宫，是阿箬拦着不让搜寝殿才惹得人疑心。后来居然在娴妃寝殿的妆台屉子底下找到了一包沾染了沉水香气味的朱砂，才落实了娴妃的罪过。臣妾一直在想，娴妃若真做了这样的事，她既然买通了小禄子和小安子，那么她取朱砂有何难，为何一定要放在自己寝殿的妆台屉子底下？如果那包朱砂娴妃真的是不知情，谁又能随意出入她的寝殿，而且能放了那么久沾染沉水香的气味也不被娴妃发觉呢？"

舒嫔鄙夷道："那么只能是娴妃的近身侍婢了？"她夹了一筷子菜吃了，看着阿箬道："看来这样的事，除了当日的慎嫔，也没有旁人可以做到了。"

嘉嫔厌恶地摇头道："当日言之凿凿，今日慌不择言。皇上，慎嫔实在是可疑呢。"

皇帝眼底的厌弃已经显而易见，他紧握着手中的酒盏，森冷道："你当年的话当年做的事关系着朕两位皇儿的性命，如果今日你不说实话，便把朕赏你的这颗朱砂生吞下去，朕再吩咐慎刑司的人拿朱砂活埋了你。你自己掂量着办吧！"

阿箬吓得面无人色，一袭粉蓝色缂丝彩绘八团梅兰竹菊裌袍抖得如波澜顿生的湖面一般。如懿望向她的目光漠然如冰霜，丝毫没有怜悯之意，继而向皇帝道："皇上，臣妾一直在想，阿箬并没有本事找来那么多朱砂，收买那么多人，一一布置得如此详细，布下天罗地网来冤害臣妾。她虽然一直有攀慕皇恩之心，但当时未必有一定要置臣妾于死地之心。臣妾很想知道，到底是谁在幕后指使慎嫔。"

"慎嫔？"皇帝轻笑道，"这么多作孽的事，如果不是旁人指使她做的，就是她自己要谋害皇嗣。她哪里还配做朕的慎嫔，一直以来，她就只是你的侍婢，你要如何处置，都由得你！"

如懿欠身道："那么恕臣妾冒昧了。以彼之道还施彼身，阿箬若不肯说实话，臣妾便让人用炼制过冒了水银的朱砂一勺一勺给她灌下去，这种东西大量灌入之后会腐蚀她的五脏六腑，从中毒到毒发身亡的过程极其痛苦。但阿箬若招出是谁指使，顶多也只是攀诬之罪，并未涉及谋害皇嗣，臣妾愿意向皇上请求，留她一条性命。"

皇帝谈笑自若，看着皇后道："阿箬是娴妃的人，自然由娴妃处置。皇后，你说是不是？"

皇后淡淡含笑："皇上说得不错。只是……娴妃的刑罚听着也太可怕了些。"

皇帝淡漠道："对于这样没心肝的人，这样的惩处，一点也不为过。娴妃，朕答允你便是。"

阿箬自知无望，求救似的看着慧贵妃，唤道："贵妃娘娘……"

慧贵妃立刻撇清道："哎呀，你喊本宫做什么！你可别来牵连本宫！娴妃，一切由得你便是了。"

她话音未落，只听地上"咕咚"一声，却是阿箬已经晕了过去。

皇帝见阿箬受不得刺激晕倒在地，便吩咐道："今日是朕与皇后办的迎春家宴，原不该在这个时候提这件事。只是朕看到皇后，便想起早夭的端慧太子，又想起玫嫔与怡嫔的孩子都胎死腹中，死得不明不白，朕不能不细细查问。"

皇后听他提到二阿哥，亦不免伤感："皇上与臣妾都为人父母，如何能不伤心？虽然这件事是在臣妾的迎春家宴上提起，但若能得个水落石出，也算是给臣妾最好的贺礼了。如今天色已晚，有什么事皇上也等明日再查问吧，折腾了这么久，还请皇上早点安歇才是。"

皇帝颔首道："朕原本想陪皇后一起，但今晚也没兴致了。李玉，起驾回养心殿。朕要好好静一静。"

李玉忙道："请旨。阿箬该如何处置？"

皇帝眼中闪过一丝冷意："带去养心殿偏殿，着人看着她，不许她寻短见或是旁的什么缘故死了。"

这句话，分明是有深意的。慧贵妃不自觉地缩了缩身子，摸着袖口的苏绣花纹，强迫自己镇定下来。嫔妃们见如此，便也告辞散了。慧贵妃特意落在人后，有些担忧地看着皇后，皇后淡淡道："不干你的事，你眼巴巴看着本宫做什么？"

慧贵妃怯怯道："是。可是阿箬若是咬出了咱们……"

"咬出咱们？"皇后轻轻一嗤，闲闲道，"你是贵妃，本宫是皇后，咱们怕什么？"

慧贵妃仍是不放心，上前一步道："可是皇后娘娘不觉得奇怪么？今日明明是娘娘摆迎春家宴，皇上为何一定要在今日发作，严审此事呢？难不成皇上连娘娘也疑心了？"

皇后神色一滞，闪过一丝慌乱，很快肃然道："放肆！皇上只是关心皇嗣，疑心阿箬罢了。在本宫的迎春家宴上提起也只是偶然，你不要胡思乱想，更不要想到什么就信口胡说，自乱阵脚。"

慧贵妃极少看到皇后如此疾言厉色，忙低下了头不敢言语。

皇后扶着素心的手转到寝殿，卸下衣冠，对着妆台上的合欢铜镜出了会儿神，压低了声音道："素心，皇上不会是真的疑心本宫了吧？"

素心将皇后的大氅挂到黄杨木衣架子上一丝不苟地整理着，口中道："皇后娘娘安心，皇上不是说了么，也是因为想着咱们早逝的端慧太子的缘故，才这般忍不住。皇上还想着与娘娘再有一个阿哥呢。说到底，皇上总是在意娘娘的，何况，咱们还有三公主。皇上不知道多喜欢三公主呢。"

"本宫生的大公主和哲妃生的二公主都早夭，皇上虽然有几位阿哥，但公主只有这一个，是爱惜得不得了。所谓掌上明珠，也大约如此了。"皇后摘下东珠耳环，叹低头叹息着抚着小腹道，"只是本宫和皇上一样，多么盼望能再生下一个嫡出的阿哥，可以替皇上承继江山，延续血脉。"

素心挂好衣裳，替皇后解开发髻，取下一枚枚珠饰通花："娘娘别急，皇上已经答应了会常来陪伴娘娘，娘娘只要悉心调理好身子，很快就会怀上皇子的。"

皇后颔首道："也是。你记得提醒太医院的齐鲁，好好给本宫调几剂容易受孕的坐胎药。"

素心笑道："是。说到坐胎药才好笑呢。宫里没有比慧贵妃喝坐胎药喝得更勤快的人了，恨不得当水喝呢。可是越喝身子越坏，娘娘没注意么，这两年慧贵妃的脸色可愈加难看了，简直成了个纸糊的美人儿。"

皇后道："本宫有时候也疑心。那串手镯，娴妃和她都有，都怀不上孩子也罢了，怎么难道还能让身子弱下去么？还亏得齐鲁在亲自给她调治呢，居然一点起色也没有。"

"那是她自己没福罢了。哪怕慧贵妃的父亲在前朝那么得皇上倚重，她又在后宫得宠，可生不出孩子，照例是一点用处也没有。永远，只能依附着娘娘而活。"

皇后露出一份安然之色："皇上不是先帝，不会重汉军旗而轻满军旗，弄得后宫全是汉军旗的妃子。当年先帝的贵妃年氏、齐妃李氏、谦妃刘氏、宁妃武氏、懋嫔宋氏，哪一个不是如此。但话虽如此，本宫也不能不防着汉军旗出身的慧贵妃坐大了。"

素心笑道："她不敢，也不能。即便她有她父亲这个靠山，娘娘不是也有张廷玉大人这位三朝老臣的支持么。倒是海贵人的胎，奴婢悄悄去问过了。不知什么缘故，是被发觉了还是什么，太医院配药材的小太监文四儿说，如今想要在海贵人的药里加那些开胃的药材，竟是不能了。"

皇后娥眉微蹙："难道是被发觉了？"她旋即坦然："那也无妨。左右只是开胃的药，就当小太监们加错了。怀着身孕，本就该开胃的。何况海贵人胖了那么多，身上该长的东西也都长好了，不吃也没什么。"她忽然止住声，从铜镜中依稀看到什么，霍然转过头去，带了一丝慌乱沉声道："和敬，你站在那里做什么？跟着你的人呢？"

三公主有些畏惧地站在珠绫帘子之后，慢慢地挪出来，唤了一声："额娘。"

皇后微微敛容："告诉你多少次了，要唤我皇额娘，因为我不只是你的额娘，更是皇后。"

三公主已经十岁，出落得十分清丽可人，脸上隐隐带着嫡出长公主才有的傲然，如一朵养在深闺的玫瑰花，不知风霜，兀自娇艳美丽。

她见了皇后，脸上的那些傲气便隐然不见了，只是一个怯怯的小女儿，守着规矩道："是。儿臣知道了。"她的声音越发低下去："儿臣不是有意偷听皇额娘和素心姑姑说话，只是想在皇额娘睡前来给皇额娘请个安，独自和您说说话。"

皇后放下心来，气定神闲地换了温和的口气："那么，你要跟皇额娘说什么？"

"现在没有了。"三公主微微地摇摇头，抬起稚嫩的脸，望着皇后，"皇额娘，你们方才说，给海贵人下什么？"

皇后扬一扬脸，示意素心出去，搂住了三公主正色道："不管皇额娘给谁下了什么东西，对谁做了什么，都是为了你为了皇额娘自己。这个宫里，要害咱们的人太多太多，皇额娘做什么都是为了自保。"她亲了亲三公主的脸，含了泪柔声道："和敬，你的二哥已经死了。皇额娘没有儿子可以依靠，只有靠自己了。"

三公主大为触动，伸手替皇后擦去泪水，坚定道："皇额娘，儿臣都明白的。二哥不在了，儿臣虽然是女儿，但也不会没用。儿臣一定会帮着皇额娘的。皇额娘不喜欢谁，儿臣就不喜欢谁。"

皇后脸上笑着，却忍不住心酸不已。她先生下的二阿哥永琏，再有了和敬公主，所以从未曾把这个女儿看得多重要。即便是永琏死后，她不得不借着这个唯一的女儿笼络皇帝的心，也从未这般亲近过。却不想，反倒是这个女儿，那么体贴明白她的心意，真真成了她的小棉袄。

这一夜，想来有许多人都睡不安枕了。如懿听着窗外簌簌的雪声，偶尔有枯枝上的积雪坠落至地发出"啪嗒"的轻响，间杂着细枝折断的清脆之声，和着殿角铜漏点点。真是悠长一夜啊。

如懿醒来的时候便见眼下多了一圈乌青，少不得要拿些脂粉掩盖。蕊心笑道："小主也不必遮，今儿各位小主一照面，可不都是这样的眼睛呢。"

如懿轻嗤一声，取过铜黛对镜描眉："我怕见到皇上时，皇上也是如此呢。"

正说话间，却见李玉进来，恭谨请了个安，道："娴妃娘娘万福，皇上请您早膳后便往养心殿一趟。"

如懿赶到养心殿时，却是小太监进忠引着她往殿后的耳房去了，道："皇上正等着小主呢。"

如懿推门入了耳房，却见皇帝盘腿坐在榻上，神色沉肃。阿箬换了一件暗沉沉的裙装跪伏在地下，头上的珠饰和身上的贵重首饰被剥了个干净，只剩下几朵通草绒花点缀，早已哭得满脸是泪，见如懿进来，刚想露出厌恶的神色，可看一眼皇帝的脸色，忙又收敛了，只和她的侍女新燕并肩跪在一块儿。

皇帝执过如懿的手，递过一个平金珐琅手炉给她，和声道："一路过来冻着了吧？快暖一暖，来朕身边坐。"

如懿一笑，与皇帝并肩坐下，却听皇帝对阿箬道："昨日朕留着你的脸面，没有当下拿水泼醒了你逼问你，还许你在耳房住了一晚。如今只有朕和娴妃在，有什么话，尽可说了吧？"

如懿瞥一眼一旁守着的李玉，道："昨儿本宫吩咐备下的朱砂，她若不说实话，便一点一点要她吞下去。那些朱砂呢？"

李玉指了指耳房角落里的一大盆朱砂："按娴妃娘娘的吩咐，都已经备下了。"

阿箬自知不能再辩，只得道："皇上恕罪，当年是奴婢冤枉了娴妃娘娘。"

皇帝端了一盏茶，慢慢吹着浮末道："这个朕知道。"

阿箬又道："是奴婢偷拿了朱砂混到怡嫔娘娘的炭火和蜡烛里，也是奴婢拿了朱砂染好了沉水香的气味，等素心要搜寝殿时，偷偷塞在妆台屉子底下的……小禄子也是受人指使的，但不是娴妃娘娘。"

皇帝有些不耐烦："这些朕都知道。"

如懿蹙眉道："该往自己身上揽的都揽得差不多了。本宫还想知道，你混得了怡嫔的东西，却不能常常混进玫嫔宫里去，到底是谁指使你的？"

皇帝啜饮着茶水，低头恍若未闻。阿箬睁大了眼睛惶惑地看着皇帝，皇帝只做未见。如懿缓缓道："说与不说在你。反正你要把所有的事儿都揽下来，谁也拦不住。本来本宫可以留一条命给你，但是你非要认下谋害皇嗣株连九族的罪过，本宫也由得你。"

阿箬死死地咬着下唇，唇上几乎都沁出了血，颤抖着喉咙道："皇后，慧贵妃……"

皇帝幽沉乌黑的眸子里闪过一丝疑忌的光，徐徐道："皇后与贵妃一向仁慈，你想要求她们，也是不能的。还是为你的家人多考虑吧。"

新燕忙在后头道："小主，小主，您可千万别糊涂了。如今到了这个地步，求谁也不管用了，您做了什么就自己招了吧，别平白连累了旁人。便是奴婢，也只是伺候您而已，许多前事都不知道啊。"

皇帝即刻醒觉："前事不知？那么现在的事，你又知道多少？譬如朕一直很想知道，是谁给娴妃在冷宫里的饮食下了砒霜？"

阿箬霍地抬头："皇上，真的不是奴婢！真的！"

皇帝看着新燕道："你说。"

"奴婢不敢隐瞒皇上，奴婢确实不知。"新燕忙磕了个头，怯怯地看了阿箬一眼，犹疑道，"但奴婢的确听说过，小主深以娴妃娘娘为恨，尤其是那次重阳冷宫失火，皇上见到过娴妃娘娘之后，小主就很怕娴妃娘娘出冷宫，几次在奴婢面前提起，一定要让娴妃娘娘死在冷宫里，没命出来才算完。其他的，奴婢也不知道了。"

阿箬的脸色越来越白，最后成了一张透明的纸，猛地仰起脸来，两眼定在如懿身上，恨不得剜出两个大洞来，道："娴妃！我是恨毒了你，明明我聪慧伶俐，事事为你着想，你却凡事都压着我，欺辱我！你明明看出皇上喜欢我，却一定要拔除我这个眼中钉把我指婚出去。我得宠对你难道不好么，你也多了一个帮衬。为什么你非要断了我的出头之路呢？"

"皇上喜欢你？"如懿忍不住轻笑，"如今皇上也在这里，你可问问他，喜不喜欢你？若不方便，本宫大可回避！"

如懿说罢便要起身，皇帝伸手拦住她道："不必了。朕便告诉她实话就是。"

阿箬泪眼蒙蒙，喘息着道："娴妃，你又何必这般假惺惺！我知道皇上已经不喜欢我了！否则他不会这么待我！"她爬行两步，死死攥住如懿的裙角，冷笑道："你不是很想知道皇上怎么待我的么？我便告诉你好了。自从第一次侍寝之后，皇上每一次翻我的牌子，都不许我碰他一下，只准我赤身裸体披着一袭薄毯跪在床边的地上，像一个奴婢一样伺候。白天我是小主，受尽皇上的恩赏。可到了皇上身边，一个人的时候，我还是一个低贱的奴婢，连只是侍寝的官女子也不如！可即便是这样，落在旁人眼里，我还是受尽宠爱，所以不得不忍受她们的嫉妒和欺凌！娴妃，你以为你在冷宫的日子难过，我在外头的日子就好过么？每日翻覆在皇上的两极对待之下，无所适从，战战兢兢！我怎能不恨？怎能不怕？"

如懿听着她字字控诉，也未承想到她三年的恩宠便是如此不堪，不觉震惊到了极点。良久，倒是皇帝缓缓道："现在觉得不甘心了么？那么，朕告诉你，都是自找的。你想当朕的宠妃，朕许你了。可是背后的冷暖，你便自己尝去吧。要不是为了留着你这条性命到今日，要不是为了让你尝尝风光之下的痛苦，朕也不必花这份心思了。"他望着如懿，缓缓动情道："如今，你都该明白了吧？"

阿箬瘫倒在地，不可置信地看着皇帝，满脸怆然，惊呼道："皇上，您竟这样待臣妾对您的一片心！"

皇帝泰然微笑："你对朕的心是算计之心，朕为何不能了？"

阿箬怔怔地流下眼泪来："皇上以为臣妾对您是算计之心，那后宫众人哪一个不是这样？为什么偏偏臣妾就要被皇上如此打压？"

"打压？"皇帝侧身坐在窗下，任由一泊天光将他的身影映出朗朗的俊美轮廓，"朕相信许多人都算计过朕，朕也算计过旁人，但像你一般背主求荣，暗自生杀的，朕倒真没见过。"

如懿坐在皇帝身侧，只觉得记忆里他的容颜已然陌生，连他说出的话也让人觉得心头冰凉一片，无依无着。她只觉得有些疲累，淡淡道："那么，所有的事都是你做的么？"

阿箬悲怆至极，茫然地点点头："都是我，都是我。玫嫔和怡嫔是我害的，娴妃是我想杀的！什么都是我！行了么？"

如懿忽然想起一事："阿箬，我记得你很怕蛇？"

阿箬沉浸在深深的绝望之中，还是新燕替她答的："回娴妃娘娘的话，小主是很怕蛇。"

皇帝看如懿神色倦怠，柔声道："如懿，你是不是累了？你先去暖阁坐坐，朕稍后就来。"说罢，李玉便过来扶了如懿离开。皇帝见她出去了，方盯着阿箬，目光中有深重的迫视之意，问道："你方才说是皇后和贵妃主使，是不是真的？"

皇帝回到暖阁时，如懿正在青玉纱绣屏风后等待，她的目光凝住屏风一侧三层五足银香炉镂空间隙中袅袅升起的龙涎香，听着窗外三两丛黄叶凋净的枯枝婆婆娑娑划过窗纸，寒雪化作冷雨窸窣，寂寂敲窗。如懿看着皇帝端肃缓步而入，宽坐榻边，衣裾在身后铺成舒展优雅的弧度。皇帝执过她的手："手这样冷，是不是心里不舒服？"

如懿点点头，只是默然。皇帝缓声道："阿箬已经都招了。虽然她要招供的东西朕早就知道了，可是朕不能不委屈你在冷宫这三年。当年的事扑朔迷离，朕若不给后宫诸人一个交代，不知道在你身上还会发生什么可怕的事。朕一直以为，冷宫可以暂保你平安。"

如懿缓缓抬起眼："臣妾不知道皇上这些年是这样待阿箬。"

皇帝轻轻搂过她："如今知道了，会不会觉得朕很可怕？"

皇帝这样坦诚，如懿反倒不知道说什么了，定了半天，方道："皇上的心胸，不是臣妾可以揣测的。"

他以一漾温和目色坦然相对："你不能揣测的，朕都会尽数告诉你。因为你是如懿，从来对朕知无不言最最坦诚直率的如懿。而朕还有一句话要告诉你，朕当年留下阿箬，一则是要她放松戒心，也是怕真有主使的人要灭她的口；二来当时治水之事很需要她阿玛出力，旁人也帮不上忙。所以一直拖延到了今日。如懿，你要明白朕，朕首先是前朝的君主，然后才是后宫的君主。"

他的话，坦白到无以复加。如懿忍着内心的惊动，这么多年，她所委屈的，介意的，皇帝都一一告诉了她。她还能说什么呢？皇帝数年来那样对待阿箬，本就是对她的宽慰了。于是她轻声问："皇上真的相信没有人主使阿箬了么？"

皇帝的目光平静得波澜不兴："她一个人都认了，你也听见了。再攀扯别人，只会越来越是非不清。所以朕也希望你明白，到阿箬为止，再没有别人了。"

这样的答案，她已经隐约猜到了几分。既然她也想到会是谁，何必要皇帝一个肯定的答案呢。如懿心头微微一松，终于放松了自己，靠在皇帝怀中："皇上有心了。"

皇帝轻吻她额头："自你出冷宫，朕一直没有召幸你，很少见你。便是要等这水落石出的一天，你心中疑虑消尽，朕才真正能与你坦然相处，没有隔阂。"

清晨的雪光淡淡如薄雾，映着窗上的明纸，把从他们身上扫落的影子交叠在一起。在分开了这些年之后，如懿亦有一丝期望，或许皇帝可以和她这般没有隔阂地相拥，长长久久。

皇帝拥着她道："如今，你的心中好过些了么？"

如懿微微颔首，含情看向皇帝："皇上的用心，臣妾都知道了。"

皇帝身姿秀异，背靠着朱栏彩槛、金漆彩绘的背景中，任偶然漏进的清幽的风吹动他的凉衫薄袖，他温然道："朕很想封你为贵妃，让你不再屈居人下。

可是骤然晋封，总还不是万全，朕也不希望后宫太过惊动。但是朕让你住在翊坤宫，翊坤为何，你应该明白。"

坤为天下女子至尊，翊为辅佐襄赞。她知道，皇帝是在暗示她仅次于皇后的地位。她心中微暖，复又一凉，想起阿箬的遭遇，竟有几分凉薄之意。但愿皇帝待她，并无算计之心。

那么，便算是此生长安了。

第三十章

猫刑

　　如懿回到翊坤宫中，已经是天光敞亮时分。昨夜相拥而眠，红烛摇帐的温存尚未散去，皇帝便着李玉将阿箬送了来。

　　如懿正对镜理妆，李玉打了个千儿，恭恭敬敬守在一旁，道："启禀娴妃娘娘，皇上说了，阿箬是您的奴婢，所以还是交还给您，任由您处置，也要以儆效尤，告诫宫中的奴才们，不许再欺凌背主。"

　　如懿对着镜子佩上一对梅花垂珠耳环，淡淡道："人呢？"

　　"已经在院子里跪着了。只是有一样，阿箬发疯似的辱骂娘娘，皇上已经吩咐奴才给她灌了让她安静的药，所以，她已经不能说话了。"

　　如懿眉心一跳："哑了？"

　　李玉恭恭敬敬道："是。再不能口出秽语，侮辱娘娘了。"

　　如懿心头一惊，自然，那是再问不出什么了。只是，这后宫里的一切，原本不是问就能有真切的答案的。想要知道什么，全凭自己，所以，也无所谓了。

　　惢心替她理好鬓发，轻声在她耳畔道："小主不是一直要奴婢和三宝留意宫里的人么？如今，倒是个杀鸡儆猴的好机会。"

如懿撂下手中的珐琅胭脂盒，笑道："你倒是和我想的一样。去吩咐三宝，找个麻袋，寻几只猫来，然后把宫里的人都召集起来，就在院子里看着。"

惢心微微一笑："是。"

待到三宝预备好，如懿披上一件香色斗纹锦上添花大氅，站在廊下，肃然看着满院黑压压的宫人们，慢条斯理道："本宫宫中，不怕你伺候人时不够聪明，怕的就是背主求荣，糊涂油蒙了心。一次不忠，百次不用。你们好好当差，本宫自然好好待你们。若是像阿箬一样……"她瞥了眼跪在地上的呜呜咽咽说不出话的阿箬，冷道："阿箬虽然是本宫的陪嫁侍女，之前伺候了本宫八年。可是她背叛本宫，本宫就容不得她！今日，是给她一个教训，也是给你们一个警戒。"

如懿看了眼三宝，三宝应了一声，一挥手招呼几个小太监取了个巨大的麻袋并几只灰猫来，三宝按着阿箬，让两个小宫女利索地扒下阿箬的外裳，只露出一身中衣，喝道："把她装进去！"

阿箬似是意识到什么，满眼惊恐地看着那几只形态丑陋的灰猫，不肯钻进麻袋里去。三宝哪里由得她，兜头拿麻袋一套，收拢了口子，留下只够塞进一只猫的小口子，然后把那些露着锋锐齿爪的灰猫一只只塞进去，拿麻绳扎紧了口袋，回道："小主，这些是从烧灰场找来的猫，性子野得很，够阿箬姑娘受的了。"

如懿在廊下坐下，细赏着小指上三寸来长的银质嵌碎玉护甲："那还等什么，让她好好受着吧。"

三宝用力啐了一口，举起鞭子朝着胡乱扑腾的麻袋便是狠狠几鞭。那麻袋里如汹涌的巨浪一般起伏跳跃，只能听见凄厉的猫叫声和女人含糊不清的呜咽嘶鸣。

阿箬，已经说不出完整的话了，这样不完整的残缺人声，在静静的清晨，听来更让人觉得毛骨悚然。渐渐地，连敞开的宫门外，都聚集了宫人探头探脑，窃窃私语。灰猫凄惨的嘶叫声和着爪牙撕裂皮肉的声音几乎要撕破人的耳膜，如懿皱着眉听着，吩咐道："继续！"

三宝往手上吐了两口唾沫，下手更狠，一鞭子一鞭子舞得像一朵花一样眼花缭乱。一开始还有人的喉咙发出的声音，渐渐地，灰白色的麻布袋上渗出越来越多的血迹。如懿颔首道："可以了。"

　　三宝打得满脸是汗，应了一声扯开布袋，只见几只灰猫毛发倒竖地跳了出来，龇牙咧嘴地跑了。两个小太监将布袋完全打开，拖出一个浑身是血的血人儿来，气息奄奄地扔在了地上。如懿瞟了一眼，只见阿箬的中衣被爪子撕成一条一条的，衣裳已经完全被鲜血染透，脸上手上露着的地方更是没有一块好肉。三宝见她痛得晕了过去，随手便是一盆冷水泼上去。阿箬嘤一声醒转过来，身上脸上的血污被水冲去，露出被爪牙撕裂翻起的皮肉，一张娇俏容颜，已然尽数毁去。

　　如懿走上前几步，意欲细看。蕊心急忙拦道："小主小心污秽。"

　　如懿径自推开蕊心的手，缓步走到阿箬身边，俯下身看她一眼，旋即恢复居高临下的姿态，喝道："究竟是谁指使你谋害本宫！快说！快说！"

　　阿箬的喉头发出嘤嘤的呻吟声，挣扎了几下还是无力动弹，索性像一块烂肉似的伏倒在地。如懿露出一丝鄙夷之色，摇头道："真是可怜！有错当罚，这是你该受的！但你想说出幕后主使之人，却怎么也说不出来，含冤莫白，替人受罪，也当真可怜！"她转头吩咐三宝："阿箬既被皇上废去位分，自己宫里是住不得了。去冷宫打扫出间屋子来，送她进去。"

　　阿箬虽然说不出话，一双眼睛却瞪得老大老大，死死盯着如懿，几乎要沁出血来。三宝和几个小太监哪里理会她，径直拖了就走。阿箬喘着粗气，十指用力抓着地面，想要抓住什么可以救命的依靠，然而她早已失尽了力气，只在地上抓出几条深深的暗红血痕，触目惊心。

　　如懿走回廊下，院中静得如无人一般，几个胆小的宫女太监早已吓得瘫软在地，筛糠似的发抖。

　　如懿的面色清冷而没有温度："不要怪本宫心狠，背叛主上的人虽然可以得到一时的富贵，但最后还是没得好下场！你们看看，当年指使蕊愿她背叛本宫的人，如今哪里会来救她，急着撇清都来不及呢！"

　　满宫的宫人们吓得立刻跪下，面如土色："奴才们不敢背叛小主，心怀二念。"

　　如水双眸似结了冷冷的薄冰，如懿淡然道："那就好。否则今日的阿箬，就是来日的你们。"她站起身，似是自言自语："也难怪阿箬说不了话也要哼哼给本宫听，带着这样的冤屈，谁能不恨呢？"

　　如此一来，阿箬的事在六宫之内传得沸沸扬扬，人人都说出了冷宫的娴妃心性大变，一改昔日温和隐忍，杀伐决断，手段凌厉，倒让人越发不敢小觑了翊坤宫。

到了晚间时分，蕊心正伺候着如懿拿忍冬花水泡了姜汁浸手。紫藤撒花帘子一扬，却是三宝转了进来，悄声禀报道："小主，冷宫里的人来回话，说阿箬一索子挂在梁上，上吊自尽了。"

如懿头也不抬，只垂着眼帘，看着铜盆中自己一双关节微微肿起的手："才在冷宫待了一天就受不住了么？蕊心，还记得咱们的日子是怎么熬过来的。"

蕊心冷道："有福气的人自然熬得住，没福气的，便是一天也忍不得了。"

如懿接过小宫女递来的软帕，擦净了手方问："皇上知道了么？怎么说？"

"养心殿的意思，就说是病死了，按着嫔位置办丧仪便是，免得传出去不好听。"三宝停了一停，似乎有些害怕，觑着如懿的神色道，"只是听得阿箬收尸的人说，阿箬穿着红衣红鞋上吊的，穿了一身红去死，那是怨气冲天要带到地府去的呢。"

如懿的眼眸微微一沉，含了寒星似的光芒："怎么？做人的时候没用，要穿上这一身做鬼来寻仇么？"她虽这样说，却也不免有些畏惧，当下兴致阑珊，也不肯再言了。

这一夜皇帝依旧召了如懿往养心殿侍寝，言谈间却丝毫不过问她对阿箬施用猫刑之事，仿佛那是一件极平常的小事，根本不值一问。为着如懿过来，皇帝的寝殿里每日都供着一束绿梅点染，她便在这清馥甘郁之中，借一盏鎏金琉璃灯的温柔余光，与他轻轻拥抱，以肌肤的贴近与亲昵来宽慰过去的伤痛，落实来日的希冀。

良夜深沉，梦中惊转，却是宫人急急在外敲门，说海兰动了胎气，即刻就要生了。皇帝且惊且喜，立刻披衣起身，与如懿一起往延禧宫去。

才进延禧宫的大门，宫人们早已跪了一地，慌不迭道："皇上万福金安，娴妃娘娘吉祥安康！"

如懿听得里头海兰的叫声一声比一声凄厉，简直如挖心掏肺一般，便慌得不行，连忙道："皇上，臣妾心里不安得很，想进去看看妹妹。"

皇帝虽然一脸期盼，但被那声音惊着，又眼看着接生嬷嬷和太医一个个进去了便不再出来，也不安得很，便点头道："朕不便进去，你去瞧瞧也好。"

猫刑

如懿巴不得这一声儿，正要往里进去，还是伺候海兰的小太监五福在外拦住了道："产房血腥不祥，娴妃娘娘进去不得！"

如懿哪里还顾得这些，推开他的手呵斥道："本宫又没怀着身孕，且延禧宫原是本宫住过的地方，有什么不祥的！再敢胡说八道，立刻拖出去掌嘴！"

五福素知她与海兰的交情，又见过她严惩阿箬的样子，当下也不敢再拦，只得躬身退到一边。如懿推开殿门进去，因海兰有着身孕，殿中都布置成了吉利的红色，漫天漫地的石榴葡萄，瓜瓞绵绵图案，都是多子多福的征兆，混合着殿阁内浓郁的血腥气，越发觉得那红色猩艳得直冲人眼目。

如懿伏到床前，海兰已经是满身大汗淋漓，连着床褥都湿透了，一群接生嬷嬷围着她忙碌，孩子却还是半点没有要下来的意思。

接生嬷嬷急得都要哭了，哭丧着脸对着如懿诉苦道："催产药都喝了好几剂了，可是海贵人生产前太胖，孩子在肚子里养得太大，出来实在是艰难哪！"

太医亦跪在屏风外头，垂头丧气道："贵人身子发胖，用不上力气，实在是……"

海兰满脸皆是纵肆的泪痕，斑驳一片。她痛得脸色雪白，拼命摇着头嘶哑着道："姐姐！我不成了，我实在是不成了！我真真是被人害死了！"

如懿紧紧握住她汗湿的手，那种滑腻的容易从手中逝去的触感着实叫她害怕。她只得压抑住自己惶乱的心神，大声道："你要自己这么想，放松了力气不肯好好生下孩子，那才是被别人害死了！海兰，我没有孩子，你答应过我，这个孩子生下来会交给我好好抚养！你不能说话不算话！"

海兰痛得心肺都要裂开了，气息阻塞在喉头，一时说不出话来。偏偏接生嬷嬷也不镇定，一直唉声叹气："孩子一直顶在那儿，不肯下来。小主，您使点儿力气呀！"

海兰痛得青筋暴起，像一条条鼓起的小青蛇，要破皮而出。海兰脸容都变形了，大口喘息着道："姐姐，不是我说话不算话，我真的没力气了，我真的……"

海兰一边说，一边挣扎着用劲，右手紧紧抓着如懿的手腕，如懿感受到她手上渐渐松下去的力气，心里越来越慌，只得在她耳边道："海兰，你要是现在没力气了，便是遂了她们的心愿了。你听我的话，要是松了这口气，你和孩子都难保，要是拼着这口气，便都保下来了。"海兰的头发全都湿透了，黏在脸上，越发显得一张脸白得没有一丝血色。

空气中浓郁的血腥气混着草药的气味让人觉得窒息。如懿看着她如此辛苦，滚烫的泪在眼底翻腾不已，终于落了下来。她伏在海兰枕边，一字一字定定地道："海兰，冷宫里那么难熬，因为你撑着我，我也都熬了下来。如今好不容易咱们又能在一块儿了，你若这么轻易放弃，我一定不会原谅你。"

海兰的手抓着她的手腕，滑下去一寸，又一寸，人也近乎昏死。如懿的泪一滴滴落在海兰面上，似乎是一种深远而沉重的召唤的力量。海兰的牙关咬得死死的，只是吃力地点着头。如懿一迭声地喊道："来人，来人！她还有意识，快给她灌参汤进去，快！"

叶心很快端来了参汤，如懿急忙接过，示意叶心托起海兰的后颈，一点一点撬开她的牙齿灌进去。海兰能喝下的参汤并不多，几乎是喝一半，流出来一半。如懿看着焦心不已，正见床边搁了一盘切好的参片，只得先取了一些给她噙在口中。或许是参汤起了点效力，海兰抓着如懿手腕的手渐渐有了几分力气，太医们喜出望外，忙道："娴妃娘娘，海贵人已经有了点意识，要不要再灌催产药下去？"

如懿如何懂得这些，只得看向接生嬷嬷们，其中一个接生嬷嬷叫起来道："贵人已经喝了那么多催产药了，孩子还没有动静。太医不妨试试针灸或是别的，若再催产，只怕一时药量过猛，孩子是出来了，可母体要大受损伤呢。何况，太医给小主喝的催产药性子有些猛烈，不是寻常的益母芎归汤呢？"

如懿听着不安，立刻问道："你们给海贵人吃的是什么催产药。"

为首的是太医院的赵太医，他忙磕头道："娴妃娘娘，寻常的催产汤药是益母芎归汤，这药以当归、川芎为主，当归养血活血，调经止痛，川芎为血中气药，上至巅顶，旁达肌肤，走而不守，二者配合，可加强活血祛淤之力；佐以桃仁、红花、丹参、益母草活血祛淤，合川朴可降气导滞，牛膝引血下行，诸药配合达到养血活血，祛淤催产，引胎下行之功。可海贵人胎大难下，又有气虚乏力的症状，所以又加了黄芪三两调治。"

如懿越听越是心惊，不禁矍然变色道："桃仁、红花和牛膝都是堕胎的猛药，怎么可以用在催产的方子里！"

猫刑

263

赵太医忙道："娴妃娘娘有所不知，催产的药本就该有活血化瘀之效。桃仁、红花和牛膝都是堕胎的猛药，也是催产的好药。微臣身为太医，这些是断不会弄错的。"

如懿心中不定，回顾四望，却不见江与彬在，忙唤道："绿痕，江太医呢？"

还是赵太医道："今日并非江太医当值，深夜宫门下了钥，再唤江太医进来也不妥当。"

如懿当即知道无望，只得道："本宫不懂药理，这话你们去回皇上，问问皇上的意思。"

赵太医出去片刻，即刻回来道："皇上说了，母子都要平安，斟酌着用催产药就是。"

如懿听得"斟酌"二字，便也稍稍放心："那你们小心剂量，以贵人玉体为重。"

赵太医即刻答应了，吩咐宫女去端了药来，给海兰灌下。催产药加着参汤的效力，海兰渐渐清醒，也有了力气，只是身上的疼痛发作得越加厉害，止不住地惨叫起来。接生嬷嬷们看着几碗催产药灌下，起初也是担忧，但看海兰的胎动渐渐发作，也少不得忙碌起来。

殿中乱作了一团，海兰死死抓着如懿的手腕，几乎失尽了力气，轻声唤道："姐姐，你还在？"

如懿泪流满面："我一直都在，你安心生孩子就是。"

海兰再说不出话，拼了命地用起力气来，几乎要将如懿的手腕捏碎了。如懿忍着剧痛，伏在床边不停地替海兰擦着浆出的汗水，熬度着漫长而难耐的时间。

良久，也不知过了多久，在凄厉的嘶声过后，终于听得一声响亮的儿啼，却是皇帝的声音先在外头响起来，喜不自胜道："朕的孩子里，就属这个孩子哭声最洪亮了。"

海兰听着儿啼，露出了一个极为疲倦的笑容，呻吟着说了声"疼"，便虚脱了昏睡过去。如懿惊喜交加，看着一个带着血丝的孩子被接生嬷嬷从锦被底下抱出，却是个极健康周正的男婴，忍不住欢喜得落下泪来，忙嘱咐乳母抱去清洗沐浴。如懿看过了孩子，正欲命人给海兰炖补药物，忽然发觉方才嬷嬷掀起锦被时，底下的鲜血似乎多得不可思议。她心下一沉，立刻再度掀起被褥，果然见猩红一片浸透了被褥，让人不忍卒睹。

一颗心直直地坠下去，如懿立刻拉过一个接生嬷嬷道："海贵人是睡着了，但似乎不大好。你仔细看看，怎么会那么多血？"

那嬷嬷不看则已，一看之下几乎是吓得魂飞魄散："娴妃娘娘，大事不好了。贵人服了催产药用力过度，孩子虽然生下了，可孩子太大，贵人的下身，下身都……"

如懿看着她惊慌失措的神色，自己虽未生过孩子，却也知道是大不好了。她忙按住心神，问道："海贵人究竟怎么了？"

那嬷嬷慌得瑟瑟发抖："贵人的下身，撕裂了！"

如懿一惊之下，只觉得全身酸软，几乎站立不住。她一把抓住嬷嬷的衣襟，厉声道："赶紧想法子！快！"

嬷嬷急得眼泪都要下来了，又是慌又是怕："娴妃娘娘，事到如今，只能先撒上止血的白药，然后，然后由咱们几个嬷嬷仔细缝合起来。只是这个活计太难，又难免损伤贵人玉体。即便缝合之后，终究还是不能和从前比了。还请娘娘不要责怪！"

如懿只觉得一颗心涌在喉头突突乱跳，几乎要跳出嗓子眼来。她看着人事不知的海兰，极力强迫自己镇定下来："现在还论这个做什么，赶紧先治海贵人要紧。"

接生嬷嬷忙不迭地张罗起来。如懿一口气说了这许多，自己也觉得气短胸闷，才恍觉手腕上疼痛不已，仔细一瞧，才发觉是被海兰用力之下，捏得紫胀发青了。叶心忙道："娘娘稍候，奴婢去拿点消肿的药来给娘娘擦上。"

如懿哪里还顾得上这些，忙道："本宫这点淤伤不要紧。你去看看皇子沐浴完了么？如果好了就抱来给本宫，本宫去给皇上瞧瞧。你好生看着接生嬷嬷替你们小主缝治，不许再有半点差错了。"

正说着，嬷嬷已经抱了包裹好的孩子出来。如懿忙抱了出去，外头的宫人们一早上赶着喜气洋洋地向皇帝道贺道："皇上万福，皇上万喜，海贵人一切平安顺遂，生下了一个小阿哥呢。"

皇帝果然高兴，连连吩咐了赏赐延禧宫上下，又抱过了如懿怀中的孩子细

看。海兰的孩子比寻常的婴孩大了一圈，一张小脸天圆地方，光滑饱满，十分精神。皇帝欢喜得不得了，抱在怀中爱不释手："朕的皇子里面，就属五阿哥一出生就长相端方，天庭饱满，连哭声都那么洪亮，真是个有福气的孩子。"

如懿忙笑道："皇上既觉得五阿哥有福，那就请皇上给五阿哥赐个名字吧。"

皇帝沉吟片刻，朗声道："《穆天子传》中说，琪琪，玉属也。琪有珍异之意，朕的五阿哥，便叫永琪吧。"皇帝略想了想："海兰给朕生了这么个好儿子，李玉，传朕的旨意，晋封海贵人为嫔位，为延禧宫主位，封号为……"他朗然一笑："朕心愉悦，便赐封号为愉，愉嫔如何？"

如懿脸上泛着笑，眼中一酸，忍不住别过脸去："只可惜愉嫔不能与皇上同愉共悦了。"

皇帝一怔之下，也有些着急："海兰是不是有什么不好？那么多太医和嬷嬷在，真是无用！"

如懿神色楚楚，屈膝道："皇上，愉嫔为了给皇上生下五阿哥，被太医灌服了太多催产药，以致下身撕裂，出血不止。怕是好了，以后也会留下不足。"她仰起脸，目视着皇帝："臣妾恳请皇上，以后不管愉嫔妹妹容颜衰老或是身体老倦，但求皇上不要厌弃她，只记得她是如何拼命为皇上绵延子嗣的。"

皇帝怜惜地看着她，将孩子交到李玉手中，双手扶起她道："你放心。朕自然不会。"

如懿就着皇帝的双手起身，隐隐有泪光盈然："皇上，臣妾还有一事相求。愉嫔爱子情切，若是可以，还请皇上将孩子留在愉嫔身边，不要送去阿哥所养育了。"

皇帝思忖着道："愉嫔出身珂里叶特氏，乃是小族，不比嘉嫔母族高贵。这个……"他见如懿满脸期盼，几欲落泪，也不忍拒绝："那么朕答应你，即便永琪不留在愉嫔身边抚养，朕也会交给你，好让愉嫔时时相见。如何？"

这，也算是最好的打算了吧。如懿忙忙谢过，替皇帝紧了紧身上的海貂龙大氅，温然道："夜寒如冰，皇上已经得了好消息，赶紧回宫补一补眠吧。臣妾便留在这里照顾愉嫔了。"

皇帝微微颔首，吩咐道："李玉，今晚伺候愉嫔的太医无能，尽数逐出宫去，永不复用。"

李玉正要答应，却听外头的小太监进忠跑进来，白着脸道："皇上，不好了，不好了！"进忠跑得急，脚下一绊，几乎是滚到了皇帝跟前，张口结舌道："皇上，慎嫔在冷宫上吊，按着皇上的意思，按嫔位的丧礼置办，对外只说病死了。可是方才在火场焚烧慎嫔尸首和棺椁，谁知道那烧出来的火是、是、是蓝色的，不是红色的！"

皇帝乍然听了此言，不免吃了一惊，旋即喝道："怪力乱神！人都死了，怎么可能烧出蓝色的火来？一定是你们胆小，以讹传讹！"

进忠吓得舌头都打磕绊了："奴才不敢撒谎，奴才不敢。皇上，火场上的人亲眼见了，都说慎嫔含冤而死，死后发威了！"他说着，忍不住拿眼觑着如懿。

李玉眼尖，伸手左右两个耳光下去，骂道："用你的贼眼珠子乱瞟哪里？不要命了么！"

夜风吹过光秃的枝丫有霍然的冷声，檐下昏黄的宫灯摇出碎金似的斑驳光影，恍若冷而沉的惶然一梦。

如懿神色如常，仿佛毫不放在心上，牵住皇帝的手沉定道："自作孽，不可活！总不是臣妾与皇上让阿箬含冤而死。再说阿箬活着也就这点伎俩，死了还能翻出天来么！臣妾一定命人细查，看谁乱做手脚在后宫兴风作浪！"

书名：《独步一宅》

作者：水无暇

定价：29.80元

一场隐藏在深宅大院内的暗战！

一个聪明貌美的姑娘，一个痴傻的夫婿，一座危机四伏的王府，一只神秘的金算盘，演绎了一场不同凡响的宅院之争。

宫斗看如懿，宅斗看九如！

书名：《宅斗之玉面玲珑》

作者：聆花雪

定价：29.80元

高墙大院之内，钟鸣鼎食之家，在堆金积玉的繁华地里炮制腥风血雨的阴谋，无怨无悔的惨烈宅斗在此决绝上演。

然而，此世今生，我们仍然是玲珑局中的弃子罢了。